TEN OOSTEN VAN HET WESTEN

Miroslav Penkov

Ten oosten van het westen

EEN LAND IN VERHALEN

Vertaald door Saskia van der Lingen en Caroline Meijer

2012

DE BEZIGE BIJ

AMSTERDAM

De vertalers ontvingen voor deze vertaling een werkbeurs
van het Nederlands Letterenfonds

Een voorpublicatie van 'Makedonia' verscheen in *Terras* 01,
december 2011

Voor mijn ouders

'Bravo, mijn ziel, die als vaderland altijd het reizen heeft gehad!'
Nikos Kazantzakis, *Odhýssia*, XVI, 959

Inhoud

Makedonia

Ik ben geboren nog geen twintig jaar nadat we de Turken eruit gesodemieterd hadden. 1898. Dus ja, ik ben nu eenenzeventig. En ja, ik ben knorrig. Ik ben bot. Ik stink, zoals alle oude mannen. Ik ben een wandelend ongemak, heupen, schouders, knieën en ellebogen. 's Nachts lig ik wakker. Ik noem mijn dochter bij de naam van mijn kleinzoon en herinner me de dag dat ik mijn vrouw ontmoette beter dan de dag van gisteren of vandaag. 2 augustus, meen ik. 1969. Afgelopen nacht heb ik in mijn bed gepiest en wie weet welk gerief komende nacht brengt? Ik ben op geen enkele manier origineel of nieuw. Al zou het heel goed kunnen dat ik jaloers ben op een man die al zestig jaar dood is.

Ik heb zijn brieven aan mijn vrouw gevonden, van lang voordat ze mij kende, toen ze pas zestien was. Het was stom toeval, een vondst die thuishoort in een stuiverroman, niet in het echte leven en de ouderdom. Ik liet haar sieradenkistje vallen. De deksel schoot opzij en aan de onderkant sprong het klepje van een geheim vakje open. Daarin zat een klein opschrijfboekje, een dagboek in brieven.

Ik kan me niet voorstellen dat ik ooit het soort brieven zou schrijven dat een vrouw zestig jaar zou bewaren. Ik wou dat het niet die man was maar ik die Nora had gekend in de tijd dat ze dichter bij een begin stond dan bij een eind. Dat is de simpele waarheid: we naderen het eind. En ik wil niet eindigen. Ik wil eeuwig leven. Herboren in het lichaam van een jonge man en met de geest van een jonge man. Maar niet mijn lichaam en niet mijn geest. Ik wil nog een keer leven als iemand zonder herinnering aan mezelf. Ik wil die andere man zijn.

•

Acht jaar wonen we nu al in dit verzorgingstehuis, een paar kilometer van Sofia, aan de voet van het Vitosjagebergte. Het uitzicht
is mooi, de lucht is schoon. Het is niet zozeer dat ik het hier niet
naar m'n zin heb. Het is meer dat ik het hier verschrikkelijk vind.
Het uitzicht en de lucht, het eten, het water, de manier waarop ze
ons behandelen alsof we allemaal stervende zijn. Het feit dat we
allemaal stervende zijn. Maar ik neem aan, als ik eerlijk tegen mezelf ben, wat ik zelden ben, dat ik blij moet zijn dat we zitten waar
we zitten. Het viel niet mee om Nora in mijn eentje te verzorgen,
na haar beroerte. We deden de flat over aan onze dochter, pasge-
trouwd, al in verwachting, pakten ons boeltje en vestigden ons in
de gevangenis.

Sindsdien is elke dag als de vorige. Om halfzeven worden we
gewekt voor onze pillen. We ontbijten in de kantine – dunne be-
boterde sneetjes brood met drie zwarte olijven, een dun plakje gele
kaas, wat lindebloesemthee. Godallemachtig, in de Balkanoorlog
kregen we nog beter te vreten. Ik zit in een zee van trillende kinnen en bevende vingers en luister naar het geplonk van olijfpitten
op blikken borden. Ik praat met niemand en niemand praat met
mij. Dat heb ik dan wel weer bereikt. Dan, na het ontbijt, duw ik
Nora in haar rolstoel naar de gymzaal. Ik kijk hoe ze worstelt om
een vuist te maken, een rubberen bal vast te houden. Ik kijk hoe
de zusters haar verschrompelde arm en been masseren. Ik kijk naar
hun soepele armen en benen.

Na haar tweede beroerte was Nora half verlamd, en praten kon
ze helemaal niet meer. De meeste zusters, sommige dokters zelfs,
houden haar voor geestelijk gehandicapt. Ze is verre van dat. Ik
weet zeker dat in haar hoofd alle woorden helder klinken, maar ze
rollen zonder verband naar buiten, als het gebrabbel van een baby.
Soms wou ik dat ze haar gekwebbel voor zich hield. Soms schaam
ik me kapot, zoals de zusters naar haar kijken, of naar mij. Het is
inmiddels wel duidelijk dat ze niet als door een wonder weer zal
leren praten. Dat deel van haar hersens is verwoest, de stop is

doorgeslagen. Dus waarom houdt ze haar mond niet? Ze kan mijn naam zeggen en die van Burjana, en als ik mijn best doe haar op stang te jagen, komt er soms zelfs een vloek uit. De rest is gewauwel.

Ze wauwelt als ik haar naar onze kamer terug rijd of, als het weer het toelaat, naar buiten de tuin in, waar we rondjes lopen. Ik hou alleen van de tuin als de bloemen bloeien. Op alle andere momenten is de grond vochtig en zwart, en kan ik de nare gedachten niet tegenhouden. Als we moe zijn gaan we op een bankje zitten en vallen we in slaap, schouder aan schouder, met de zon op ons gezicht, en ieder die ons ziet vindt ons vast een prachtig stel.

Daarna middageten. Daarna middagdutje. Onze dochter komt eens in de week op bezoek en soms neemt ze onze kleinzoon mee. Maar de laatste tijd, door alle problemen thuis, komt ze dagelijks. Ze is geen aangenaam gezelschap, mijn dochter. We laten de kleine Pavel bij zijn oma zitten, zodat ze niet van streek raakt, en in de tuin praat Burjana over haar man, die achter een andere vrouw aan zit. Lieve Burjana, ook ik kan van streek raken. Maar hier zit ik op het bankje en ik luister omdat ik je vader ben. Ik kan je niet helpen, je geen verstandig advies geven. Laat je niet kisten, meid. Het komt wel goed met je. Woorden betekenen zo weinig, en ik ben te uitgeput voor daden.

•

Ik slaap en ben afgesneden van verleden en heden. Dan ben ik wakker. Zo te horen heeft iemand op de gang een blad laten vallen. De wind rammelt aan de dakgoten, de bomen kraken en Nora ademt te luidruchtig. Ik doe mijn ogen dicht. Maar wat als iemand nog een blad laat vallen? Wat als Nora hoest of snurkt? Ik lig te wachten op geluiden die misschien nooit zullen klinken maar me toch wakker houden. Het dondert boven de berg.

Ik trek mijn kamerjas aan en ga in Nora's rolstoel bij het raam zitten. Ik zet het radiootje aan. Zachte muziek stroomt uit de luidspreker, en ik luister in het blauw van de nacht tot er een stem komt om het late nieuws voor te lezen. De Communistische Partij is weer goed bezig: meer banen voor de mensen, minder armoede. Onze fantastische Bulgaarse worstelaars hebben alweer goud voor ons binnengesleept. Goedenacht, kameraden, u kunt veilig gaan slapen.

Godallemachtig, ik zal niet veilig zijn. Voor mij geen slaap. En ik ben de kameraden zo vreselijk moe, hun alomvattende geloof in een stralende toekomst waarvan ik zo langzamerhand begin te vermoeden dat die misschien wel nooit komt. Ik draai aan de knop tot ik het omfloerste geluid van een buitenlandse zender hoor. Een Roemeense vermoedelijk. Dan een Griekse. Dan een Britse. De stemmen knetteren en zoemen omdat de Partij het signaal verstoort, maar 's nachts althans zijn de stemmen krachtig genoeg om te verstaan. Ik luister naar het Engels en alle woorden klinken me in de oren als één lang woord, een woord ontdaan van geschiedenis en betekenis, helemaal vrij. 's Nachts is de lucht dikker, en het ene buitenlandse geluid sleept het volgende achter zich aan en ze vloeien samen tot een rivier, die vrijelijk van land naar land stroomt.

Ik laat me door die rivier meevoeren. Maar hoe kan ik desondanks de stroom van mijn zorgen tegenhouden? Ik denk aan Burjana. Hoe moet zij de rekeningen betalen, gescheiden en met een klein kind? Hoe moet Pavel zonder vader een man worden? En dan zoeken mijn ogen naar Nora, die zachtjes op haar rug ligt te snurken. Ik kijk naar haar gezicht, haar gerimpelde huid, haar scheve lippen, en ik kan niet anders dan constateren dat ze mooi is, nog steeds. Een man zou zijn vrouw moeten kunnen ontdoen van alle jaren, totdat ze weer jong en naakt voor hem ligt. Wat me me doet afvragen of ze ooit naakt voor die andere man heeft gelegen, die van die brieven. Of hij haar linkerborst in zijn handpalm heeft gevat. Maar het is Nora's borst, en hij was toch zeker een man? Natuurlijk heeft hij die in zijn hand gevat.

Ik reik naar het sieradenkistje en wurm de onderkant open. Ik neem het notitieboekje eruit en weeg het op mijn handpalm. Iemand heeft op de kaft gekrabbeld – *Lieve juffrouw Nora, in zijn laatste uur heeft de heer Pejo Spasov ons gevraagd dit boekje naar u op te sturen.* Meer kan ik niet lezen nu. *De heer Pejo Spasov.* Een gewonere naam is nauwelijks denkbaar. Hij was vast een boer, onopgeleid, onnozel en eenvoudig van geest. Hij verdiende zijn brood vast met akkers ploegen, houthakken en schapen hoeden. Waarschijnlijk lispelde hij, of stotterde hij. Waarschijnlijk liep hij krom van al het werk.

Plots dringt tot me door dat ik zojuist mezelf beschreven heb. Natuurlijk haat ik die andere man, maar wat als hij niet een boer was zoals ik? Wat als hij een dokterszoon was? Ik sla de eerste brief op en lees.

5 februari 1905

Mijn liefste schat Nora. Ik sterf zowat van de kou en mijn vingers doen pijn, maar daar wil ik niet aan denken. Ik schrijf je een brief. We steken nu het Piringebergte over en als God het wil zijn we morgen in Macedonië. De Turken...

Mijn liefste schat. Ik stop het boekje nogal ruw terug in het kistje en haast me terug naar bed. Onder de dekens ril ik en luister ik naar denkbeeldige geluiden. Ik kan me niet veroorloven over deze man te lezen. De kans bestaat, hoe gering ook, dat hij niet is zoals ik graag wil dat hij is.

•

'Dus ze heeft een paar oude brieven bewaard, nou en?' Burjana zet haar zonnebril af. Haar ogen zijn rood en opgezwollen en ze knippert ermee terwijl ze aan de middagzon wennen. We zitten buiten in de tuin, op een bankje het verst van de andere bankjes af, maar ook weer niet zo ver dat we geen last hebben van de strompelaars die hun voeten en stokken en rollators over de kiezelpaadjes slepen.

'"Nou en"?' zeg ik.

'Nou en,' zegt ze weer, en ik schrik ervan hoe ze is versteend, in beslag genomen als ze is door haar mislukkende huwelijk.

'Je zou die brieven moeten lezen,' zegt ze. 'Misschien helpen ze de verveling te verdrijven. En lees ze aan moeder voor. Waarom niet? Heeft ze weer eens een verzetje.'

Een verzetje! En dus zeg ik: 'Van jou geen advies over de liefde graag.' Ik bedoel het als grap natuurlijk, maar Burjana is niet in de stemming voor grapjes. En algauw wou ik dat ik mijn mond had gehouden, want vanaf dat moment gaat het alleen nog over haar echtgenoot en die andere vrouw, een collega bij hem op school, die net als hij literatuur doceert.

Ze zegt: 'Gisteren toen hij van huis ging ben ik hem gevolgd. Hij ontmoette haar in een café en trakteerde haar op *torta garasj*. Zelf dronk hij water, meer kon hij duidelijk niet betalen, en terwijl zij haar chocoladepunt at, praatte hij aan één stuk door, wel een uur lang.'

'Denk je dat hij het over jou had?' vraag ik. Ze begint te huilen.

'Het ergste is,' zegt ze snikkend, 'dat die andere vrouw niet eens mooi is. Waarom zou hij me in de steek laten voor een vrouw die minder mooi is dan ik? Wat doet het ertoe dat ik een volwassen man die gedichten schrijft een sukkel vind? Wat doet het ertoe dat ik niet van lezen hou? Daarom ben ik nog geen slechte echtgenote, toch?'

Ik sla mijn arm om haar schouder en laat haar even uithuilen.

'Dat is een valide vraag,' zeg ik. *Een valide vraag*. Moet je mij horen. En terwijl ze zit te snikken, dwalen mijn gedachten af en denk ik aan kleine Pavel, boven bij Nora. Ze zijn vast aan het lachen samen, opgewekt, zonder dat een van beiden iets vermoedt.

'Je moet met hem praten,' zeg ik, en ik neem haar haar in mijn hand, weg van haar natte gezicht. 'Je kunt hem niet blijven bespioneren. Zoiets doe je niet.'

Ze gaat rechtop zitten. 'Van jou geen advies over de liefde graag,' zegt ze.

•

Het is weer nacht. Het zou die van gisteren kunnen zijn, of die van morgen. Een nacht vier jaar terug. Ze zijn allemaal hetzelfde. Ik zit in Nora's rolstoel en luister naar de wereld. Ik kijk voorbij de muren, niet met mijn ogen, maar met mijn oren. Ik zie de zusters in hun kantoortje koffiezetten. Het water borrelt. Ik hoor naalden tikken; iemand is sokken aan het breien. Ik hoor de bankjes, de bomen, de berg. Elk ding bezit een uniek geluid en als een vleermuis drink ik het geluid van al die dingen, dood of levend. Mijn gehemelte heeft een smaak ontwikkeld voor geluid.

Ik hoor mijn kleinzoon slapen in zijn bed, mijn dochter met haar man praten. Ik hoor de dromen van mijn vrouw, zoet voor haar, maar voor mij smaken ze naar alsem. Ongetwijfeld droomt ze van de heer Pejo Spasov. En daarom lijkt het me niet meer dan redelijk dat ook ik het geluid dat hij heeft achtergelaten eens mag smaken. Ik pak het notitieboekje en lees zijn slordige handschrift.

5 februari 1905

Mijn liefste schat Nora. Ik sterf zowat van de kou en mijn vingers doen pijn, maar daar wil ik niet aan denken. Ik schrijf je een brief. We steken nu het Piringebergte over en als God het wil zijn we morgen in Macedonië. De Turken bewaken alle belangrijke passen, dus moesten we een nieuwe doorgang vinden. Twee van mijn vrienden zijn uitgegleden op het ijs en omgekomen. De eerste, Mitjoe, leidde de ezel met onze bevoorrading, en de ezel gleed uit en sleurde hem mee de diepte in. Dus nu lijden we honger en overnachten we tussen een paar rotsen. Het is begonnen te sneeuwen. Liefste Nora, ik mis je. Ik wou dat ik bij je was. Maar je weet hoe het is — een man kan niet thuis blijven zitten als hij weet dat de Turken in Macedonië onze broeders aan het afslachten zijn in een poging ze onder de fez te houden. Ik heb het je destijds gezegd en ik zeg het nu weer: als mannen zoals ik de broeders niet bevrijden, doet niemand het. De Russen hebben ons geholpen vrij te worden. Nu is het onze beurt. Ik hou van je, Nora, maar er zijn zaken waar zelfs de liefde voor moet buigen. Ik weet dat je me op den duur zult begrijpen en vergeven. Trek het mes, span de haan van het pistool. Dat is wat de voivode, *onze commandant, zegt. Ik wou dat je hem kon ontmoeten. Hij heeft maar één oog, maar nooit zag je een hongeriger oog. Het andere heeft hij verloren in de Vrijheidsoorlog. Hij heeft nog gevochten in de slag bij de Sjipkapas in 1877, de voivode. Onvoorstelbaar, niet? Hij zegt dat de Turken toen gevaarlijk waren, maar nu, zegt hij, kunnen we ze wel aan. Makkelijk zal het niet zijn natuurlijk. De voivode zegt: Ik heb geen vader, ik heb geen moeder. Mijn vader is de berg, mijn moeder is het geweer. Alle dierbaren die jullie thuis hebben achtergelaten, zegt hij, zeg ze vaarwel. Het is omwille van het bloed van jullie broeders dat wij het onze vergieten. Maar ik kan geen vaarwel zeggen, liefste Nora. En ik kan dit potlood niet meer vasthouden. Ik heb het koud. En vergeef me alsjeblieft. Liefs, Pejo.*

Liefs, Pejo... Waarom las ik deze woorden? Ik beloof plechtig dat ik deze man zal benijden noch vrezen. In plaats daarvan kus ik mijn vrouws goede hand en kus ik haar lippen, alsof ik een merkteken op haar zet. Ze is nu van mij en is dat een leven lang geweest, punt uit. Ik luister naar de zusters verderop in de gang, ik luister naar de bankjes en de bomen. Maar in het maanlicht is mijn kussen een rots, en dus lig ik naast deze rots en dus begint het te sneeuwen. Ik hoor het knisperen van elke vlok op mijn gezicht, de kou verspreidt zich door mijn verraderskniëen en -ellebogen. De voivode heeft in de Vrijheidsoorlog een oog verloren. Allemachtig, wie schrijft zoiets gruwelijks in een liefdesbrief? Ik heb mannen gezien bij wie de ogen waren uitgestoken. Naasten van me, blootsvoets, hun polsen op de rug gebonden. Opgehangen op het dorpsplein opdat iedereen ze zou zien. Liggend in bed, mijn ogen stijf dicht, hoor ik het touw nog kraken van de lichamen die daar bungelen en kan ik het geluid horen dat de bungelende lichamen maken.

•

Ik ben een jaar na mijn broer geboren. Toen ik twaalf was baarde moeder nog een zoon, maar hij stierf als baby. Twee jaar daarna kreeg ze een meisjestweeling. We woonden in het huis van mijn grootvader en werkten op zijn land. Onze grootvader was een luie man, de luiste die ik gekend heb, maar hij had zo zijn redenen. Vanaf de schemering tot na de dageraad zat hij buiten op de drempel hasjiesj te roken. Hij liet me naast zich zitten en vertelde me verhalen over de Turkse tijd. Zijn hele jeugd had hij een Turkse bei gediend, en die bei had zijn rug gebroken met werk voor wel zeven levens lang. Dus nu hij vrij was, weigerde opa om zelfs maar zijn gat af te vegen. Dat is wat hij altijd zei. 'Ik heb je vader om mijn gat af te vegen,' zei hij, en hij inhaleerde nog eens diep. Hij tekende kaarten van Bulgarije in het stof, enorm als het geweest was meer dan vijf eeuwen geleden, voordat de Turken ons land hadden veroverd. Hij tekende een cirkel rond het noorden en zei: 'Dit hier heet Moesië. Dit is waar wij wonen, eindelijk vrij, met dank aan onze Russische broeders.' Dan omcirkelde hij het zuiden. 'Dit hier is Thracië. Nog zeven jaar nadat het noorden was bevrijd bleef het deel van het Ottomaanse Rijk, maar nu zijn we één, verenigd. En dit hier,' zei hij, terwijl hij nog verder naar het zuiden een cirkel tekende, 'is Macedonië. Thuisland van de Bulgaren, maar nog steeds onder de fez.' Dan veegde hij met zijn vingers langs de lijnen en staarde lang naar de cirkels, pijlen tekenend naar punten waar de Russen volgens hem moesten binnenvallen en kruisjes waar hij vond dat veldslagen geleverd moesten worden. Vervolgens spuugde hij in het stof en tekende de rest van Europa en omcirkelde dat, en hij omcirkelde Afrika en Azië. 'Op een dag, siné, zullen al deze continenten weer Bulgaars zijn. En de zeeën misschien ook.' Dan inhaleerde hij nog eens diep en liet mij soms ook een trekje nemen, want een beetje kruiden, zei hij, had een kind nog nooit kwaad gedaan.

En nu, in bed, verlang ik er plotseling naar om mijn longen te vullen met dat brandende gevoel, zodat mijn hoofd licht en leeg wordt. In plaats daarvan vult mijn hoofd zich met herinneringen aan dingen die allang verdwenen zijn, zoals een kalebas zich volzuigt met water als het regent.

Onze vader was een verbitterde man, die voor elke maaltijd de hand van zijn schoonfamilie moest kussen. Hij heeft ons vaak genoeg geslagen met zijn kastanjehouten stok en de enige dag waarop hij in mijn herinnering gelukkig was, was in 1905, toen we vierden dat het twintig jaar geleden was dat het noorden met het zuiden werd herenigd. Hij zette mij en broer op een stoel, schonk voor ons allebei een kroesvol rode wijn in en dwong ons die tot de bodem leeg te drinken, als echte mannen. Hij zei dat hij de kroezen met *rakia* zou vullen zodra we ook Macedonië terugkregen.

Vader kwam om in de Balkanoorlog, zeven jaar later. Ik koester de gedachte dat hij is gevallen bij Edirne, een heldendood, maar ik neem het hem niet kwalijk als hij gewoon besloot niet terug te keren. Ik hoop dat hij rust in vrede. Na opa's dood was het de taak van mij en broer om de vrouwen te onderhouden. We bewerkten de akkers van anderen, maaiden hooi, hoedden de schapen van het dorp. En iedereen sprak over een nieuwe oorlog, verreikender dan de Balkan, en eindelijk bereikte ook die oorlog ons dorp. Mannen met geweren sloegen hun kamp op op het plein en rekruteerden soldaten. Ze zeiden dat alle jongens van zo en zo oud het leger in moesten. Ze zeiden dat als wij Duitsland hielpen winnen, de Duitsers ons het land zouden teruggeven dat de Serviërs en de Grieken en de Roemenen na de Balkanoorlogen van ons hadden afgepakt. De Duitsers zouden ons zelfs toestaan Macedonië op de Turken terug te veroveren en voor altijd en eeuwig compleet te zijn. Onze moeder huilde en kuste mijn handen en toen die van mijn broer. Ze zei: 'Ik kan niet allebei mijn zonen in deze oorlog verliezen. Maar ik kan niet toestaan dat jullie je verbergen en zo ons bloed te schande maken.' Ze stuurde de tweeling naar buiten om ieder een schaap te melken en zette vervolgens één melkbus voor mij neer en één voor mijn broer. Degene die zijn bus als eerste leegdronk zou thuisblijven en hoofd van het gezin worden. De ander moest onder de wapenen. Ik dronk alsof ik nooit meer zou drinken. Ik klokte. Ik slokte. Ik inhaleerde die melk. Toen ik klaar was, zag ik dat mijn broer de zijne nog nauwelijks aan zijn lippen had gezet.

Godallemachtig. Waarom nú? Alsof ik geen andere zorgen aan mijn kop heb. Ik lig hier overspoeld door herinneringen en luister naar de neerdwarrelende sneeuw uit die stomme oude brief. Ik voel de kou van de berg en zie mijn broer met in zijn handen die bus nog vol vloeibare sneeuw. In hemelsnaam, broer. Drink.

·

Na het ontbijt help ik Nora in haar kamerjas – de lamme arm eerst, dan de goede. Ik kam haar haar en praat tegen haar: Heb je lekker geslapen, schat? Mooie dromen gehad? Heb je over mij gedroomd? Ik droomde dat ik de bergen overstak en tegen de Turken vocht.

Ze lijkt verward. Ik help haar overeind. Ze glimlacht. Is het een liefdevolle glimlach? Of is ze gewoon dankbaar voor de hulp? Langzaam lopen we de gang door, twee strompelaars die elkaar als krukken gebruiken. We maken een rondje door de tuin en gaan dan op een bankje zitten.

Ik zeg: 'Ik ben nooit een man met tact geweest,' en haal het boekje met brieven tevoorschijn uit mijn wollen jasje. Ik leg het op haar schoot. 'Ik weet ervan,' zeg ik. 'Ik weet dat hij van je hield en dat jij ook van hem hield. Het was vóór mijn tijd, natuurlijk, maar mijn god, Nora, ik wou dat je het me verteld had. Waarom heb je het me nooit verteld? Ik hoef toch op mijn eenenzeventigste niet nog jaloers te worden op de doden?'

Ik forceer een glimlach, maar Nora's ogen zijn op de brieven gericht. Ze aait met een vinger over de kaft en het dringt nu pas tot me door dat ze dit boekje al sinds haar eerste beroerte niet meer in handen heeft gehad; dat ze zich vermoedelijk had verzoend met de gedachte dat ze zijn woorden nooit meer zou lezen.

Waarom ook niet? Ik sla de bladzijden om en schraap mijn keel. Laat deze dode geliefde van mijn vrouw nogmaals tot leven komen, ter wille van haar, al is het maar één dag. Laat ik, haar man, hem mijn levende lippen lenen.

Mijn liefste, lieflijke Nora. Vandaag zagen we, terwijl we tot onze knieën in de sneeuw over de Bulgaarse kam van het Piringebergte ploeterden, vanachter een rotsblok een klein rookpluimpje opstijgen. We trokken onze pistolen, klaar om wat Turks bloed te laten vloeien, maar troffen in plaats daarvan een man aan met zijn vrouw, hurkend bij een klein vuurtje. Ze hadden het hemd van de man aan flarden gescheurd en verbrandden die om zich te warmen. Zijn neus was gebroken en het bloed was zwart geworden van de kou. Het gezicht van de vrouw was met een mes bewerkt. Ik trok mijn cape uit en gaf die een tijdje aan haar. Vergeef me alsjeblieft. De voivode liet ons een echt vuur stoken en thee zetten, en terwijl we wachtten tot het water kookte, vertelde de man ons hun verhaal. Ze kwamen van de andere kant van de grens, zij tweeën, uit een of ander dorpje in Macedonië. Ze hadden daar een klein huis en een zoontje van vijf. Twee dagen geleden was een groep komiti, net als wij Bulgaren die gingen vechten voor de vrijheid van Macedonië, door hun dorp gekomen. De beste mensen hadden de komiti onderdak verleend in hun huis, misschien omdat ze bang waren zich hun woede op de hals te halen, misschien gewoon uit vriendelijkheid. De komiti sliepen, aten, dronken (misschien een beetje te veel), kwamen op krachten en stonden op het punt om verder te trekken toen uit het niets een poterja in het dorp arriveerde, een achtervolgingstroep. Ongetwijfeld had een of andere lafaard uit het dorp onze broeders verraden. Er werd veel geschoten en er vloeide veel bloed, Nora, dat is wat de man ons vertelde. Toen de Turken klaar waren, sleurden ze de komiti de tuin in, dood, let wel, en hakten hun hoofden af voor de show. Ze spietsten ze op palen opdat iedereen ze zou zien. Toen pakten ze deze twee mensen hun zoontje af en zwoeren een goede Turk van hem te maken, zodat hij als hij groot zou zijn terug zou komen voor de hoofden van zijn eigen mensen.

Begrijp je nu, Nora, waarom ik ben weggegaan? Waarom mijn hoofd moet rusten op stenen en bevroren modder op die

kloteberg in plaats van op jouw borst? Ik vervloek de Turken, en
de verraders, en alle lafaards die zijn thuisgebleven en hun
vrouwen verkiezen boven hun broeders.
  En met hen vervloek ik mezelf, Nora. Ik wou dat ik ook een
lafaard was.

Het valt me zwaar de brief uit te lezen, en daarna, als ik klaar ben,
zitten we zwijgend naast elkaar. Eigenlijk zou ik Nora's reactie willen zien, maar toch kan ik de kracht niet vinden om haar in de
ogen te kijken. Ik ben er altijd goed in geweest om weg te kijken.

•

's Middags komt onze dochter op bezoek. Pavel drentelt achter
haar aan. Hij hangt aan mijn nek en geeft me een kus. '*Djadka*,
hoe gaat-ie?'
  'Noem je opa geen "djadka",' vit Burjana. 'Dat is onbeleefd.'
  Hij rent naar zijn oma en geeft haar een kus.
  'Djadka,' roep ik hem terug. 'Laat me die spieren van je eens
zien.' Trots spant hij zijn dunne armpje. 'Als staal,' zegt hij. Dan
moet ik mijn arm spannen. 'Als drilpudding!' Hij klimt op mijn
bed, met schoenen aan, en springt op en neer op de krakende spi-
raal.
  Nora glimlacht, net als ik. Maar Burjana zegt tegen Pavel dat
hij zijn oma het sprookje dat hij geleerd heeft moet vertellen en
ploft naast me neer op bed. Ze klopt de deken af en strijkt hem
glad. Ze knikt naar haar moeder. 'Kunnen we even praten, denk
je?'
  'Zo doof als een kwartel, die daar,' zeg ik. 'Ik daarentegen... ik
ben een en al oor.'
  'Alsjeblieft, vader. Ik ben niet in de stemming.'
  Wat een verrassing, denk ik. En stil eens. Ik wil het sprookje
ook horen. Maar ze gaat verder.
  'Ik heb je raad opgevolgd en met hem gepraat,' zegt ze. Ze blijft
zachtjes praten, maar deze ene keer gaat alle geluid langs me heen.

Opeens herinner ik me weer hoe ze, toen ze nog een klein meisje was, met alle geweld over de smalle stoeprand wilde fietsen, hoewel ik het haar verbood. Ik liet haar beloven geen gevaarlijke toeren uit te halen en ze zei: 'Ik beloof het, *taté*!', en alleen dan mocht ze met de fiets naar buiten. Op een dag stond ze met bebloede kin voor de deur. Ze keek me aan en hield met moeite haar tranen in. 'Ik ben nog heel, zie je wel,' probeerde ze te zeggen. 'Ik ben niet zo erg gevallen.' Ik sloeg mijn armen om haar heen, kuste haar, en toen pas gaf ze toe aan haar tranen.

Zo is ze nu ook, terwijl ze me over haar man vertelt. Zo veel jaren later vult mijn mond zich opnieuw met die smaak – Burjana's bloed en tranen.

'Wat heb ik net gezegd?' vraagt ze plotseling. 'Luister je eigenlijk wel?'

'Natuurlijk luister ik. Je hebt met je man gepraat. Hij zei dat hij tijd nodig heeft om na te denken.'

'"Om na te denken"!' zegt ze. 'Dus ik heb besloten dat we hier blijven vannacht. En misschien morgen ook nog.'

Ik laat het even op me inwerken. De kamer is al zo klein, het ademen van Nora alleen al doet hem 's nachts tot de rand toe volstromen met geluid. Nóg twee mensen erbij die ademen en draaien in bed, en die krakende spiralen, moet dat nou? Ik zal geen oog dichtdoen, weet ik. Dat betekent herinneringen aan vroeger. Maar wat kan een oude djadka als ik anders? En dus roep ik de zuster en na wat gemor brengt ze twee vouwbedden.

•

Het avondmaal is achter de rug, de zon gaat onder, en terwijl onze dochter Nora klaarmaakt voor de nacht, pak ik Pavel bij de hand en neem hem mee naar buiten. Een paar oude mannen zitten nog steeds op de bankjes genesteld en ik zeg: 'Pavka, ben ik ook zo? Zo uitgedroogd en lelijk?'

'Ja, jij bent ook zo,' zegt hij, 'alleen niet lelijk.'

'Ik wou dat ik weer een kind was. Maar ik denk niet dat je dat begrijpt.'

'Ik wou dat ik een oude man was.' Hij zucht zachtjes. 'Want als oude mannen praten, djadka, luisteren de jonge. En naar een kind luistert niemand. Maar als ik oud was, zou ik met mijn vader praten.'

We komen langs een boom waarvan de takken vol mussen zitten.

'Ik haat die beesten,' zeg ik. 'Wat een herrie, dat getjilp.'

We verzamelen een paar steentjes en gooien ze één voor één naar de vogels. Ze vliegen zwart en lawaaiig boven ons op. Maar zodra ik buiten adem ben, keren de vogels terug naar hun takken.

'Laten we nog wat steentjes gooien,' zeg ik.

'Het heeft geen zin, djadka. Zo gauw we weg zijn, komen ze terug.'

Ik raap wat steentjes op en leg ze in zijn handen. 'Toe dan,' zeg ik.

•

Het is tijd om te gaan slapen en in zijn bed begint Pavel te zingen. Het verbaast me dat hij de gewoonte om zichzelf in slaap te zingen nog altijd niet kwijt is. Zijn stem is zacht en dun en helder. Ik draai me om en glimlach naar mijn vrouw. Ze glimlacht terug.

'*Djado*, ik kan niet slapen. Vertel eens een verhaaltje.'

Natuurlijk kun je niet slapen, mijn kind. Mijn bloed is jouw bloed en bloed is leeftijdloos.

Burjana probeert hem stil te krijgen, maar ik kom overeind in bed en knip het nachtlampje aan. Ik pak het boekje met brieven en zeg: 'Dit is het verhaal van een komita. Hij is omgekomen in de strijd tegen de Turken.'

'Ja! Een rebellenverhaal.'

Nora doet geen poging me tegen te houden. Burjana draait zich om op haar vouwbed om beter te kunnen horen. Ik lees en zij luisteren. Wat ieder van hen denkt weet ik niet, maar we zijn verbonden door de stoffige woorden. 'En toen?' vraagt Pavel telkens als ik stop om even op adem te komen. 'Wat gebeurde er toen? En toen?'

Maar halverwege het verhaal wordt zijn ademhaling regelmatiger en is hij in slaap.

De geliefde van mijn vrouw, de heer Pejo Spasov, heeft eindelijk Macedonië bereikt. Bij het oversteken van de bergpas hebben ze nog een vriend verloren in een lawine. Pejo heeft het zelf nauwelijks overleefd, heeft zijn makkers moeten uitgraven. Als de komiti bij een dorpje komen, biedt niemand hun onderdak aan. Met messen en geweren halen ze de mensen, voor wier bestwil zij gekomen zijn om te sterven, over om hen in huis te nemen. De komiti brengen de nacht door in een hutje, naast het vuur. Hun doel is zich de volgende dag aan te sluiten bij een grotere groep opstandelingen en mee te doen aan de grootschalige opstand tegen de Turken die op hetzelfde moment in heel Macedonië moet losbarsten. Het land zal eindelijk vrij zijn. Ze weten niet of de andere komiti nu ook zitten te wachten, of zelfs nog in leven zijn.

Buiten beginnen de honden te blaffen. De mannen sluipen naar het raam en in het maanlicht zien ze een boer hun kant op wijzen. Algauw verzamelen Turkse soldaten zich buiten de heg. De Turken steken fakkels aan en gooien ze op het strooien dak om het in vlam te zetten. De komiti openen het vuur. De Turken schieten terug. Terwijl de vlammen zich verspreiden, hakken de mannen zich met hun geweerkolven een weg door de achtermuur, die is gemaakt van leem, stro en koeienstront, en ze slagen erin ongezien op te lossen in het donker. Ze rennen de helling op, vinden dan een schuilplaats naast een hoop stenen. Ze hebben het koud en het begint weer te sneeuwen. Lager op de helling zijn de honden aan het blaffen. Fakkels flikkeren en vliegen naar het ene na het andere dak, en het ene na het andere strodak vat vlam. De komiti luisteren naar jammerende vrouwen, bang om zelf ook maar het minste geluid te maken. Ze vinden de kracht niet, de lafaards, om af te dalen en slag te leveren met de Turken. Wanneer de fakkels wegzinken in de nacht, vluchten de komiti als ratten.

Ik leg het boekje opzij en knip het lampje uit. Ze slapen, stil, zachtjes. Het is verkeerd om jaloers te zijn op je eigen kleinkind. Maar toch ben ik het. Ik ben ook jaloers op Nora. Niemand heeft mij ooit zo geschreven. Maar ik ben niet meer jaloers op die andere man. Want net als ik is hij een lafaard gebleken, en al weet ik dat het verkeerd is, dit geeft me rust.

Ik ga even bij Pavel kijken. Hij heeft de deken van zich af getrapt, en ik stop hem in. Dan stop ik mijn dochter in, en mijn vrouw. Ik ga bij het raam zitten. Op je eenenzeventigste kun je niet verwachten dat je een verhaal hoort, wat voor verhaal ook, zonder dat het iets bij je oproept. Op mijn leeftijd wekt een verhaal een maalstroom op die andere verhalen in zijn kolk opzuigt en weer nieuwe uitspuwt. Me verzetten tegen de herinneringen heeft geen zin.

•

Mijn broer kwam zonder schrammetje uit de oorlog terug. Over wat hij had gezien of gedaan spraken we nooit. Ik schaamde me om het te vragen en hij schaamde zich om het te vertellen. We hadden de oorlog verloren natuurlijk, net als alle andere oorlogen in het recente verleden, wat spijtig was, want onze veldslagen verloren we nooit echt; we kozen alleen de verkeerde bondgenoten. Of liever gezegd, onze soldaten verloren nooit hun veldslagen. Want wat wist ik er nou van? Ik hoedde schapen. Dus broer kwam me gezelschap houden, boven in de heuvels. 's Avonds dreven we de schapen bijeen en sloten ze op in hun schaapskooi, en dan kookten we melk in een ketel, maakten maispap en aten zwijgend terwijl het in de bergen om ons heen onrustig werd door honden die blaften, bellen die klingelden vanuit andere schaapskooien. Soms bedrukte mijn eigen stilte me zo dat ik opstond en zo hard schreeuwde als ik kon. IEHEEEEEE. En dan riep mijn broer de herdersroep. IEHEEEEEE. En van een andere heuvel hoorden we dan een andere herder en dan nog een, en zo riepen we dan in de nacht, als kinderen.

Het was scheertijd, herinner ik me, het voorjaar van 1923. We hadden de helft van de kudde geschoren en waren net bezig de vachten onder een afdak te leggen. De honden blaften en beneden op de helling zagen we een groepje mannen, piepklein eerst, en toen zagen we dat ze geweren droegen.

We riepen de honden tot de orde en wachtten. De mannen stonden voor ons, een stuk of zes, zeven, in herdersmantels, met de kap over hun hoofd. Maar dit waren geen herders. Ik voelde het. Ze hadden ons op de korrel en zeiden dat we onze armen omhoog moesten doen. Ik gehoorzaamde, vanzelfsprekend. Maar broer keek ze aan en kauwde op een strootje. Hij vroeg of ze de weg kwijt waren. Eén zei: 'We komen een paar lammeren halen en wat melk en kaas. Er zit nog een stel hongerige kameraden van ons in het bos.' Hij wees naar me met zijn geweer. 'Zoek een paar lammeren uit.'

'Wij hebben geen lammeren voor jullie kameraden,' zei broer. Een man stapte naar voren en sloeg hem met de kolf van zijn geweer in het gezicht. Maar toen hij sprak was het een vrouwenstem die we hoorden, en toen de kap af ging een vrouwengezicht dat we zagen. Ze spuugde op broer, die neerlag in bloed en stro. Ze vroeg of hij dacht dat ze dit voor hun plezier deden. Of ze het prettig vonden om als honden in holen te leven. Ze zei dat ze vochten voor de mensen, voor broederschap, gelijkheid en vrijheid... 'Je bent erg mooi,' zei broer, en hij hoestte wat bloed op. 'Ik denk dat ik met je ga trouwen.' De vrouw lachte. 'Ga die lammeren halen,' zei ze tegen mij. Haar kameraden bonden broer vast. Ik kookte melk, terwijl zij een lam slachtten en aan het spit regen boven het vuur. Ze bleven bij ons die nacht, met verhalen dat het de werkende klasse was die zou moeten regeren. Ze hadden het over verandering. In september, zeiden ze, zou er een opstand komen. Duizenden kameraden zouden zich aaneensluiten om het regime van de tsaar omver te werpen. De eeuwenoude toorn van de slaaf, zo noemden ze het, zou eindelijk ontketend worden. Het waren geen slechte mensen, neem ik aan – gewoon dwazen die honger hadden. De vrouw ging naast mijn broer zitten en gaf hem melk te drinken. Ik smeekte hun om hem los te laten, maar zij zei dat hij haar zo beter beviel, zo vastgebonden.

Het goot die nacht. Ik pakte een toorts uit het vuur, stapte over de slapende kameraden en ging de hut uit om te kijken of de vachten niet nat werden onder het afdak. Mijn broer en die vrouw lagen naakt te roken op de berg wol. De regen sijpelde door het strodak en hun lichamen glinsterden in het licht van de toorts.

'Ik ga met ze mee,' zei mijn broer de volgende ochtend.

En dat deed hij. In augustus werd hij neergeschoten. Ik was toen weer terug in het dorp. Politiemannen bonsden op onze poort en dreven mij en moeder, mijn zusjes, de buren bijeen. Het hele dorp werd naar het plein gedreven.

Ze hadden een galg neergezet en aan die galg hingen mannen en vrouwen, door elkaar.

'Dit hier zijn partizanen,' zei de politie. 'Communisten die we in de bossen hebben neergeschoten. Sommigen zijn zonder twijfel afkomstig uit jullie dorp, jullie zonen en dochters. Geef ons hun namen en misschien laten we jullie ze dan in alle rust begraven.'

We vormden een rij en één voor één liepen we langs de lijken. Het was zinloos om mensen op te hangen die al doodgeschoten waren. Maar het zorgde voor een gruwelijk schouwspel.

'Ken je deze? En deze dan, ken je haar?'

En toen was het mijn beurt om voor de galg te staan. Ik kneep mijn ogen zo stijf mogelijk dicht en toen was er niets op de wereld behalve het geluid van krakend touw.

•

Het is zaterdagochtend en Burjana begint haar moeder aan te kleden.

'Laat mij maar,' zeg ik. 'Ik wil geen dag missen.'

Voor het middageten krijgen we kip met rijst, en Burjana zegt dat ik rustig aan moet doen met het zout. Al acht jaar zegt niemand dat soort dingen meer tegen me en het voelt raar, maar ik gehoorzaam. Als toetje krijgen we yoghurt met suiker en Pavel eet ook mijn kom leeg. Zijn moeder zegt dat hij rustig aan moet doen met de suiker en we lachen. Het is niet echt grappig, maar we lachen toch. Een zuster komt met een appel voor Pavel en hij bedankt haar, maar ik zie dat hij teleurgesteld is.

We laten hem zijn huiswerk maken in onze kamer en lopen langzaam een paar rondjes door de tuin. Burjana zwijgt en ook ik weet niet wat ik moet zeggen. Als we terugkomen, zit Pavel te lezen in het brievenboekje. 'Oma,' zegt hij, 'van wie hield je meer? Van opa of van de komita?'

Ik betrap me erop dat ik wacht op haar antwoord. Het lijkt alsof Burjana er ook op wacht. Natuurlijk hield ze meer van de komita – hij moet haar hartendief geweest zijn, haar eerste grote liefde. Hoogstwaarschijnlijk, denk ik inmiddels, waren ze verloofd. Hoogstwaarschijnlijk maakten ze plannen samen, stelden ze zich een huisje voor, een paar kindertjes. Anders had ze zijn dagboek nooit al die jaren bewaard. En toen, op het hoogtepunt van hun liefde, kwam hij om. Zoveel kan ik wel gissen zonder het eind te hebben gelezen. Eerst voelde ze zich verraden. Hij had een paar rare idealen – broederschap en vrijheid – boven zijn liefde voor haar gesteld. Daar haatte ze hem om. Maar op een ochtend, bijna een jaar na zijn dood, kwam de postbode met een pakketje met buitenlandse postzegels erop. Ze las het dagboek, en nog steeds haatte ze hem. Ze las het elke dag. Op den duur kende ze alle brieven uit haar hoofd, en naarmate de maanden verstreken werd haar haat minder, en uiteindelijk werd hun liefde door zijn dood tot een ideaal, gedoemd nooit te sterven. Ja, dat is wat ik inmiddels denk. Hun liefde was dwaas, kinderlijk, suikerzoet, het soort liefde dat, als je het geluk hebt haar te verliezen, vlam vat als een strodak maar blijft branden zolang je leeft. Terwijl onze liefde... Ik ben haar man, zij is mijn vrouw.

Maar dan, alsof ze me uit mijn gedachten wil trekken, pakt Nora mijn hand en houdt hem vast. Ik kus haar hand. 'Laten we verder lezen,' zeg ik. Ik schreeuw het bijna, plotseling licht en leeg in mijn hoofd. Ik pak het boekje op.

De komiti bereiken hun plaats van samenkomst, het dorpje Crni Brod. De zon zakt al achter de bergen. Het is heel stil in het dorp. Een man komt hen begroeten. De komiti vragen hem: 'Zijn de voivodes hier?' 'Ja, de leiders zijn hier,' antwoordt de man, 'ze wachten in mijn huis.' 'En dat is de waarheid?' vragen de komiti. 'Ik zweer het op mijn kinderen,' zegt de man, en hij slaat driemaal een kruisje. Hij leidt hen door het dorp. Zwarte rookkabels ontrollen zich vanuit de schoorstenen en de besneeuwde daken schitteren in het stervende zonlicht. De sneeuw kraakt onder hun laarzen. Niets beweegt.

Ze komen bij het huis. De man duwt de poort open en de voivode volgt hem samen met twee anderen naar binnen. Dan sist er plotseling een granaat in de sneeuw en Pejo valt, hij is gewond aan zijn bovenbeen. Om hem heen springen de komiti van hot naar her als vlooien op een wit laken. Ze zijn verraden.

Zo goed en zo kwaad als het gaat strompelt Pejo weg, zonder ook maar één schot te lossen. Zijn bloed gulpt naar buiten. Hij zijgt ineen naast een huis en is nog net bij bewustzijn als hij voelt hoe twee handen hem naar binnen trekken.

We blijven zitten. Er lijkt een eeuwigheid voorbij te gaan zonder enig geluid. Ik doorzoek mijn la tot ik een oud pakje Arda vind uit de tijd dat ik nog rookte. Ik duw het raam open en steek een sigaret op en alweer protesteert er niemand. De smaak is walgelijk – muf en vochtig. Als ik hem opheb steek ik een tweede op. Ik kijk naar mijn vrouws spiegelbeeld in de ruit. Ik vraag me af of ik dingen naar boven heb gehaald die begraven hadden moeten blijven. Maar ik wil het eind lezen. Ik weet dat zij het wil horen.

De Turken hebben alle komiti afgeslacht, een paar opstandige boeren hebben Pejo onderdak verleend, maar zijn wond raakt ontstoken. Ik zie hem nu glashelder voor me, in mijn eigen bed, schrijvend als een bezetene, in een poging al deze gebeurtenissen op papier vast te leggen nu hij nog bij krachten is. Zijn ogen zijn zwart, glanzend van de koorts, en zijn lippen glimmen van het vet van de kippensoep die de boeren hem hebben gegeven. Maar geen soep kan nog helpen. Hij kust de dood op de mond.

Ik sla de laatste bladzij om en lees wat een rebellenlied lijkt.

Ik heb geen vader, ik heb geen moeder,
Vader om me te minachten,
Moeder om me te bewenen,
Mijn vader – de berg.
Mijn moeder – het geweer.

'Dat is het,' zeg ik, 'verder staat er niks geschreven.'

Pavel springt van zijn bed en pakt zijn appel. Hij poetst hem op aan zijn hemd en neemt een hap. Hij biedt zijn moeder een hap aan, Nora, mij. Maar geen van ons zegt iets.

Dan klopt een zuster op de deur. 'Er is bezoek voor u,' zegt ze.

•

Stil blijven we zitten, terwijl Burjana buiten in de tuin praat met haar man, over hun leven beslist. Ik kan ze hiervandaan niet zien – ze zijn van het raam weggelopen, onder de bomen.

'Waarom mag ik niet met papa praten?' vraagt Pavel. Hij legt de half opgegeten appel op de vensterbank en pakt het boekje op. 'Dan ga ik dit gedicht maar uit mijn hoofd leren voor school. Ik verveel me.'

'Pavka, blijf bij je oma. Ik ben zo terug.'

Zo snel als ik kan strompel ik door de gang en ik ben bijna bij de uitgang als Burjana naar binnen komt lopen. Ze veegt haar wangen af. 'Het is afgelopen,' zegt ze. 'Hij is het huis uit. Dat zul jij wel goed nieuws vinden. Met z'n vieren op een kamer...' Ze doet alsof ze lacht en ik sla mijn armen om haar heen, voor het eerst in jaren. Ik kus haar voorhoofd, ogen en neus.

'Ga naar je kind.'

Haar man zit nog op een bankje, met zijn gezicht tussen zijn handen. Hij schrikt op als ik ga zitten. Ik ben oud, denk ik bij mezelf. Ik ben een fossiel. Als ik praat luisteren de jongeren. Maar wat zeg je tegen een man wiens liefde voor een vrouw sterker is dan de liefde voor zijn eigen zoon, zijn eigen bloed? Niets zal deze man op zijn besluit doen terugkomen.

Ik leun achterover op de bank en sla mijn benen over elkaar, hoeveel pijn dat me ook bezorgt. Ik strijk de kreukels in mijn broek glad.

'Ik heb geen vader,' zeg ik, 'ik heb geen moeder. Vader om me te minachten, moeder om me te bewenen. Mijn vader – de berg. Mijn moeder – het geweer.' Hij is verbluft, ik zie het, hij bijt op zijn lip. Bloed stroomt naar zijn gezicht. Deze woorden zeggen hem weinig, oude rebellenfrases over loyaliteit en moed, en toch knijpen ze als een vuist zijn strot dicht.

•

Zodra Burjana en Pavel vertrokken zijn, vertel ik Nora wat er allemaal is gebeurd. Ik bespaar haar niets. Geen geheimen tussen ons nu.

'Ze is een sterke vrouw,' zeg ik, 'onze dochter. Het komt wel goed met haar.' Ik weet niet wat ik anders moet zeggen. Ik kijk naar het kleine boekje op mijn bureau, terwijl Nora met moeite opstaat uit bed. Haar heup geeft een klik, de bedspiraal kraakt. Ik schiet haar te hulp, maar ze schudt haar hoofd. *Nee, nee*, wil ze zeggen. *Ik kan dit zelf. Laat me, zelf.* Ze pakt het boekje op, en ogenblikkelijk komt het tot leven. Het stoffige voorwerp trilt van de aanraking. Een mus, die de dauw van zijn veren schudt. Het hart van een man, dat zichzelf weer tot leven klopt. Een hand die zij wegleidt, onbevallig, afzichtelijk, afschuwelijk. Ik kijk hoe ze haar verschrompelde voet door de kamer sleept en het boekje in het kistje legt. Ze stopt het kistje in een la en schuift de la dicht. Haar gezicht is kalm. Vaarwel, oude jongen, zegt het, oude liefde.

Ik vraag me af of het graf van de partizaan er nog is, daar in dat Macedonische dorp. En als we daarheen gingen, zouden we het dan vinden? Er begint zich een loos plan te vormen. Als ik nu eens iets probeerde te ritselen? Er zijn vast wel een paar oude kameraden die ons kunnen helpen. Als ze ons nu eens een auto leenden, onze paspoorten stempelden? En dan nemen we Burjana en Pavel mee.

Ik pak de half opgegeten appel van de vensterbank en gooi hem op in mijn hand. Hoe kalm je gezicht, Nora, wil ik zeggen, hoe regelmatig je ademhaling. Leer me te ademen zoals jij. Met mijn handpalm te zwaaien en de ziedende branding in glas te veranderen.

In plaats daarvan noem ik haar naam. Langzaam strompelt ze naar me toe en gaat naast me zitten. 'Ik heb je dit nooit verteld,' zeg ik. 'We hebben broer nooit begraven. Dat was een leugen. We hebben hem nooit van de strop gehaald. Ik had geruchten gehoord, verhalen van mensen bij ons in de bergen, over moeders die hun neergeschoten kinderen hadden herkend en door de tsaristen apart werden genomen en ter plekke werden doodgeschoten. En dus zei ik tegen moeder: "Ik smeek je op het bloed van je dochters, loop door. Zeg geen woord." En moeder was toen zo geschokt dat ze niet eens zijn voeten aanraakte toen ze voor mijn broer stond. We zijn gewoon langs hem heen gelopen.'

Ik weet dat het er nooit van zal komen, maar toch zeg ik: 'Laten we naar Macedonië gaan. Laten we het graf zoeken. Ik leen een auto.' Ik wil meer zeggen, maar doe het niet. Ze kijkt naar me. Ze pakt mijn hand en nu trilt mijn hand ook, samen met de hare. In de appel zie ik Pavels tandafdrukken en, in het bruine vruchtvlees, een klein tandje. Ik laat het aan Nora zien en het duurt even voordat haar ogen herkennen wat ze zien. Althans, dat denk ik.

Maar dan knikt ze zonder verbazing, alsof dit precies is wat ze verwachtte. Is het niet goed om zo jong te zijn, wil ze me vertellen, dat je een tand kunt verliezen zonder het zelfs maar te merken?

Ten oosten van het westen

Het kost me dertig jaar en het verlies van mijn dierbaren voor ik eindelijk in Belgrado aankom. Nu drentel ik voor de flat van mijn nicht heen en weer, bloemen in de ene hand en een reep chocola in de andere, en repeteer ik de eenvoudige vraag die ik haar wil stellen. Zo-even ben ik door een Servische taxichauffeur bespuugd en ik neem de tijd om de vlek van mijn hemd te vegen. Ik tel tot elf.

Vera, repeteer ik nogmaals in mijn hoofd, wil je met me trouwen?

·

Ik ontmoette Vera voor het eerst in de zomer van 1970, toen ik zes was. In die tijd woonden mijn familie en ik aan de Bulgaarse kant van de rivier, in het dorpje Bulgarsko Selo, terwijl zij en haar familie aan de overkant woonden, in Srbsko. Lang geleden waren deze twee dorpjes één geweest – het dorp Staro Selo – maar na de grote oorlogen had Bulgarije gebied verloren en was dat gebied aan de Serviërs gegeven. De rivier, die het dorp in twee gehuchten verdeelde, had als scheidslijn gediend: wat ten oosten van de rivier lag bleef Bulgarije en wat ten westen ervan lag hoorde bij Servië.

Op grond van de uitzonderlijke situatie waarin de twee dorpjes zich bevonden hadden de dorpsbewoners bij beide landen toestemming weten te verkrijgen om eens in de vijf jaar een grote reünie te houden, een *sbor*. Officieel was het doel dat wij onze wortels niet zouden vergeten. Maar in werkelijkheid was de reünie voor iedereen gewoon een excuus om veel geroosterd vlees te eten en veel *rakia* te drinken. Een man moest eten tot hij misselijk was van het eten en hij moest drinken tot het hem niet meer kon schelen dat hij misselijk was van het eten. In de zomer van 1970 zou de reünie in Srbsko gehouden worden, wat betekende dat we eerst de rivier moesten oversteken.

•

Zo steken we de rivier over:

Ronkend geluid en rookpluimen boven het water. Michalaki komt op zijn boot de rivier afzakken. De boot is magnifiek. Niet echt een boot, maar een vlot met een motor. Michalaki heeft de stoel uit een oude Moskvitsj gehaald, de Russische auto met de motor van een tank, en heeft die op de vloer van het vlot vastgespijkerd en de zitting bekleed met een geitenvel. Het haar aan de buitenkant. Zwarte en witte vlekken, met bruin. Hij zit op zijn troon, kalm, ontzagwekkend. Hij lurkt aan zijn pijp met ebbenhouten steel en zijn lange witte haar wappert achter hem aan als een vlag.

Op de oever staan onze mensen. Ze wachten. Mijn vader klemt een wit lam onder zijn ene arm en op zijn schouder houdt hij een grote mandfles met druivenrakia in evenwicht. Zijn glanzende ogen zijn op de boot gericht. Hij likt langs zijn lippen. Naast hem ligt een houten vat, volgestouwd met witte kaas. Mijn oom zit op het vat Bulgaars geld te tellen.

'Ik hoop dat ze Deutsche Marken te verkopen hebben,' zegt hij.

'Die hebben ze altijd,' zegt mijn vader tegen hem.

Mijn moeder staat achter ze, met twee zakken in haar handen. De ene zit vol *terlitsi* – pantoffeltjes die ze al maanden aan het breien is, cadeautjes voor onze familieleden aan de overkant. De tweede zak zit dichtgeritst en ik kan niet zien wat erin zit, maar ik weet het wel. Flacons met rozenolie, lippenstift en mascara. Die gaat ze verkopen of ruilen tegen andere soorten parfum of lippenstift of mascara. Naast haar staat mijn zus, Elitsa, een teddybeertje aan haar borst gedrukt dat volgestopt zit met geld. Ze heeft gespaard. Ze wil een spijkerbroek kopen.

'Levi's,' zegt ze. 'Als een rockster.'

Mijn zus weet veel over het Westen.

Ik sta tussen oma en opa in. Oma draagt haar mooiste klederdracht: een traditioneel kostuum dat ze van haar eigen oma heeft gekregen en op een dag aan mijn zusje zal geven. Een bontgekleurde boezelaar, een witte linnen bloes, borduursel. In haar oren haar kostbaarste sieraden: de zilveren oorhangers.

Opa draait aan zijn snor.

'De gluiperd,' mompelt hij, 'dit keer gaat hij betalen. Het is hem geraden.'

Hij heeft het over zijn neef, oom Radko, die hem nog geld schuldig is van een weddenschap over voetbal. Oom Radko was zijn schapen aan het weiden op de steile rotsen waar de rivier zich versmalt, had opa zijn dieren op het klif aan de overkant zien hoeden en geroepen: 'Reken maar dat jullie Bulgaren in Londen gaan verliezen!,' en opa had teruggeroepen: 'Hoeveel zet je in?' En zo was de weddenschap tot stand gekomen, dertig jaar geleden.

We staan met bijna honderd mensen op de oever en het kost Michalaki een dag om ons allemaal aan de overkant te krijgen. Geen douaneheffing – de mannen geven de grenswachters wat geld en alles is in orde. Tegen de tijd dat de laatste persoon voet aan wal zet in Srbsko, staat de maan aan de hemel te stralen en ruikt de lucht naar geroosterd varkensvlees en schuimende wijn.

Eten, drinken, dansen. De hele nacht lang. De volgende ochtend ligt iedereen buiten bewustzijn in de wei. Er zijn maar twee zielen die niet dronken zijn of slapen. Een daarvan ben ik en de andere, die de zakken van mijn dorpsgenoten doorzoekt, is mijn nicht Vera.

•

Twee dingen vielen me op aan mijn nicht: haar spijkerbroek en haar gympen. Afgezien daarvan was ze een schriel meisje – een bleek, rond gezicht en smalle schouders die vervelden van de zon. Haar haar was lang, geloof ik, of was het mijn zus die haar tot aan haar middel had? Ik ben het vergeten. Maar ik weet nog precies wat het eerste was wat mijn nicht ooit tegen me zei: 'Laat mijn haar los,' zei ze, 'of ik mep je tanden eruit.'

Ik liet niet los, want ik wilde dat ze ophield met stelen, dus verkocht ze me zoals beloofd een dreun. Alleen mikte ze niet goed en landde haar vuist op mijn neus, die ze als een zandkoekje vermorzelde. De rest van de sbor liep ik met een grote pleister op mijn gezicht bloed te niezen, en nu ben ik voor eeuwig gemerkt met een lelijk smoelwerk. Wat de reden is dat iedereen, behalve mijn moeder, me Neus noemt.

•

Vijf zomers gleden voorbij. Ik ging naar school in het dorp en 's middags hielp ik vader op de akkers. Vader had een MTZ-50, uit de tractorfabriek in Minsk. Hij nam me op schoot en liet me het stuur vasthouden, en met het stuur trillend en schuddend in mijn handen ploegde de tractor schuin en trok voren die schots en scheef waren.

'Mijn armen doen pijn,' zei ik dan, 'dit stuur is te moeilijk.'

'Niet mekkeren, Neus,' zei vader dan. 'Dat is geen stuur wat je in je handen houdt. Dat is het Leven wat je bij de strot houdt. Sta je mannetje en leer hoe je die gluiperd naar adem moet laten happen, de gluiperd weet immers maar al te goed hoe hij jóu naar adem moet laten happen.'

Moeder was lerares op de school. Dat was lastig voor me, want in de klas kon ik haar geen 'moeder' noemen en ze wist altijd of ik mijn huiswerk had gemaakt of niet. Maar ik kon wel bij haar archief, waardoor ik toetsen kon stelen die ik voor geld aan de kinderen op school verkocht.

In het jaar van de nieuwe sbor, 1975, ging onze aardrijkskundeleraar met pensioen en nam mijn moeder zijn lessen erbij. Hierdoor had ik meer toetsen om te verkopen en verdiende ik veel geld. Ik had een doel voor ogen. Ik ging naar mijn zus Elitsa, na eerst zo hard in mijn ogen te hebben gewreven dat het leek alsof ze vol tranen stonden, en vroeg haar met mijn nederigste en kwets-baarste stem: 'Hoeveel wil je hebben voor je spijkerbroek?'

'Neus,' zei ze, 'ik hou van je, maar deze spijkerbroek draag ik tot de dag dat ik sterf.'

Ik probeerde hartverscheurend te kijken, maar ze liet zich niet vermurwen. In plaats daarvan gaf ze me dit advies: 'Vraag er een aan nicht Vera. Dan betaal je haar op de sbor.' Uit een potje in haar nachtkastje haalde Elitsa een briefje van tien lev en stopte het in mijn zak. 'Koop een mooie,' zei ze.

Twee maanden voor de reünie ging ik naar de rivier. Ik schreeuw-de tot er een jongen verscheen en vroeg hem of hij mijn nicht wil-de gaan halen. Ze kwam een uur later.

'Wat wil je, Neus?'

'Een Levi's!' riep ik.

'Zorg dat je geld bij je hebt!' riep ze terug.

•

Michalaki kwam met rook en kabaal. En het Westen kwam met hem mee. Mijn nicht Vera stapte van boord en alles aan haar schreeuwde: *Wij hebben een beter leven dan jullie, wij hebben meer spullen, spullen die jullie niet kunnen krijgen en nooit zullen krijgen.* Ze droeg witleren schoenen met een bloemetje erop en ze legde uit dat dat een adidas heette. Ze had een spijkerbroek. En op haar T-shirt stond iets in het Engels.

'Wat staat er?'

'De naam van een popgroep. Ze hebben een nummer dat gaat "*smook on da wotta*". Ken je dat?'

'Natuurlijk ken ik dat.' Maar ze wist wel beter.

Na het middagmaal dansten de volwassenen rond het vuur, daarna speelden ze dronken voetbal. Elitsa was het grootste deel van de tijd afwezig en toen ze eindelijk terugkwam, waren haar lippen roodgloeiend en glansden haar ogen zoals ik ze nog nooit had gezien.

Ze nam me apart en fluisterde in mijn oor: 'Beloof me dat je het niet doorvertelt.' Toen wees ze een donkerharige jongen uit Srbsko aan, broodmager en met een lange nek, die zich net in het voetbalspel stortte. 'Boban en ik hebben gezoend in het bos. Het was zo geweldig,' zei ze, en haar stem trilde. Ze gaf me een por tussen mijn ribben en wees met haar vinger naar nicht Vera, die gapend bij het vuur zat en met een stok in de kooltjes pookte.

'Kom op, Neus, wees een vent. Neem haar mee het bos in.'

En ze lachte zo hard dat zelfs de dove omaatjes zich omdraaiden om naar ons te kijken.

Afkerig en beschaamd maakte ik me uit de voeten, maar ik moest Vera uiteindelijk toch benaderen. Ik vroeg of ze de spijkerbroek voor me had, haalde het geld tevoorschijn en begon het te tellen.

'Niet hier, stomkop,' zei ze, en ze sloeg me met de smeulende stok op mijn hand.

We liepen door het dorp tot we bij een oude brug kwamen die verlaten midden op de weg stond. Tussen de stenen groeide geel gras en de rivierbedding was droog en vol spleten.

We verscholen ons onder de brug en voltrokken de ruil. Dertig lev voor een spijkerbroek. De beste koop die ik ooit had gedaan.

'Zin om een eindje te wandelen?' vroeg Vera toen ze de briefjes twee keer had geteld. Ze wreef ze over haar gezicht, zoals onze vaders deden, en propte ze toen in haar zak.

We plukten paddenstoelen in het bos, terwijl ze me over haar school vertelde en klaagde over een Servische jongen die haar altijd lastigviel.

'Ik wil hem wel een lesje leren,' zei ik. 'De volgende keer dat ik hier ben moet je hem maar aanwijzen.'

'Ja hoor, Neus, alsof jij weet hoe je moet knokken.'

En toen gaf ze me zomaar een dreun op mijn neus. Vermorzelde hem nogmaals als een koekje.

'Waarom deed je dat?'

Ze haalde haar schouders op. Ik maakte een vuist om haar een dreun terug te verkopen, maar hoe doe je dat bij een meisje? Of liever, hoe zou iemand een dreun verkopen het bloed dat uit je eigen neus stroomt kunnen stelpen? Ik probeerde het op te snuiven en te doen alsof de pijn me totaal niet deerde.

Ze pakte me bij de hand en trok me mee naar de rivier.

'Ik mag jou wel, Neus,' zei ze. 'Laten we je gezicht gaan wassen.'

•

We lagen op de oever en kauwden op tijmblaadjes.

'Neus,' zei mijn nicht, 'weet je wat ze ons op school vertellen?'

Ze rolde zich om en ik deed hetzelfde om haar in de ogen te kijken. Ze waren heel donker en hadden de vorm van een abrikozenpit. Haar gezicht zat vol sproeten en ze had een klein vlekje op haar bovenlip, heel licht, bijna niet te zien, dat roder werd als ze zenuwachtig of boos was. Het vlekje was nu rood.

'Je ziet eruit als een muis,' zei ik tegen haar.

Ze draaide met haar ogen.

'Onze geschiedenisleraar zegt,' zei ze, 'dat we allemaal Serviërs zijn. Voor de volle honderd procent dus.'

'Nou, je praat wel raar,' zei ik. 'Ik bedoel, je praat een soort van Servisch.'

'Dus jij vindt dat ik Serviër ben?'

'Waar woon je?' vraag ik haar.

'Je weet waar ik woon.'

'Maar woon je in Servië of in Bulgarije?'

Haar ogen werden troebel en ze hield ze lange tijd gesloten. Ik wist dat ze verdrietig was. En dat vond ik fijn. Zij had mooie schoenen, en een spijkerbroek, en kon naar bands uit het Westen luisteren, maar ik bezat iets wat voor altijd van haar was afgepakt.

'De enige Bulgaar hier ben ik,' zei ik tegen haar.

Ze ging rechtop zitten en staarde naar de rivier. 'Laten we naar de verdronken kerk zwemmen,' zei ze.

'Ik heb weinig zin om neergeknald te worden.'

'Neergeknald te worden? Wie geeft er wat om kerken in niemandswater? En trouwens, ik heb daar al vaker gezwommen.' Ze stond op, trok haar T-shirt uit en sprong het water in. De donkere stroom rimpelde om haar schouders en ze glansden als gladde, ronde kiezels die de rivier eeuwenlang gepolijst had. Toch was haar huid zacht, stelde ik me zo voor. Ik stak bijna mijn hand uit om hem aan te raken.

Traag zwommen we door de rivier, dicht langs de oever. Ik ving een voorntje onder een steen, maar Vera wilde dat ik hem losliet. Eindelijk zagen we het kruis boven het water uitsteken, het was enorm, met roestige voeten en armen die het avondzonlicht opvingen.

Allemaal kenden we het verhaal van de verdronken kerk. Lang geleden, vóór de Balkanoorlogen, woonde er een rijke man ten oosten van de rivier. Hij had geen nakomelingen en geen vrouw, dus toen hij op sterven lag, riep hij zijn bediende bij zich met een laatste wens: om met zijn geld een dorpskerk te bouwen. De kerk werd gebouwd, ten westen van de rivier, en de boeren huurden van ver een jonge *zograf* in, een iconenmeester. De meester schilderde twee jaar lang en toen ontmoette hij een meisje en werd verliefd op haar en trouwde met haar en ook zij woonden ten westen van de rivier, vlak bij de kerk.

Toen kwamen de Balkanoorlogen en daarna de Eerste Wereldoorlog. Al deze oorlogen werden door Bulgarije verloren en veel Bulgaars gebied werd aan de Serviërs gegeven. Drie functionarissen arriveerden in het dorp; een was een Rus, een was een Fransman en een was een Brit. Wat ten oosten van de rivier ligt, zeiden ze, blijft Bulgarije. Wat ten westen van de rivier ligt hoort van nu af aan bij Servië. Soldaten bewaakten de oevers en wilden de brug ontmantelen, en toen de jonge iconenmeester, die van huis was geweest om aan een andere kerk te werken, terugkwam, weigerden de soldaten hem de grens te laten passeren om terug te keren naar zijn vrouw.

In zijn wanhoop riep hij de mensen bij elkaar en haalde hen over om de loop van de rivier te veranderen, om die westwaarts te dwingen zodat hij om het dorp heen stroomde. Omdat volgens het decreet alles wat ten oosten van de rivier lag Bulgarije bleef.

Hoe ze al die stenen, al die rotsen versjouwden, hoe ze ze opstapelden, daar kan ik me geen voorstelling van maken. Waarom de soldaten hen niet tegenhielden weet ik niet. De rivier bewoog naar het westen en het zag ernaar uit dat hij om het dorp heen zou slingeren. Maar toen sidderde hij, kronkelde hij en proefde met zijn tong een weg van minder weerstand; hij zwiepte door het lagergelegen gehucht en verzwolg mensen en huizen. Zelfs de kerk, waar de meester twee jaren van zijn leven in had gestoken, verdween in zijn buik.

We staarden een tijdje naar het kruis, toen klom ik het water uit en ging op de oever in de zon zitten.

'Het is behoorlijk diep,' zei ik. 'Weet je zeker dat je helemaal tot daar bent gekomen?'

Ze legde een hand op mijn rug. 'Het geeft niet als je niet durft.'

Maar het gaf wel. Ik kneep mijn ogen dicht, haalde diep adem en dook van de oever.

'Zwem naar het kruis!' riep ze me na.

Ik zwom alsof ik schoenen van ijzer aanhad. Ik klampte me stevig vast aan het kruis en ging op de glibberige koepel eronder staan. Algauw stond Vera naast me, die zich ook vasthield aan het kruis om niet uit te glijden en af te drijven.

'Laten we de muurschilderingen bekijken,' zei ze.

'En wat als we vast komen te zitten?'

'Dan verdrinken we.'

Ze lachte en gaf me een por in mijn borst.

'Kom op, Neus, doe het voor mij.'

Eerst kon ik mijn ogen maar met moeite openhouden. De stroom werkte tegen ons en het kostte kracht om bij een raampje onder de koepel te komen. We grepen ons vast aan de spijlen voor het raam en keken naar binnen. En ondanks het troebele water vielen mijn ogen op een schildering van een bebaarde man die bij een rots knielde, zijn handen in elkaar geslagen. De man keek omlaag en in de verte kwam een vogeltje aangevlogen. Onder het vogeltje zag ik een kom.

'Mooie kerk,' zei Vera toen we weer bovenkwamen.

'Wil je nog een keer duiken?'

'Nee.' Ze kwam dichterbij en kuste me snel op mijn lippen.

'Waar was dat voor?' vroeg ik, en ik voelde dat de haartjes op mijn armen en in mijn nek rechtovereind gingen staan, ook al waren ze nat.

Ze haalde haar schouders op, duwde zich toen af van de koepel en zwom lachend en spetterend stroomopwaarts.

•

De spijkerbroek die Vera me die zomer verkocht was ongeveer twee maten te groot, en hij leek eerder gedragen, maar dat kon me niet schelen. Ik sliep er zelfs in. Het beviel me dat hij los om mijn middel zat, dat er zo veel ruimte was, zo veel westerse vrijheid rond mijn benen.

Maar voor mijn zus Elitsa werd het leven er niet beter op. Het Westen bracht haar het hoofd op hol. Vaak ging ze naar de rivier en zat ze op de oever urenlang stilletjes voor zich uit te staren. Zuchtend en met haar knokige schouders omlaag, alsof de aarde onder haar aan haar armen trok.

•

Naarmate de weken verstreken, verloor haar gezicht zijn molligheid. Haar huid werd valer, haar ogen werden troebeler. Aan tafel liet ze haar hoofd hangen en speelde ze met haar eten. Ze zei nooit iets, niet tegen moeder, niet tegen mij. Ze was zo stil als een schildering op een muur.

Een dokter kwam en vertrok perplex. 'Ik vertrek perplex,' zei hij. 'Ze is gezond. Volgens mij mankeert haar niets.'

Maar ik wist het wel. Dat verlangen in de ogen van mijn zus, die teleurstelling, die had ik eerder in Vera's ogen gezien, op de dag dat ze wenste dat ze Bulgaars was. Het was dezelfde blik van verslagenheid, beangstigend en besmettelijk, en vanwege die blik hield ik afstand.

•

Een jaar zag ik Vera niet. Tot ze op een zomerdag in 1976, terwijl ik mijn spijkerbroek stond te wassen in de rivier, vanaf de overkant naar me riep.

'Neus, je bent piemelnaakt!'

Dat was bedoeld om me in verlegenheid te brengen, maar ik gaf geen krimp.

'Ik laat het Westen graag in m'n reet kijken!' riep ik terug, en ik hief de spijkerbroek in de lucht, druipend van de zeep.

'Wat?' schreeuwde ze.

'Ik laat het Westen graag...' Ik zwaaide. 'Wat wil je?'

'Neus, ik heb iets voor je. Wacht ... en ... naar ... kerk. Oké?'

'Wat?'

'Wacht tot het donker is. En zwem. Hoor je me?'

'Ja, ik hoor je. Ben jij daar ook dan?'

'Wat?'

Ik deed geen moeite. Ik zwaaide, boog voorover en ging door met mijn broek wassen.

•

Ik wachtte tot de rest van de familie naar bed was en toen glipte ik het raam uit. Het licht in de kamer van mijn zus brandde nog en ik stelde me voor dat ze in bed lag, haar ogen tragisch op het plafond gericht.

Ik verstopte mijn kleren onder een struik en stapte het koele water in. Aan de overkant zag ik de zaklantaarn van de grenswacht en het uiteinde van zijn sigaret, dat in het donker rood oplichtte. Ik zwom langzaam, met zo min mogelijk geluid. Op sommige plaatsen was de rivier zo smal dat mensen die aan weerskanten stonden haast met elkaar konden praten, maar rond de verdronken kerk was de rivier breed, bijna een halve kilometer van oever naar oever.

Ik zette mijn voeten op de alggladde koepel en liet mijn vingers omlaaggaan over een touw dat aan de voet van het kruis was gebonden. Aan het uiteinde zat een nylon tas. Ik maakte de tas los en wilde me net weer door de stroom laten meevoeren toen iemand zei: 'Die zijn voor jou.'

'Vera?'

'Ik hoop dat je ze mooi vindt.'

Ze zwom dichterbij en werd plotseling gevangen in een kring van licht.

'Wie is daar?' riep de grenswacht, en zijn hond blafte.

'Ga, vlug, stommerd,' zei Vera, en ze plonsde weg. De kring van licht volgde.

Ik klampte me vast aan het kruis en hield me stil. Ik wist dat dit geen grapje was. De grenswachten schrokken er niet voor terug zo nodig te schieten. Maar Vera zwom op haar dooie gemak.

'Snel een beetje!' riep de grenswacht. 'Kom eruit! Hier!'

In de lichtbundel stak haar naakte lichaam scherp af tegen de nacht. Ze had de borsten van een vrouw.

Hij vroeg haar iets en zij zei iets terug. Toen sloeg hij haar. Hij hield haar dicht tegen zich aan en bevoelde haar lichaam. Ze gaf hem een knietje in zijn kruis. Nadat ze in haar nakie was weggerend, lag hij nog lang te schateren op de grond.

Ik keek toe, zonder een kik te geven vanzelfsprekend. Ik had iets kunnen roepen om hem te stoppen, maar hij had wel een geweer. En dus hield ik me vast aan het kruis en dus stroomde de rivier zwart van de nacht om me heen, en zelfs terug op de oever voelde ik me plakkerig van het vieze water.

In de tas zaten Vera's oude Adidas-schoenen. De veters waren in niet al te beste conditie en de zool van de linker was aan de voorkant een beetje losgegaan, maar ze waren nog steeds fantastisch. En plotseling was alle schaamte verdwenen en bonkte mijn hart zo snel van nieuwe opwinding dat ik bang was dat de grenswachten het konden horen. Op de oever trok ik de schoenen aan en ze pasten perfect. Nou ja, ze waren een beetje te klein voor mijn voeten – eerlijk gezegd zaten ze tamelijk krap – maar ze waren de pijn waard. Ik liep niet. Ik zwom door de lucht.

Terwijl ik naar huis beende, hoorde ik in de bosjes iemand giechelen. Het gras ritselde. Ik aarzelde, maar sloop door het donker en zag twee mensen over de grond rollen, en ik zou ze stiekem hebben bespied als ik geen zompende schoenen had aangehad.

'Neus, ben jij het?' vroeg een meisje. Ze kromp ineen en probeerde zichzelf met een bloes te bedekken, maar dit was de nacht dat ik mijn tweede paar borsten zag. Deze behoorden toe aan mijn zus.

•

Ik lag in mijn kamer, met mijn hoofd onder de deken, en probeerde te duiden wat ik had gezien. Ineens kwam er iemand binnen.

'Neus? Slaap je?'

Mijn zus kwam op het bed zitten en legde haar hand op mijn borst.

'Toe nou. Ik weet dat je wakker bent.'

'Wat wil je?' vroeg ik, en ik gooide de deken van me af. In het donker kon ik haar gezicht niet zien, maar ik kon die priemende blik van haar voelen. Het huis was stil. Alleen vader lag te snurken in de andere kamer.

'Ga je het ze vertellen?' vroeg ze.

'Nee. Wat jij doet moet jij weten.'

Ze boog voorover en kuste me op mijn voorhoofd.

'Je ruikt naar sigaretten,' zei ik.

'Welterusten, Neus.'

Ze stond op om te gaan, maar ik trok haar omlaag.

'Elitsa, waar schaam je je voor? Waarom vertel je het ze niet gewoon?'

'Ze zouden het toch niet snappen. Boban komt uit Srbsko.'

'Nou en?'

Ik ging rechtop zitten en pakte haar koude hand vast.

'Wat ga je doen?' vroeg ik haar. Ze haalde haar schouders op.

'Ik wil samen met hem weglopen,' zei ze, en haar stem werd plotseling zachter, kalmer, maar ik schrok me rot van wat ze zei. 'We willen naar het Westen. Trouwen, kinderen krijgen. Ik wil als haarstilist werken in München. Boban heeft daar een nicht. Zij is haarstilist, of ze wast honden of zoiets.' Ze streek met haar vingers door mijn haar. 'O, Neus,' zei ze. 'Zeg me wat ik moet doen.'

•

Ik kon het haar niet zeggen. En dus leefde ze ongelukkig verder, terwijl ze dag en nacht bij die jongen wilde zijn maar hem zelden zag en dan nog in het geniep. 'Ik leef pas,' zei ze tegen me, 'als ik bij hem ben.' En dan vertelde ze over hun plannen: liften naar München, logeren bij Bobans nicht en haar helpen met haren knippen. 'Het gaat ervan komen, Neus,' zei ze dan, en ik geloofde haar.

Het was voorjaar 1980 toen Josip Tito overleed en zelfs ik begreep dat de dingen in Joegoslavië zouden veranderen. De oude mannen in ons dorp fluisterden dat nu de Joegoslavische president eindelijk in een mausoleum was opgeborgen, onze westerbuur uit elkaar zou vallen. Ik riep het gedrocht dat ik een keer in een film had gezien voor mijn geestesoog op, een monster dat aan elkaar genaaid was uit de benen en armen en romp van verschillende mensen. Ik zag voor me hoe iemand aan de draad trok die deze lichaamsdelen samenhield, hoe de draad loskwam, zodat de benen en armen en het lijf losraakten. Wij zouden dan een vinger kunnen inpikken, het land aan de overkant van de rivier, en het weer aan ons land kunnen vastlappen. Dat is waar die oude kerels het over hadden terwijl ze in de *taverna* hun rakia zaten te drinken. Ondertussen vluchtten de jonge mensen naar de stad, achter nieuwe banen aan. Er waren niet genoeg kinderen meer in het dorp om de school nog open te houden en daarom moesten we in een ander dorp naar school, met andere klasgenoten. Moeder raakte haar baan kwijt. Opa kreeg longontsteking, maar oma gaf hem een maand lang kruiden en hij werd beter. Zo goed als. Vader had twee banen, plus hij stapelde hooi in de weekends. Hij had geen tijd meer om mij mee uit ploegen te nemen.

Maar Vera en ik zagen elkaar vaak, soms twee keer per maand. Nooit had ik de moed om over de soldaat te beginnen. 's Nachts zwommen we naar de verdronken kerk en speelden rond het kruis, heel stilletjes, als rivierratten. En daar, bij het kruis, kusten we onze eerste echte kus. Was het blijdschap wat ik voelde? Of verdriet? Om haar zo dicht tegen me aan te houden en haar adem te proeven, haar lippen, om een vinger langs haar nek te laten glijden, over haar schouder, langs haar rug omlaag. Om mijn handpalm op haar borsten te leggen en te weten dat iemand anders dit gedaan had, tegen haar wil, terwijl ik had toegekeken, met ingeslikte tong. Haar gezicht was zilver van het maanlicht, haar haar drupte donker van donker water.

'Hou je van me?' vroeg ze.

'Ja. Heel veel,' zei ik. Ik zei: 'Ik wou dat we nooit het water uit hoefden.'

'Domkop,' zei ze, en ze kuste me nog een keer. 'Mensen kunnen niet in rivieren leven.'

·

Die juni, twee maanden voor de nieuwe sbor, ontdekten onze ouders het van Boban. Toen ik op een avond voor het eten thuiskwam, trof ik de hele familie zwijgend buiten onder de pergola. De dorpspope was er. De dorpsdokter was er. Elitsa was in tranen, haar gezicht knalrood. De pope liet haar een ijzeren kruis kussen en besprenkelde haar met wijwater uit een enorm koperen vat. De dokter gespte zijn tas dicht en er rinkelde glas in toen hij hem oppakte. Hij knipoogde naar me en liep richting de poort. Bij zijn vertrek sloeg de pope met een buxustakje tegen mijn voorhoofd.

'Wat is er aan de hand?' vroeg ik, wijwater druppend.

Opa schudde zijn hoofd. Moeder legde haar hand op die van mijn zus. 'Nu heb je wel genoeg gehuild,' zei ze.

'Vader,' vroeg ik, 'waarom gaf de dokter me een knipoog? En waarom had de pope zo'n groot koperen vat bij zich?'

Vader keek me woedend aan. 'Omdat je zuster, Neus,' zei hij, 'een zwembad van olympische afmetingen nodig heeft om zich te reinigen.'

'En dat betekent?' vroeg ik.

'Dat betekent,' zei hij, 'dat je zuster zwanger is. Dat betekent,' zei hij, 'dat ze als de wiedeweerga moet trouwen.'

•

Opgedoft ging mijn familie naar de rivier. Aan de overkant stond Bobans familie al op ons te wachten. Moeder had de kraag van mijn overhemd met suikerwater gewassen zodat hij stijf bleef, en nu voelde ik dat er suiker in een zweterig, stroperig stroompje over mijn rug liep. Het jeukte en ik probeerde te krabben, maar opa zei dat ik moest ophouden met wriemelen en me als een man moest gedragen. Mijn rug jeukte steeds erger.

Vanaf de overkant riep Bobans vader naar ons: 'We willen de hand van jullie dochter!'

Vader haalde een heupflacon tevoorschijn, nam een slok rakia en reikte de fles rond. De drank smaakte vies en zette mijn keel in vlam. Ik kuchte en opa klopte hardhandig op mijn rug en schudde zijn hoofd. Vader pakte de fles van me over en goot wat drank op de grond voor de doden. De familie aan de overkant deed hetzelfde.

'Ik geef je de hand van mijn dochter!' riep vader. 'We zullen ze op de sbor met elkaar laten trouwen.'

Elitsa's trouwerij zou het hoogtepunt van de sbor worden, dus iedereen bereidde zich voor. Vera wist me te vertellen dat Michalaki bij uitzondering toestemming had gekregen om zeven kalveren de rivier over te zetten, en dat twee ervan al geslacht waren om gedroogd vlees te maken. Wij tweeën zagen elkaar vaak, in het geheim, bij de verdronken kerk.

Op een avond kwam de familie na het eten onder de met druivenranken begroeide pergola bij elkaar. De volwassenen rookten en bespraken de trouwerij. Mijn zus en ik luisterden, en telkens als onze blikken elkaar kruisten glimlachten we.

'Elitsa,' zei oma, en ze legde een dikke bundel op tafel. 'Dit is nu van jou.'

Mijn zus maakte de bundel los en kreeg tranen in haar ogen toen ze oma's mooiste klederdracht herkende, klaargemaakt voor de trouwerij. Ze stalden de delen van het kostuum één voor één uit: de witte linnen bloes, de bontgekleurde boezelaar, het batisten ondergewaad, de festoenen met muntjes, de fijn bewerkte zilveren oorhangers. Elitsa tilde het ondergewaad op, bevoelde het batist met haar vingers en maakte aanstalten om het aan te trekken.

'Mijn god, kind,' zei moeder, 'trek eerst je spijkerbroek uit.'

Zonder schaamte, we waren tenslotte familie onder elkaar, legde Elitsa haar spijkerbroek opzij en trok voorzichtig het prachtige gewaad aan. Moeder hielp haar met de bloes. Opa strikte de boezelaar, en vader deed met trillende vingers voorzichtig de zilveren oorhangers in haar oren.

•

Midden in de nacht werd ik wakker, want ik had in mijn slaap een hond horen janken. Ik knipte het licht aan en ging rechtop zitten, bezweet in de stilte. Ik liep naar de keuken om een slok water te drinken en daar zag ik Elitsa, op het punt om naar buiten te glippen.

'Wat doe je?' vroeg ik.

'Stil, *detsjko*. Ik ben zo weer terug.'

'Ga je naar hem toe?'

'Ik wil hem deze laten zien.' In haar hand hield ze de oorhangers op.

'En wat als ze je snappen?'

Ze legde een vinger op haar lippen en ging ervandoor. Haar spijkerbroek raspte zachtjes en ze loste op in het donker. Bijna had ik vader gewekt, maar hoe kun je over anderen oordelen wanneer er liefde in het spel is? Ik vertrouwde erop dat ze wist wat ze deed.

Een hele poos kon ik niet in slaap komen, omdat de jankende hond uit mijn droom in mijn hoofd zat. En toen klonk vanaf de rivier het ratelen van een machinegeweer. De waakhonden begonnen te blaffen en de dorpshonden antwoordden. Ik lag versteend van angst in mijn bed en bewoog zelfs niet toen er iemand op de poort bonsde.

Mijn zus zwom nooit naar de Servische kant. Boban kwam haar altijd op onze oever opzoeken. Maar die nacht hadden ze vreemd genoeg afgesproken om elkaar in Srbsko te ontmoeten, nog één laatste keer voor de trouwerij. Een soldaat in opleiding had haar uit het water zien klauteren. Hij had hun beiden bevolen halt te houden. Twee kogels hadden Elitsa's rug doorboord toen ze probeerde weg te rennen.

•

Aan dit moment in mijn leven wil ik niet meer terugdenken:

Met rook en kabaal komt Michalaki over de rivier aangevaren, en op zijn boot ligt mijn zus.

•

Er was dat jaar geen sbor. In plaats daarvan waren er twee begrafenissen. We trokken Elitsa haar trouwkostuum aan en legden haar mooi in een gruwelijke kist. De zilveren oorhangers ontbraken.

Het dorp verzamelde zich aan onze kant van de rivier. Aan de overkant stond het andere dorp zijn jongen te begraven. Ik kon het graf dat ze hadden gedolven zien, de grond was hetzelfde en de diepte was hetzelfde.

Er waren drie popes aan onze kant, want oma duldde geen communistische goddeloosheid. Ieder van ons had een kaars vast en de mensen aan de overkant hadden ook kaarsen vast, en de oevers kwamen tot leven met vuur, twee handen van vuur die niet samen konden komen. Tussen die handen was de rivier.

De eerste pope begon te zingen, en beide kanten luisterden. Mijn ogen waren op Elitsa gericht. Ik kon haar niet laten gaan en in mijn hoofd vergrauwde alles tot een mist.

'Generaties gaan,' dacht ik dat de pope zong, 'en generaties komen, maar de aarde blijft altijd bestaan. De zon komt op en de zon gaat onder, en altijd snelt ze naar de plaats waar ze weer op zal gaan. De wind waait naar het westen, naar Servië, en alle rivieren stromen weg, ten oosten van het westen. Wat er was, zal er altijd weer zijn, wat er is gedaan, zal altijd weer worden gedaan. Er is niets nieuws onder de zon.'

De stem van de pope stierf weg, en toen zong er een pope aan de overkant. De woorden stapelden zich als stenen op mijn hart en ik bedacht hoe graag ik als de rivier wilde zijn, die geen geheugen heeft, en hoe weinig als de aarde, die nooit vergeet.

•

Moeder nam ontslag bij de fabriek en sloot zichzelf op in huis. Ze zei dat haar handen brandden van haar dochters bloed. Vader was steeds vaker in de coöperatieve distilleerderij aan de rand van het dorp te vinden. Eerst beweerde hij nog dat het zijn gedachten afleidde om mensen te helpen hun pruimen, perziken of druiven in de ketels te laden; daarna dat hij gewoon de eerste rakia proefde die uit de tap drupte om de mensen te adviseren hoe ze betere drank konden stoken.

Al snel verloor hij allebei zijn banen, en dus kwam het op mij aan om het gezin te onderhouden. Ik ging in de kolenmijn werken, omdat het goed betaalde en omdat ik met mijn pikhouweel het land waarop we liepen wilde uithollen.

De grensbewaking aan beide kanten werd strenger. Beide landen spanden netten langs de oever en schermden een bufferzone af langs het smalle stuk van de rivier waar de dorpsbewoners elkaar vroeger toeriepen. De sbors werden afgeschaft. Vera en ik ontmoetten elkaar nooit meer, al vonden we twee kleine heuvels vanwaar we elkaar min of meer konden zien, als stipjes in de verte. Maar die heuvels waren te ver weg en we gingen er niet vaak heen.

Bijna elke nacht droomde ik van Elitsa.

'Ik zag haar vlak voor ze wegging,' zei ik meermaals tegen mijn moeder. 'Ik had haar tegen kunnen houden.'

'Waarom heb je dat niet gedaan?' vroeg moeder dan.

Soms ging ik naar de rivier en gooide stenen over het hek in het water, en dacht ik aan de twee zilveren oorhangers die vastslibden in de zilte bodem.

'Dief! Modderig weekdier!' schreeuwde ik dan. 'Geef die oorhangers terug!'

•

Ik draaide dubbele ploegendiensten in de mijn en wist zo wat geld opzij te leggen. Ik zorgde voor moeder, die haar bed niet meer uit kwam, en soms bracht ik brood en kaas naar vader in de distilleerderij. 'Moeder is ziek,' zei ik dan, maar hij deed alsof hij me niet hoorde. 'Meer hitte,' riep hij alleen maar, en hij knielde naast het straaltje om wat *parvak* te proeven.

Vera en ik correspondeerden een tijdje, maar elke brief werd gevolgd door een langere periode van stilte voordat er een nieuwe kwam. Op een dag, in de zomer van 1990, ontving ik een kort briefje:

Lieve Neus. Ik ga trouwen. Ik wil jou erbij hebben. Ik woon nu in Belgrado. Ik stuur je geld. Kom alsjeblieft.

In de envelop zat geen geld natuurlijk. Dat had iemand onderweg gestolen.

Elke dag herlas ik de brief en dacht ik aan de manier waarop Vera die woorden had geschreven, in haar elegante, fijne handschrift, en dacht ik aan de man op wie ze verliefd geworden was en vroeg ik me af of ze evenveel van hem hield als ze van mij had gehouden, bij het kruis in de rivier. Ik maakte plannen om aan een paspoort te komen.

•

Twee weken voor de trouwerij overleed moeder. De dokter kon ons niet vertellen waaraan. Aan verdriet, zeiden de klaagvrouwen, en ze gooiden hun zwarte doeken over hun hoofden als as. Vader verplaatste zijn drankgewoonte schuldbewust naar het lege huis. Op een dag schonk hij een glas rakia voor me in en dwong me het in één teug leeg te drinken. We maakten de fles soldaat. Toen keek hij me in de ogen en pakte mijn hand. De arme ziel, hij dacht dat hij er hard in kneep.

'Zoon van me,' zei hij, 'ik wil de akkers zien.'

We strompelden het dorp uit en zopen onderwijl een tweede fles leeg. Bij de akkers aangekomen gingen we zitten en zaten zwijgend te kijken. Na de val van het communisme was de coöperatieve landbouw in veel gebieden een zachte dood gestorven, en alles was nu overwoekerd door doornstruiken en brandnetels.

'Wat is er gebeurd, Neus?' vroeg vader. 'Ik dacht dat we hem goed bij de strot hadden, die gluiperd, met allebei onze handen. Weet je nog wat ik je geleerd heb? Stevig vasthouden, de gluiperd naar adem laten happen en alles komt goed? Goddomme, Neus. Ik had het mis.'

En hij spuugde tegen de wind in, in zijn eigen gezicht.

•

Drie jaren gingen voorbij voordat Vera weer schreef. *Neus, ik heb een zoon. Ik stuur je een foto van hem. Hij heet Vladislav. Drie keer raden naar wie hij vernoemd is. Kom ons opzoeken. We hebben geld nu, dus maak je geen zorgen. Goran is net terug van een missie in Kosovo. Kun je komen?*

Mijn vader wilde de foto zien. Hij staarde er lange tijd naar en zijn ogen werden vochtig.

'Mijn god, Neus,' zei hij. 'Ik zie niks. Ik geloof dat ik eindelijk blind geworden ben.'

'Wil je dat ik de dokter erbij haal?'

'Ja,' zei hij, 'maar voor jezelf. Stop in de mijn, of die hoest van je doet je nog de das om.'

'En hoe moeten we dan aan geld komen?'

'Je hebt vast nog wel genoeg voor mijn begrafenis. Daarna vertrek je.'

Ik ging naast hem zitten en legde een hand op zijn voorhoofd. 'Je gloeit. Ik haal de dokter erbij.'

'Neus,' zei hij, 'ik ben er eindelijk achter. Luister naar de raad van je vader: Vertrek. Hier valt niet te leven. Je moet je zuster, je moeder en mij vergeten. Ga naar het Westen. Zoek een baan in Spanje, of in Duitsland, of waar ook; begin opnieuw. Verbreek alle banden. Dit land is een kreng en van een kreng valt niets goeds te verwachten.'

Hij pakte mijn hand en kuste hem.

'Haal de pope,' zei hij.

•

Ik werkte in de mijn tot het voorjaar van 1995, toen mijn baas, afkomstig uit een of andere grote, belangrijke stad in het oosten, me drie keer achter elkaar vroeg of ik mijn verzoek om een extra ploegendienst kon herhalen. Drie keer herhaalde ik mijn vraag en toen hief hij wanhopig zijn armen. 'Ik versta je dialect niet, *majna*,' zei hij. 'Mij te Servisch.' Dus sloeg ik hem in elkaar en werd ik ontslagen.

Daarna bracht ik mijn dagen door in de dorpstaverna, zo nu en dan mijn hand naar mijn ogen tillend om te zien of ik inmiddels niet blind geworden was. Het valt niet mee om de laatste in de bloedlijn te zijn. Ik dacht aan de raad van mijn vader, die me absurd voorkwam, en aan mijn zus die plannen maakte om naar het Westen te gaan, en dat ik niets gedaan had om te verhinderen dat ze haar dood tegemoet zwom.

Bijna elke nacht had ik dezelfde droom. Ik dook omlaag bij de verdronken kerk en keek door het raampje naar muren die nu niet bedekt waren met de muurschilderingen van heiligen en martelaars. In plaats daarvan zag ik mijn zus en mijn moeder, mijn vader, opa, oma, Vera, mensen uit ons dorp en uit het dorp aan de andere kant van de grens, bewegingloos op de muren geschilderd, met hun ogen strak op mij gericht. En telkens als ik probeerde me af te zetten naar de oppervlakte, ontdekte ik dat mijn handen aan de andere kant van de spijlen aan elkaar zaten vastgebonden.

Dan werd ik met een gil wakker, terwijl de stem van mijn zus door de kamer echode.

Ik heb zo mijn twijfels, zei ze dan, *ik vermoed dat deze oorhangers niet echt van zilver zijn.*

•

Voorjaar 1999 vielen de Verenigde Staten Servië aan. Kosovo, het gebied waar de Serviër zich ooit, vele eeuwen geleden, aan de Turk had overgegeven, werd opnieuw het slagveld. Drie- of viermaal zag ik Amerikaanse straaljagers met donderend geraas over ons dorp vliegen. Servië, zo leek het, was een te klein land voor hun manoeuvres op supersonische snelheid. Ze sneden hoeken van onze lucht af en zwenkten dan om hun bommen op onze buren neer te gooien. Het nieuws dat Vera's echtgenoot was omgekomen kwam niet als een verrassing. Haar brief eindigde als volgt: *Neus, ik heb mijn zoon en jou. Kom alsjeblieft. Er is niemand anders.*

De dag dat ik de brief kreeg zwom ik naar de verdronken kerk zonder mijn schoenen of kleren uit te trekken. Lange tijd hield ik me bibberend aan het kruis vast, tot ik omlaagdook, dieper en dieper, tot aan de stenige bodem. Ik greep de spijlen van het toegangshek vast en luisterde naar het schreeuwen van mijn longen terwijl ze de zuurstof tot de laatste molecuul naar buiten persten. Ik wou dat ik kon zeggen dat ik mijn leven als een kluwen voor me zag afrollen: gelukkige momenten afgewisseld door verdrietige, of dat mijn zus, badend in een schitterend licht, de kerk uit kwam om me bij mijn verdrinkende hand te pakken. Maar er was alleen duisternis, het geraas van water, van bloed.

Ja, ik ben een lafaard. Ik heb een lelijke neus en het hart van een muis, en het enige waarin ik kan verdrinken is een fles rakia. Ik zwom terug en ging op de oever liggen. En terwijl ik met een nieuwe dorst ademhaalde, trok er een geraas door de lucht en zag ik een zilveren straaljager uit Servië aan komen stormen. De straaljager donderde boven mijn hoofd, en ik zag dat hij werd achtervolgd door een raket die snel hoogte verloor. Sissend doorboorde de raket de rivier, het roestige kruis, de verdronken kerk eronder. Een lange moddervinger stak zich schuddend op naar de hemel.

Ik schreef Vera onmiddellijk terug. *Toen mijn zus stierf,* schreef ik, *dacht ik dat er aan de helft van mijn wereld een einde was gekomen. Toen mijn ouders stierven, aan de andere helft. Ik had het gevoel dat die sterfgevallen bedoeld waren om me ergens voor te straffen. Ik zat aan dit dorp vastgeketend en kon me met geen mogelijkheid ontworstelen aan de greep van alle botten onder me die aan me trokken. Maar nu zie ik in dat deze sterfgevallen bedoeld waren om me te bevrijden, me in beweging te zetten. Als schakels in een ketting die breken, de ene na de andere. Als de kerk kan loskomen van zijn baksteenen wortels, dan kan ik het ook. Ik ben eindelijk vrij, dus wacht op me. Ik kom zodra ik wat geld bij elkaar heb gespaard.*

•

Niet lang daarna opende een Grieks bedrijf een legbatterij in het dorp. Mijn werk bestond erin te zorgen dat er geen rotte eieren in de dozen terechtkwamen. Ik spaarde wat geld, probeerde minder te drinken. Ik ruimde zelfs het huis op. In de kelder, in een stoffige kastanjehouten kist, vond ik de leren schoenen, die oude vergeten bloemetjes. Ik sneed de neuzen eraf en trok ze aan, en voelde me zo goed, zo snel en licht. Armzalige, betreurenswaardige broeders. Geen veters, afgesleten zolen van het in kringetjes lopen. Waar nemen jullie me mee naartoe?

Ik groef de twee potten geld op die ik in de tuin verstopt had en nam de bus naar de stad. Het was niet moeilijk om aan Amerikaanse dollars te komen. Ik ging weer terug naar het dorp en legde anjers op de graven en vroeg de doden om vergiffenis. Toen ging ik naar de rivier. Ik stopte het merendeel van het geld en de foto van Vladislav in een plastic zakje, propte het in mijn broekzak, samen met een rolletje losse biljetten die ik als steekpenningen kon gebruiken, en zwom met mijn ogen dicht naar Srbsko.

Koel water, de trekkracht van de stroom, bruine rotte bladeren die in kluitjes kolken. Een dikke tak drijft voorbij, zonder bast, glad en verrot. Wat bindt een man aan land of water?

Toen ik op de Servische oever stapte, hielden twee grenswachten me al onder vuur.

'Tweehonderd,' zei ik, en ik haalde het druipende rolletje tevoorschijn.

'We kunnen je ook doodschieten.'

'Of me een kus geven. Een tik op de bips?'

Ze schoten in de lach. Het goede van onze landen, het geruststellende dat ons steeds dieper doet zinken, is dat als iets niet voor geld te koop is, het wel voor een helebóel geld te koop is. Ik telde tweehonderd extra uit.

Ze begeleidden me naar de weg, naar een grenspost waar ik de laatste honderd betaalde waarop ik gerekend had. Een Turkse vrachtrijder was bereid me een lift te geven naar Belgrado. Daar stapte ik in een taxi en liet de envelop zien die Vera me gestuurd had.

'Hier moet ik heen,' zei ik.

'Ben je Bulgaar?' vroeg de taxichauffeur.

'Wat maakt het uit?'

'Godsamme, natuurlijk maakt het uit. Als je Serviër bent, prima. Maar als je Bulgáár bent, dan niet prima. En als je Albaniër bent, of Kroaat, dan ook niet prima. En als je moslim bent, godsamme, dan is het ook niet prima.'

'Breng me gewoon naar dit adres.'

De taxichauffeur draaide zich om en keek me met zijn blauwe ogen strak aan.

'Ik vraag het je nog één keer,' zei hij. 'Ben je Bulgaar of ben je Serviër?'

'Ik weet het niet.'

'In dat geval,' zei hij, 'moet je maken dat je met je lelijke Bulgaarse rotkop uit mijn taxi komt en er eens goed over nadenken. Jullie laten de Amerikanen bommen op ons gooien en geven jullie legerbasissen aan hen over. Slavische broeders, m'n reet!'

Toen ik uitstapte, spuugde hij op me.

•

En nu zijn we terug bij het begin. Ik sta voor Vera's flat, met bloemen in mijn ene hand en een Milka-reep in de andere. Ik repeteer de vraag. Ik bedenk hoe ik haar zal begroeten, wat ik tegen haar zal zeggen. Zal de kleine jongen me aardig vinden? En zij? Zal ze me toestaan haar te helpen hem groot te brengen? Kunnen we trouwen, samen kinderen krijgen? Want ik ben er eindelijk klaar voor.

Een metalen traliewerk schermt de deur af. Ik druk op de bel en hoor aan de andere kant kleine voetjes rennen.

'Wie is daar?' vraagt een iel stemmetje.

'Ik ben het, Neus,' zeg ik.

'Kom eens dichter bij het kijkgat.'

Ik buig naar voren.

'Nee, hierbeneden.' Ik ga op mijn knieën zitten, zodat de jongen door het gaatje kan kijken dat op zijn hoogte in de deur is geboord.

'Kom eens dichterbij met je gezicht,' zegt hij. Even is hij stil. 'Heeft mama dat gedaan?'

'Valt wel mee toch?'

Hij haalt de deur van het slot, maar laat de traliedeur tussen ons in dichtzitten.

'Sorry hoor, maar dat vind ik niet,' zegt hij in alle ernst.

'Mag ik binnenkomen?'

'Ik ben alleen. Maar je kunt daar wel zitten en wachten tot ze terugkomen. Ik blijf bij je.'

We gaan allebei aan een kant van de traliedeur zitten. Het jongetje is klein en lijkt op Vera. Haar ogen, haar kin, haar stralende, witte gezicht. Dat zal op den duur allemaal veranderen.

'Ik heb al in geen eeuwen Milka gehad,' zegt hij als ik hem door de tralies heen de chocola aanreik. 'Bedankt, oom.'

'Nooit iets van een vreemde aannemen en opeten.'

'Jij bent geen vreemde. Jij bent Neus.'

Hij vertelt over de kleuterschool. Over een jongen die hem steeds in elkaar slaat. Zijn gezicht staat ernstig. Ach, kleine vriend, wat lijken die zorgen nu nog groot.

'Maar ik ben een soldaat,' zegt hij, 'net als papa. Ik geef niet op. Ik zal vechten.'

Dan zwijgt hij. Hij kauwt op zijn chocola. Hij biedt me een stukje aan, dat ik afsla.

'Mis je je vader?' vraag ik.

Hij knikt. 'Maar nu hebben we Dadan en is mama weer vrolijk.'

'Wie is Dadan?' Mijn keel wordt droog.

'Dadan,' zegt de jongen. 'Mijn tweede vader.'

'Je tweede vader,' zeg ik, en ik leun met mijn hoofd tegen het koude metaal.

'Hij is heel aardig voor me,' zegt de jongen. 'Ja, heel aardig.'

Hij praat, lieve stem, en ik worstel om me te verzetten tegen het gif van mijn gedachten.

De lift komt ratelend omhoog. De deur schuift open, fel licht uit de cabine. Dadan, lang, een knap gezicht, komt naar buiten met een boodschappennet in zijn hand: aardappels, yoghurt, groene uien, wit brood. Hij kijkt naar me en knikt in verwarring.

Dan komt Vera naar buiten. Stralend, besproet gezicht, stevige sappige lippen.

'Mijn god,' zegt ze. Het oude vlekje boven haar lip wordt rood en ze vliegt me om de hals.

Ik verlies mijn evenwicht, de aarde onder mijn voeten. Op dat moment voelt het alsof alles voorbij is. Ze heeft iemand anders gevonden om voor haar te zorgen, ze heeft een nieuw leven opgebouwd waarin voor mij geen plaats is. Straks zal ik beleefd glimlachen en achter hen aan hun huis binnen lopen, ik zal de maaltijd nuttigen die ze me voorzetten – *moesaka* met *tarator*. Ik zal luisteren hoe Vladislav liedjes zingt en versjes opzegt. Daarna, terwijl Vera hem in bed stopt, zal ik met Dadan praten, of liever gezegd, zal hij met míj praten, over hoeveel hij van haar houdt, over hún plannen, en zal ik luisteren en jaknikken. Eindelijk zal hij gaan slapen, en onder het zwakke schijnsel van de keukenlamp zullen Vera en ik de nacht in waden. Ze zal de fles wijn leegschenken die Dadan bij het eten met haar deelde, ze zal haar hand op de mijne leggen. 'Mijn lieve Neus,' zal ze zeggen, of woorden van die strekking. Maar zelfs dan zal ik de moed niet vinden om mijn mond open te doen. Gebroken, zonder die nacht een oog te hebben dichtgedaan, zal ik vroeg opstaan en, wederom een lafaard, naar buiten glippen en naar huis liften.

'Mijn lieve Neus,' zegt Vera, en ze leidt me nu werkelijk de flat binnen, 'je ziet er gebroken uit van de reis.' 'Gebroken' is het woord dat ze gebruikt. En dan daagt plots het besef, alsof ik een slang ben die een tik van een schoffel op zijn kop krijgt. Dit is de laatste schakel van de ketting die breekt. Vera en Dadan zullen me bevrijden. Met hen is de laatste link met het verleden verdwenen.

Wie bindt een man aan land of water, vraag ik me af, behalve die man zelf?

'Ik heb me nog nooit zo goed gevoeld,' zeg ik, en ik meen het, en ik kijk hoe ze door de donkere gang voor me uit loopt. Ik ben geen rivier, maar ik ben ook niet van klei.

Lenin kopen

Toen opa hoorde dat ik in Amerika zou gaan studeren, schreef hij me een afscheidsbriefje. *Waardeloos kapitalistenvarken van me,* stond er in het briefje, *heb een behouden vlucht. Liefs, opa.* Het was geschreven op een gekreukt rood stembiljet voor de verkiezingen van 1991, een pronkstuk uit opa's verzameling communistische stembiljetten, en was ondertekend door alle inwoners van het dorp Leningrad. Ik was ontroerd door zo veel eer, dus ik ging ervoor zitten, haalde een dollarbiljet tevoorschijn en schreef opa het volgende antwoord: *Communistenezel van me, bedankt voor de brief. Ik vertrek morgen en zal z.s.m. na aankomst met een Amerikaanse vrouw proberen te trouwen. Daarna ga ik mijn best doen een heleboel Amerikaanse kindertjes te maken. Liefs, je kleinzoon.*

·

Er was geen goede reden waarom ik naar Amerika zou moeten. Thuis kwam ik niet om van de honger, althans, niet in lichamelijke zin. Er was geen oorlog die me verdreef of me op vreemde kusten deed belanden. Ik vertrok omdat het kon, omdat mijn bloed besmet was met de hondsdolheid van het Westen. Terwijl de meesten van mijn leeftijdgenoten zich op de middelbare school onledig hielden met drinken, roken, seksen, dobbelen, hun ouders voorliegen, naar het strand liften, geld vervalsen of rookbommen in elkaar knutselen voor de voetbalwedstrijden, zat ik te blokken voor Engels. Ik stampte woordjes en grammaticaregels in mijn kop en oefende op speciaal voor Oost-Europeanen ontworpen tongbrekers. *Denk aan die duivelse duiten*, herhaalde ik eindeloos op straat, onder de douche, zelfs in mijn slaap. *Denk aan die duivelse duiten, denk aan die duivelse duiten, denk aan die duivelse duiten.* Zinnen als deze, had ik gehoord, hielpen je om je tong te breken.

Mijn ouders waren er vast trots op zo'n ijverige zoon te hebben. Maar hoe hoog mijn cijfers ook waren, opa gaf er nooit blijk van hun sentiment te delen. Hij verachtte het Westen, de morele verloedering en het gebrek aan waarden. Als kind mocht ik alleen de boeken lezen die hij geschikt achtte. *Partijgeheim* was geschikt. *Schateiland* was dat niet. De Engelse taal, hield opa vol, was een dolle hond, en soms was één beet voldoende om het gif naar je hersenen te sturen en die te veranderen in appelmoes. 'Weet je hoe het is, *sinko*,' vroeg opa me een keer, 'om appelmoes in plaats van hersens in je kop te hebben?' Ik schudde beschaamd mijn hoofd. 'Lees Engelse boeken, mijn zoon, en je komt er vanzelf achter.'

De eerste paar jaar na het overlijden van mijn grootmoeder bleef opa in zijn geboortedorp wonen, dicht bij haar graf. Maar nadat hij een kleine beroerte had gehad, wist mijn vader hem over te halen om terug te komen naar Sofia. Met twee tassen arriveerde hij bij ons voor de deur – de ene vol sokken, broeken en onderbroeken, de andere vol stoffige boeken. 'Een opvoedkundig geschenk,' zei hij, en hij hing de tas om mijn schouder en haalde mijn haar door de war, alsof ik nog een klein kind was.

Elke week, een paar maanden lang, voerde hij me een ander boek. Partizanen, samenzweringen tegen het tsaristische regime. 'Opa, alsjeblieft,' zei ik dan. 'Ik moet huiswerk maken.'

'Wat jij moet doen is een smaak ontwikkelen.' Vervolgens liet hij me alleen om te lezen maar banjerde een minuut later alweer mijn kamer binnen met de een of andere slappe smoes. Had ik hem geroepen? Had ik soms hulp nodig bij een lastige passage?

'Opa, dit zijn kinderboeken.'

'Eerst kinderboeken, dan die van Lenin.' En dan ging hij op het voeteneind van mijn bed zitten en gebaarde me verder te lezen.

Als ik geschrokken van school thuiskwam omdat ik op straat

achterna was gezeten door een zwerfhond, zuchtte opa alleen maar. Kon ik me voorstellen dat de herdersjongen Kalitko bang was voor een klein hondje? Als ik klaagde over pestkoppen, schudde opa zijn hoofd. 'Stel je voor dat Mitko Palauzov zo zou zeuren.'

'Mitko Palauzov werd gedood in een schuilhol.'

'Voorwaar, een dappere en vermetele jongen,' zei opa dan, en hij kneep in zijn neus om de onvermijdelijke tranen te onderdrukken.

En dus pakte ik op een dag de boeken bij elkaar en liet ze in zijn kamer achter met een briefje: *Hergebruiken als pleepapier*. De volgende keer dat hij me zag was ik *De roep van de wildernis* aan het lezen.

Vanaf dat moment luisterde opa vaak naar de radio, las hij de communistische krant *Doema* en de verzamelde werken van zijn geliefde Lenin. Op het balkon rookte hij sigaretten zonder filter en declameerde hij passages uit deel twaalf ten overstaan van de mussen op de tv-antenne. Mijn ouders maakten zich zorgen. Ik vond het hoogst amusant. 'Heb je al gehoord, opa,' vroeg ik hem een keer, 'over de giraffe die kon vliegen?'

'Giraffen kunnen niet vliegen,' zei hij. Ik vertelde hem dat ik het zojuist gelezen had in de *Doema*, op de voorpagina nog wel, en hij wreef over zijn kin. Hij trok aan zijn snor. 'Misschien een metertje of twee?' zei hij.

'Heb je al gehoord, opa,' ging ik door, 'dat Jeltsin gisteravond in Moskou wodka heeft gevoerd aan het lijk van Lenin? Ze hebben samen de hele fles leeggedronken en zijn toen hand in hand het plein over gezwalkt.'

Het was gewoon ontzettend leuk om opa te sarren. Aan de ene kant schaamde ik me, maar aan de andere kant... Soms ging ik te ver natuurlijk en dan probeerde hij me met zijn stok een tik te verkopen. 'Waarom ben je geen vijf meer?' zei hij dan. 'Dan trok ik je aan je ezelsoren!'

Wat opa uiteindelijk naar zijn geboortedorp terugdreef, was niet het plagen, maar de aanblik van mij terwijl ik over de *Oxford English Dictionary* gebogen zat. Toen mijn vader om opheldering vroeg, verhulde hij de ware reden. 'Ik ben het zat om naar de muur te staren,' zei hij in plaats daarvan. 'Ik ben het zat om te kijken naar hoe de mussen zitten te schijten. Ik verlang naar mijn Balkanheuvels, naar mijn rivier. Ik moet je moeders graf verzorgen.' Bij het afscheid zeiden we niets. Hij schudde mijn hand.

Nu opa er niet meer was om me af te leiden richtte ik me op mijn schoolwerk. In die tijd deden veel scholieren het toelatingsexamen voor het Amerikaanse hoger onderwijs om vervolgens hun geluk in het buitenland te beproeven. Begin voorjaar 1999 werd ik toegelaten op de universiteit van Arkansas en mijn scores waren hoog genoeg voor een volledige beurs, inclusief kost en inwoning en zelfs een vliegticket.

Mijn ouders brachten me met de auto naar opa's huis in het dorp zodat ik hem het nieuws persoonlijk kon vertellen. Ze geloofden niet dat belangrijk nieuws over de telefoon kon worden afgehandeld.

'Amerika,' zei opa toen ik het hem vertelde. Ik zag hoe het woord zich losmaakte uit zijn zure maag, in zijn keel bleef steken en uiteindelijk op de tegels op de achterplaats belandde. Hij keek naar me en trok aan zijn snor.

'Mijn kleinzoon een kapitalist,' zei hij. 'Na alles wat ik heb meegemaakt.'

•

Wat opa had meegemaakt kwam kort gezegd hierop neer:

Het was in 1944. Opa was midden twintig. Zijn gezicht was verweerd maar blank. Zijn neus was scherp. Zijn donkere ogen fonkelden met de vonk van iets nieuws, groots en waarlijk wereldveranderends. Hij was arm. 'Ik,' vertelde hij me vaak, 'at brood met wilde appels voor het ontbijt. Brood met wilde appels voor het middageten. En wilde appels voor het avondeten, want 's avonds was het brood op.'

Dat was de reden dat opa zich bij de communisten aansloot toen ze naar zijn dorp kwamen om eten te stelen. Ze waren met

z'n allen de bossen in gevlucht, waar ze ondergrondse bunkers uit-
groeven, en hadden daar weken achtereen in doorgebracht – dag
en nacht, daarbeneden in die schuilholen. Buiten snuffelden de
fascisten rond, die hen probeerden op te sporen met hun Duitse
herders, hun geweren en bommen en raketten. 'Als je denkt dat
een graf te krap is,' zei opa een keer tegen me, 'dan moet je eens
een schuilhol voor jezelf graven. Of nee, graaf een schuilhol voor
jezelf en laat vijftien mensen je een week gezelschap houden. En
zorg dat er een paar zwangere vrouwen bij zitten. En een hongerige geit. Probeer dan nog maar eens te beweren dat een graf de
krapste plek op aarde is.'

'Ik heb nooit beweerd dat een graf de krapste plek op aarde is,
ouwe.'

'Maar je dacht het wel.'

Het eind van het verhaal was dat opa zo'n honger kreeg dat hij
niet langer in het schuilhol wilde blijven en besloot een geweer om
te hangen en af te dalen naar het dorp om eten te halen. Toen hij
er aankwam, merkte hij dat alles veranderd was. Er wapperde een
rode vlag aan de kerktoren. De kerk was gesloten en veranderd in
een vergaderzaal. Er was een opstand geweest, vertelden de boeren
hem, een revolutie die het oude regime omver had geworpen. Terwijl opa in het schuilhol zat ondergedoken, was het communisme
met geurige bloesems tot bloei gekomen. Alle mensen liepen nu
vrij rond, en hun donkere ogen fonkelden met de vonk van iets
nieuws, groots en waarlijk wereldveranderends. Opa viel op zijn
knieën en huilde en kuste de grond van het moederland. Onmiddellijk werd hij ingelijfd door de Partij. Onmiddellijk kreeg hij, als
heldhaftig partizaan die zwaar te lijden had gehad in een schuilhol, een hoge positie toebedeeld in het Vaderlands Front. Onmiddellijk beklom hij de partijladder en verhuisde naar de stad, waar
hij nog-wat-nog-wat werd van het nog-wat-nog-watdepartement.
Hij kreeg een flat toegewezen, trouwde met oma; een jaar later
werd mijn vader geboren.

•

Op 11 augustus 1999 kwam ik in Arkansas aan. Op het vliegveld werd ik afgehaald door twee jonge mannen en een meisje, allen netjes in het pak. Ze waren van een of andere organisatie die zeer begaan was met buitenlandse studenten.

'Welkom in Amerika,' zeiden ze met één warme, vriendelijke stem, en hun eerlijke gezichten straalden. In de auto gaven ze me een bijbel.

'Weet je wat dit is?' bulderde het meisje langzaam.

'Nee,' zei ik. Ze leek oprecht verheugd.

'Dit zijn de daden van onze Verlosser. Het woord van de Heer.'

'O, Lenins verzamelde werken,' zei ik. 'Welk deel?'

•

Mijn eerste week in Amerika stond in het teken van Internationale Oriëntatie. Ik leerde mensen kennen uit landen nog kleiner dan het mijne. Ik schudde handen met zwarte mensen. Degenen onder ons voor wie Engels niet hun moedertaal was werd uitgelegd wat ze konden verwachten als het zou gaan 'miezeren'. Wat 'de hort op' betekende, en wat een 'afknapper' het was om zonder paraplu 'de hort op' te zijn als het ging 'miezeren'.

Elk Engels woord dat ik kende had ik ooit minstens tien keer opgeschreven in een van de schriften die opa van het Vaderlands Front mee naar huis bracht. Elke bladzij in deze schriften was een rotswand waartegen ik schreeuwde. De woorden echoden naar me terug, beukten weer tegen de rots, kwamen weer terug. Aan het eind van de middelbare school had ik zo veel schriften met echo's gevuld dat aan beide zijden van mijn bureau torenhoge stapels lagen.

Maar nu in Amerika werd ik blootgesteld aan woorden die ik niet kende. En woorden die ik elk afzonderlijk wel kende waren soms onbegrijpelijk in samenhang met elkaar. Wat was een 'brownie', vroeg ik me af. Waarom wond mijn kamergenoot zich zo op toen bleek dat twee meisjes verderop in de gang 'het met elkaar deden'? 'Wat' deden ze met elkaar? Ik voelde me ontheemd, was vaak in verwarring, totdat de wereld om me heen geleidelijk, gaandeweg bij me naar binnen sijpelde via mijn ogen, oren, tong. Eindelijk kwamen de woorden bevrijd naar boven. Ik was extatisch, woordenboekdronken. Ik praatte zoveel dat mijn kamergenoot uiteindelijk geen moment meer op onze kamer doorbracht en pas thuiskwam als ik al sliep. Ik schoot willekeurige hoogleraren aan tijdens hun kantooruren en stelde ze vragen die uitvoerige antwoorden behoefden. Ik sprak vreemden aan op straat, me ervan bewust dat ik me gedroeg als een engerd. Dat besef weerhield me niet. Mijn oren tuitten, mijn tong zwol op. Maandenlang ging ik hiermee door tot ik op een dag inzag dat niets van wat ik zei mijn omgeving interesseerde. Niemand wist waar ik vandaan kwam of kon het wat schelen. Ik had deze wereld niets te zeggen.

Ik sloot mezelf op in onze kamer in het studentenhuis – een smalle, gevangenisachtige ruimte die volgepropt stond met de magnetron, koelkast, computer, speakers en subwoofer, tv en Nintendo van mijn kamergenoot. Ik keek naar *Married with Children* en *The Howard Stern Show*. Ik sprak mijn ouders, zelden, kort, omdat de telefoontarieven hoog waren. Ik koesterde de hoorn tegen mijn oor, streelde de dunne navelstreng van de telefoon die zich tienduizend mijlen onder zee uitstrekte. Ik luisterde naar mijn moeder en voelde me bijna verbonden. Maar zodra de verbinding werd verbroken was ik alleen.

·

Toen hij dertig was en de functie nog-wat-van-de-nog-wat bekleedde, ontmoette opa de vrouw van zijn hart. Het was het klassieke communistische liefdesverhaal: ze ontmoetten elkaar op een avondbijeenkomst van de Partij. Oma kwam te laat binnen, nat van de regen, ging op de enige nog vrije stoel zitten, naast opa, en viel in slaap op zijn schouder. Hij keurde haar gebrek aan belangstelling voor partijzaken af en werd ter plekke verliefd op haar geur, haar adem in zijn hals. Toen ze weer wakker was, praatten ze over zuivere idealen en de blinkende toekomst, over het kapitalistische kwaad van het Westen, over de koesterende omhelzing van de Sovjet-Unie, en bovenal over Lenin. Opa ontdekte dat het hun beider passie was om zijn stralende voorbeeld te volgen, en dus nam hij oma mee naar de burgerlijke stand, waar ze trouwden.

In 1989 overleed oma aan borstkanker, nauwelijks een maand nadat het communisme in Bulgarije werd afgeschaft. Ik was acht en het staat me allemaal nog helder voor de geest. We begroeven haar in het dorp. We legden de open kist op een wagen en bonden de wagen achter een tractor, en de tractor trok de wagen met de kist en wij liepen erachteraan. Opa zat naast de kist en hield oma's dode hand vast. Ik geloof niet dat het echt regende die dag, maar in mijn herinnering zie ik wind en wolken en regen; de stille, kou-de regen die valt wanneer je iemand verliest die je heel dierbaar is. Opa liet geen traan. Hij zat op de wagen, terwijl de regen uit mijn herinnering op hem neerviel, op zijn kale hoofd, op de kist, op oma's gesloten ogen; de muziek vloeiend om hen heen – diepe, droevige muziek van de hobo, de trompet en de trom. Op een communistische begrafenis is geen pope. Opa las voor uit een boek, deel twaalf van Lenins verzamelde werken. Zijn woorden re-zen ten hemel, en de regen tikte ze terug naar de grond.

'Het is een goed graf,' zei opa toen het allemaal voorbij was. 'Het is niet zo krap als een schuilhol, dus het is goed. Nietwaar? Het is niet te krap, toch? Ze ligt daar goed. Zeker, ze ligt daar goed.'

Het was deze begrafenis, met opa's woorden die oprezen en stukvielen in de modder, die me tijdens het tweede jaar van mijn studie begon te achtervolgen in mijn dromen. Ik ging allang niet meer geregeld naar college, want de woorden van de hoogleraren irriteerden me inmiddels als huiduitslag, maar op mijn kamer las ik wel een heleboel. Als hoofdvak had ik psychologie gekozen, min of meer in een opwelling, dus ik verslond Freud en Jung in bulkhoeveelheden. 'Hun woorden zijn de gist die mijn hersens tot leven wekken,' zou ik opa een paar maanden later vertellen, en hij zou antwoordden: 'Dat heb je goed gezien. Jouw hersens zijn deeg. Of liever gezegd: appelmoes.'

Ik vond het fascinerend om te lezen dat onze dromen niet alleen ons persoonlijke onbewuste weerspiegelden maar ook het collectieve. Mijn god, bestond er zoiets? Een collectief onbewuste? Als dat zo was, wilde ik daarin opgenomen worden. Ik snakte ernaar om er deel van uit te maken; verbonden te zijn, de dromen van anderen te dromen, anderen mijn dromen te laten dromen. Ik ging slapen in de hoop levendige, transcendente symbolen te dromen.

Vandaag, schreef ik in een dagboekje, *droomde ik van vader die op de bank zonnebloempitten ligt te pellen, zijn sokken half uitgetrokken als ezelsoren.*

Ik droomde van moeder die yoghurt uit een pot schepte.

Ik droomde van opa die me in de gang opwachtte om me te laten struikelen over zijn stok.

Het was na deze laatste droom en na twee jaar opa's stem niet te hebben gehoord dat ik eindelijk, aan de vooravond van de vierde juli, de telefoon oppakte en het nummer draaide.

Ik probeerde me hem voor te stellen, buiten op het achtererf, zijn ogen inspannend om bij het invallende donker te lezen. Hij zou de telefoon horen rinkelen en langzaam, met pijn, het huis in stommelen. Ik probeerde zijn gezicht te zien, zo oud en angstwekkend dat ik hem met een denkbeeldige baard tooide om zijn leeftijd te verbergen. De baard moest wit zijn, vond ik. Nee, geel van de nicotine. Een leeuwenmaan, woest en wild, die het gezicht had opgeslokt. Twee vurige ogen loerend ertussenuit, brandend met Lenins woorden. *Elektrificatie plus Sovjetmacht staat gelijk aan communisme. Geef ons voor acht jaar het kind en het zal voor eeuwig een bolsjewiek zijn.* Stijf van angst wachtte ik op zijn verzengende stem om mij in as te veranderen, op zijn zwaveladem om me als de wind te verstrooien.

'Opa,' zei ik.

'Sinko.'

Ik huiverde zo erg dat de lijn tussen ons kraakte. Ik was bang dat hij al had opgehangen.

'Opa, ben je daar nog?'

'Ik ben er nog.'

'Je bent er nog,' zei ik. Ik zei: 'Opa, er is zo veel water tussen ons. We zijn zo ver bij elkaar vandaan.'

'Dat klopt,' zei hij. 'Maar het bloed kruipt waar het niet gaan kan, zelfs door de oceaan, hoop ik.'

•

Na oma's begrafenis had opa geweigerd het dorp te verlaten. In één jaar had hij alles verloren wat een man kon verliezen: de vrouw van zijn hart en de liefde van zijn leven: de Partij.

'Er is geen plaats voor mij in de stad,' herinner ik me dat hij tegen mijn vader zei. 'Ik pas ervoor om deze verraders te dienen. Laat het kapitalisme ze allemaal maar corrumperen, die schoften, die moordenaars van onschuldige vrouwen.'

Opa was ervan overtuigd dat het de val van het communisme was geweest die oma het leven had gekost. 'Haar kanker was een gevolg van de ernstige teleurstelling van haar zuivere en idealistische hart,' verklaarde opa herhaaldelijk. 'Ze kon het niet aanzien dat haar dromen werden vertrapt en dus deed ze het enig mogelijke wat een eerlijke vrouw kon doen: ze stierf.'

Opa kocht een huis in het dorp zodat hij dicht bij oma kon zijn, en elke middag om drie uur ging hij naar haar graf, zat bij haar zerk, opende deel twaalf van Lenins verzamelde werken en las hardop voor. Zomer en winter, hij was er en las voor. Nooit sloeg hij een dag over, en het was daar, aan oma's graf, dat het idee hem inviel.

'Niets is verloren,' vertelde hij mij en mijn ouders toen we op een zaterdag bij hem op bezoek waren. 'Het communisme mag in dit hele land dan dood zijn, idealen sterven niet. Ik ga het allemaal hierheen halen, naar het dorp. Ik ga het allemaal weer van de grond af opbouwen.'

Op 25 oktober 1993 vond de grote dorpsoktoberrevolutie plaats, stilletjes, ondergronds, zonder veel ophef. Tegen die tijd had iedereen die zestig jaar of jonger was het dorp al verlaten om in de stad te gaan wonen, en dus waren degenen die nog over waren zuiver en sterk van hart, mensen in wie het idee nog levend was, en wier donkere ogen fonkelden van de vonk van iets nieuws, groots en waarlijk wereldveranderends. Officieel hoorde het dorp nog steeds bij Bulgarije en had het een burgemeester die verantwoording verschuldigd was aan de nationale regering enzovoort enzovoort; maar stiekem, ondergronds, was het de nieuwe communistische dorpspartij die het voor het zeggen had. De naam van het dorp werd veranderd van Valchidol in Leningrad. Opa werd unaniem verkozen tot secretaris-generaal.

Elke avond werd er een partijbijeenkomst gehouden in de oude dorpszaal, waar de stoel naast opa altijd leeg gelaten werd, en waar buiten met een tuinslang water op de ramen werd gesproeid om de illusie te wekken dat het regende.

'Het communisme bloeit beter met vocht,' legde opa uit toen de andere partijleden zijn beslissing ter discussie stelden; feitelijk dacht hij aan oma en aan de regen bij hun eerste ontmoeting. En inderdaad, het communisme in Leningrad bloeide.

Opa en de dorpelingen besloten om alle voorwerpen die in Bulgarije nog aan het communisme herinnerden te redden en over te brengen naar Leningrad: naar het levende museum van de communistische doctrine. In het hele land werden gedenktekens gesloopt die onder het rode ideaal waren gebeeldhouwd. Bronzen standbeelden die tientallen jaren geleden waren opgericht, als trots aandenken, verheerlijking, belofte, werden nu neergehaald en als schroot omgesmolten. Dichters die de hemel in waren geprezen lagen er nu vergeten bij. Hun papieren lichamen verstoften. Hun inktbloed weggespoeld door regenwater.

Nadat de twee jaren van stilte door ons telefoongesprek waren verbroken, begon opa me brieven te schrijven. Ik was verbijsterd, maar niet verbaasd, toen ik hoorde dat hij, terug in Leningrad, zijn ideeën nog steeds niet had opgegeven. In een van zijn brieven vertelde opa dat de dorpsbewoners een groep zigeuners hadden overgehaald om de berging van de voorwerpen voor hun rekening te nemen. *Kameraad Hassan, zijn vrouw en hun dertien zigeunerkinderen hebben beloofd*, schreef opa, *ongetwijfeld geïnspireerd door*

het stralende communistische ideaal en slechts in milde mate gestimu-
leerd door het geld en de twee varkens die we hun gaven, om ons dorp
te voorzien van het puikje op het gebied van 'rode' voorwerpen die in
ons beklagenswaardige land nog gevonden kunnen worden. Vandaag
brachten de zigeunerkameraden ons hun eerste bijdrage: een monu-
ment voor de naamloze Russische soldaat, die ons van de Turken be-
vrijdde, lichtelijk misvormd vanaf het middel naar beneden, en met
ontbrekend geweer, maar verder in perfecte staat. Het monument
staat nu trots naast de standbeelden van Aljosja, Serjozja en de naam-
loze maagd van Minsk.

•

Ik zorgde dat ik opa tweemaal per maand sprak. Eerst bespraken
we kleinigheden. Hij vertelde me dat hij zijn verzameling communistische voorwerpen opnieuw aan het ordenen was, dat hij *De*
moderne vrouw aan het lezen was bij oma's graf. Dertig jaar lang
had zij dit tijdschrift eens per maand ontvangen en hij wilde de
cyclus niet verbreken.

'Alhoewel,' bekende hij een keer, 'ik word wel een beetje moe
van al die afslankdiëten en relatieadviezen. Drie regels bij een af-
spraakje, drie stappen om slank te worden. Vandaag de dag, kleinzoon, zijn er voor alles onder de zon drie makkelijke stappen.'

Ik vroeg hem of dit betekende dat hij Lenin niet langer las.

'Ik dacht dat je het nooit zou vragen,' zei hij. 'Luister,' zei hij,
'ik heb zitten denken. Zal ik je eens een goed boek aanraden?'

Ik smeekte hem om niet opnieuw te beginnen.

'Ik ben tekortgeschoten,' zei hij. 'Soms denk ik dat je alleen vertrokken bent om mij dwars te zitten.'

Ik vertelde hem dat hij, in tegenstelling tot wat hij dacht, niet
het middelpunt van de wereld was. Ik kon goed opschieten met
mijn Amerikaanse vrienden, ik voelde me hier thuis.

'Kletskoek,' zei hij. 'Je vindt het daar verschrikkelijk.'

Mijn eenzaamheid welde in me op als mistdamp boven een kale
akker. Ik stikte van woede. Hij kon toch zeker niet weten dat die

vrienden over wie ik het had niet bestonden? Dat ik al dagen mijn kamer niet uit kwam?

'Je bent zo koppig als een ezel, opa,' verklaarde ik. 'Geef nou maar op. Verbrand je verzameling voorwerpen, je boeken. Het verleden is dood.'

'Idealen sterven niet,' zei hij.

'Maar mensen wel. Of denk je soms dat je het eeuwige leven hebt?'

Ik wist dat het verkeerd was om zulke dingen te zeggen, maar ik wilde hem kwetsen. En toen hij lachte, wist ik dat dat gelukt was.

'Ik denk dat je jaloers bent,' zei hij. 'Zo jaloers als een meisje met maar één been op een dorpsdansfeest. Je kunt het niet uitstaan dat je opa gelukkig is en jij niet.'

'Ik kan het niet uitstaan dat mijn opa gek is. Dat hij zijn leven gevuld heeft met kaf.'

'Een vaste baan? Een liefhebbende vrouw? Een zoon die ik naar de universiteit kon sturen? Is dat allemaal kaf in jouw ogen?'

Ik moet een tijdje hebben gezwegen. Uiteindelijk verbrak hij de stilte. 'Mijn jongen, herinner je je de parades nog? Ik denk er nog vaak aan. Je was zo klein dat ik je op mijn schouders zette en dan marcheerden we met de menigte mee. Ik kocht een rode ballon voor je, een papieren vlag. Je riep de leuzen van de Partij en zong de liederen. Je kende ze allemaal uit je hoofd.'

'Ik weet het nog,' zei ik. Maar het waren niet de parades waar ik aan dacht.

·

Toen ik klein was, bracht ik al mijn zomers in het dorp door, bij mijn grootouders. In de winter woonden ze in Sofia, twee blokken bij ons vandaan, maar zodra het warmer werd, pakten ze hun spullen en vertrokken.

Minstens eenmaal per zomer, als het vollemaan was, nam opa me mee op kreeftenjacht. We brachten het grootste deel van de dag door op het achtererf, verstevigden de bodems van grote zakken met plakband, repareerden de gaten van eerdere jachtpartijen. Als we eindelijk klaar waren, gingen we op het stoepje zitten en keken hoe de zon achter de pieken van de Balkan onderdook. Opa stak een sigaret op, haalde zijn zakmes uit zijn zak en sneed patronen in de bast van de kastanjehouten stokken die we voor de kreeftenjacht hadden klaargelegd. We wachtten tot de maan opkwam, en soms kwam oma bij ons zitten en zong een liedje, of vertelde opa verhalen over de tijd dat hij in de bossen had geleefd, zich met zijn communistische kameraden had verscholen in de schuilholen.

Wanneer de maan eindelijk helder schijnend aan de hemel stond, stond opa op en rekte zich uit. 'Nu zijn ze aan het grazen,' zei hij dan. 'Kom, we gaan ze vangen.'

Oma smeerde boterhammen met paté voor onderweg en verpakte ze in papieren servetjes die er nooit helemaal af te peuteren waren. Ze wenste ons succes en wij verlieten het huis, liepen het dorp uit en vervolgens over het modderige pad door de bossen. Opa droeg de zakken en de stokken, en ik volgde. De maan scheen helder boven ons, verlichtte ons pad; de wind blies zacht op ons gezicht. Ergens vlakbij bulderde de rivier.

Dan kwamen we het bos uit en stapten het weiland in, met de nachtelijke hemel die zich boven ons ontvouwde, en dan zagen we ze. De rivier en de kreeften. De rivier altijd donker en bulderend, de kreeften op het gras, zich zachtjes voortbewegend en met hun scharen blaadjes van de ooievaarsbek knippend.

We gingen in het gras zitten, haalden onze boterhammen tevoorschijn en aten. In het scherpe maanlicht glinsterden de natte kreeftenlijven als vurige kolen, zodat het leek alsof de oevers bedekt waren met gloeiende sintels, en keken honderden kleine oogjes ons vanuit het donker aan. Als we klaar waren met eten begon de jacht.

Opa gaf me een stok en een zak. Honderden kreeften krioelden bij onze voeten: steek de stok uit naar hun scharen en ze knijpen zo hard als ze kunnen. Ik leerde ze op te tillen en vervolgens in de zak los te schudden. Je verzamelt ze één voor één.

'Ze zijn een makkelijke prooi,' zei opa dan. 'Je vangt er één, maar de andere rennen niet weg. De andere weten niet eens dat je er bent tot je ze oppakt, en zelfs dan hebben ze het nog niet door.'

Eén, twee, drie uur. De maan wordt moe en zwemt naar de horizon. Het oosten gloeit rood op. En dan maken de kreeften in perfecte synchronie rechtsomkeert en trippelen langzaam, stilletjes terug naar de rivier. Deze neemt hun lichamen weer in zich op en wiegt ze in slaap terwijl er een nieuwe dag aanbreekt. Wij zitten op het gras, onze zakken zwaar van onze prooi. Ik val in slaap op opa's schouder. Hij draagt me naar het dorp, naar huis. Maar eerst laat hij de kreeften weer los.

•

De mogelijkheid dat ik jaloers was op het leven van mijn grootvader liet me niet los. 's Nachts, met mijn kussen in mijn armen, probeerde ik me hem voor te stellen op mijn leeftijd – ik herinnerde me vaag een portret dat mijn oma op haar nachtkastje had staan: een knap gezicht, ogen brandend van communistische idealen, lippen gekruld in een glimlach, een sikkel in de aanslag voor revolutionaire oogsten, scherp genoeg om de wereld te veranderen. En wat kon er over mijn ogen en lippen gezegd worden?

Ik vroeg me af of het een vergissing was geweest om me al die jaren tegen hem te verzetten. Maar dan, als ik eindelijk in slaap sukkelde, kwam oma naar mijn bed en streelde mijn voorhoofd zoals ze vroeger deed als ik koorts had. 'Je opa ligt op sterven,' zei ze dan. 'We verwachten hem spoedig. Maar alsjeblieft, lieve kind, vraag hem de volgende keer als je hem spreekt om op te houden met Lenin voorlezen bij mijn graf.'

•

'Ik schrijf mijn afstudeerscriptie over jou,' vertelde ik hem op een dag in mijn laatste jaar aan de universiteit.

Aan de andere kant van de lijn viel iets met een oorverdovende klap op de grond. Opa's stem leek van een afstand in de kamer te komen en toen van veel dichterbij.

'Ik liet de hoorn vallen,' zei hij verontschuldigend. 'Je verveelde me zo dat ik in slaap viel.'

'Wat jij verveling noemt,' corrigeerde ik hem, 'noemen ze in de psychologie ontkenning. Ik behandel dat in mijn scriptie en ik leg ook uit waarom jij gelooft in de dingen waarin je gelooft. Wil je een stukje horen?'

'Absoluut niet.'

Ik schraapte mijn keel. '*Het lenincomplex staat voor iemands overweldigende behoefte om zijn leven te organiseren rond het blind volgen van een ideologie, zonder zich rekenschap te geven van de geldigheid van deze idealen; voor iemands allesverterende behoefte om bij een groep te horen. Zowel de behoefte als de noodzaak vloeit voort uit een irrationele angst voor eenzaamheid en/of afwijzing.*'

Ik liet de stilte tussen ons mijn woorden accentueren.

'Ik heb nooit geweten,' zei opa, 'dat mijn kleinzoon zo krankjorum was, en/of zo'n ezel.'

•

Ik haalde mijn bachelor summa cum laude, iets wat, zo had ik gemerkt, Amerikanen niet nalieten te vermelden als het henzelf betrof. Toch had ik geen idee wat ik erna zou gaan doen. Ik meldde me aan voor een master en werd toegelaten. Ik probeerde geld te sparen voor een ticket naar huis, maar de master was in een andere staat en al mijn spaargeld ging op aan de verhuizing. Ik hoopte dat een verandering van omgeving me een beetje zou opbeuren. Maar in plaats daarvan merkte ik dat ik het steeds moeilijker vond om met mensen te praten. Meestal bleef ik thuis, miste ik Bulgarije nog evenveel als eerst en vreemd genoeg miste ik nu ook Arkansas.

'Opa,' vroeg ik soms door de telefoon, 'wat ben je aan het eten?'

'Watermeloen met kaas.'

'Is het lekker?'

'Lenin vond het lekker, het was zijn favoriete tussendoortje.'

'Ik wou dat ik er een bord vol van had.'

'Je hebt altijd een hekel gehad aan fruit met kaas.'

'Opa, wat ben je aan het drinken?'

'Yoghurt.'

'Is het lekker?'

'De beste die ik ooit heb geproefd.'

'Opa, waar kijk je naar, nu, op dit moment?'

'De heuvels achter het huis. De lindebomen zijn wit. De wind heeft hun bladeren omgedraaid voordat het straks gaat regenen.'

Ik wist dat hij me plaagde, zout in mijn wonden strooide, en toch ging ik door met vragen. Kon ik maar een seconde zijn ogen lenen, kon ik zijn tong maar stelen – dan zou ik brood met kaas eten tot ik vol zat, zes kalebassen vol water drinken uit onze bron, mijn blik vullen met de heuvels, velden, rivieren.

'Opa,' zei ik een keer, en ik kneep in de hoorn. 'Ik heb zitten denken. Als je me nu eens een goed boek aanraadde?'

'Een boek?' zei hij. 'Ik dacht dat je een hekel had aan mijn boeken.'

'Laat maar,' zei ik.

'Komt de verloren zoon tot inkeer?'

'Ik hang op.'

Maar ik hing niet op. We zwegen een tijdje. Ik voelde dat hij zijn woorden zorgvuldig aan het kiezen was. 'Ik zal je iets beters aanraden dan een boek,' zei hij ten slotte. 'Ik zal je drie makkelijke stappen geven.'

·

'Eerst,' zei opa tegen me, 'moet je weten wie Lenin werkelijk was. Haal deel zevenendertig van zijn verzamelde werken in huis.'

'*Brieven aan familieleden*,' las ik de ondertitel hardop voor nadat ik het boekwerk in huis had gehaald.

'De beste brieven die er zijn. Lees die aan zijn zuster. Nee,' corrigeerde hij zichzelf, 'lees eerst die aan zijn móeder.'

Liefste moeder, schreef Lenin, *stuur me wat geld, want ik heb al het mijne uitgegeven.* In de ene brief was hij in München, in een volgende was hij in Praag. In de ene stak hij een half afgebouwde brug over in een paardenslee, in een andere wilde hij een arts raadplegen voor een slijmvliesontsteking. Net als ik had hij zijn jonge jaren in het buitenland doorgebracht, in ballingschap. Hij klonk alsof hij voortdurend honger en kou leed. Hij droomde van jassen van schapenvacht, vilten laarzen, bontmutsen. *Liefste moeder,* klaagde hij vanuit een Oostenrijks treinstation, *ik versta geen woord van de Duitsers. Ik bleef mijn vraag maar herhalen, omdat ik het antwoord van de conducteur niet verstond, en uiteindelijk beende hij kwaad weg.*

Liefste moeder, ik voel me ellendig zonder brieven van thuis. Je moet me schrijven, ook al heb je geen adres van me.

Mijn leven gaat zijn gewone gangetje. Ik wandel naar de bibliotheek buiten de stad, ik wandel door de buurt en ik slaap voor twee...

De brieven waren zo slecht nog niet. Dat is wat ik tegen opa zei. 'Liefste opa, Lenin en ik lijken zo op elkaar.'

Hij grinnikte.

'Wat bedoel je daar nu weer mee?'

Hij zei dat hij het niet wist. Hij zei dat hij zijn twijfels had.

'Je kleinzoon doet eindelijk wat je wilt en nu ga je mokken?'

'Ik mok niet,' zei hij. 'Maar ik heb zitten denken. Toen ik jong was verschool ik me in schuilholen. Ik las geen boeken.'

'Wil je dat ik een gat in de grond graaf? Is dat stap twee?'

'Mijn jongen,' zei hij. 'Wees geen ezel.'

Mijn leven lang had hij me lastiggevallen met die ideologische lulkoek, en nu ik eindelijk geïnteresseerd raakte, had hij zijn twijfels. 'Ben je soms bang dat ik je Lenin van je afpak?'

'Ik ga ophangen,' zei hij.

'Bespaar je de moeite,' zei ik tegen hem, en ik sloeg met een klap de hoorn neer.

•

Ik bleef lezen. Aantekeningen over het Imperialisme, over het Agrarische Vraagstuk. Maar met elke bladzijde werd de connectie die ik door de brieven had gevoeld onherroepelijk zwakker. Opa had gelijk: aan deze teksten had ik niks.

'Je bent vijfentwintig,' had hij laatst een keer gezegd. 'Je bloed zou champagne moeten zijn, geen yoghurt. Trek eropuit. Meng je onder de levenden, vergeet de doden.'

Ik voelde me rot dat ik de hoorn zo op de haak had gesmeten. Als boetedoening besloot ik iets kleins voor hem te kopen op eBay: een button, een speldje, een serie goedkope postzegels ter uitbreiding van zijn verzameling. Ik had geen vermoeden dat ik op een veiling van Lenins lijk zou stuiten. *Lenin, Grondlegger CCCP. In perfecte staat*, stond er. *U biedt op het lichaam van Vladimir Iljitsj Lenin. Het lichaam verkeert in uitstekende staat en wordt geleverd met een koelkist geschikt voor aansluiting op zowel het Amerikaanse als het Europese elektriciteitsnet.* De knop NU KOPEN gaf een prijs aan van vijf dollar precies. En nog eens vijf voor verscheping wereldwijd. Het adres van de verkoper luidde Moskou.

Het was zwendel natuurlijk. Maar wat was dat niet? Ik klikte op NU KOPEN en doorliep de stappen van de transactie. *Gefeliciteerd, CommunistenEzel_1944*, luidde de bevestiging. *U hebt Lenin gekocht.*

•

De volgende dag belde ik opa om te vertellen wat ik gedaan had. Ik zei dat hij de aankoop moest zien als stap twee van zijn drie-stappenplan. Ik weet niet zeker of hij me begreep.

'Ik word oud,' zei hij. 'Ik heb tintelingen in mijn arm en been. Ik geloof dat er een nieuwe beroerte op komst is. Dus ik heb zitten denken. Je bent een goede jongen, mijn zoon, maar ik ben tekortgeschoten. Je hebt alle recht om de spot met me te drijven.'

Ooit had ik er plezier in gehad de spot met hem te drijven, zei ik, maar nu niet meer. 'Zeg me wat de derde stap is. Ik moet het weten.'

'Stap drie,' zei hij na even denken. 'Kom naar huis.'

●

Ik deed geen oog dicht die nacht. Ook de twee weken erna sliep ik slecht. Mijn gedachten waren somber en dreigden te verzuipen in de appelmoes die mijn brein was.

Ik belde hem op en vertelde net genoeg. Hoe ongelukkig ik was in Amerika. Waarom ik hierheen gegaan was, niet om me tegen hem af te zetten, maar omdat ik iets nieuws had willen proberen. Ik zei: 'Boontje komt om zijn loontje, ouwe. Toe dan, nu is het jouw beurt om mij te sarren.'

Maar opa zei: 'Sinko, stil eens.' Hij praatte tegen me zoals hij zo vaak had gedaan wanneer ik als kind een driftbui had gehad of mijn knieën had bezeerd. 'Moet je horen. Vandaag stopte er een grote rode vrachtwagen voor onze deur, nog geen uur voordat je belde. In de vrachtwagen zat een enorme krat. In die krat lag Lenin. De leider aller naties ligt nu in jouw kamer, roemrijk, gekoeld en wel, zo vredig als een lammetje.'

Dwaze, holle woorden waarvan ik wist dat ze kaf waren, en toch luisterde ik, mijn ogen dromerig gesloten. 'Weet je nog, kleinzoon,' zei hij nu, 'dat ik je vroeger dat verhaal vertelde dat ik in een schuilhol woonde, met vijftien andere mannen, twee zwangere vrouwen en een hongerige geit, en dat ik ten einde raad en uitgehongerd eindelijk de moed vatte om af te dalen naar het dorp? Nou, ik was helemaal niet ten einde raad of uitgehongerd. Althans, niet in lichamelijke zin. Ik had er gewoon tabak van. De mannen speelden vals met kaarten. De vrouwen roddelden. De geit poepte in mijn klompen. Drie jaar later ging ik terug naar diezelfde plek in het bos. Ik wilde het schuilhol nog eens zien, nu met vrije ogen. Ik telde twintig stappen vanaf een kromme eik die we als herkenningsteken hadden gebruikt, vond de ingang en klom de ladder af. Ze waren er allemaal nog, helemaal gemummificeerd. Niemand had ze verteld dat de oorlog voorbij was. Niemand had ze verteld dat ze konden gaan. Ze hadden het lef niet gehad om zelf naar buiten te gaan, en dus waren ze van de honger omgekomen. Ik voelde me zo waardeloos. Ik groef en groef en ik begroef ze allemaal. Ik zei tegen mezelf: Wat is dit voor wereld, waarin mensen en geiten zonder enige reden aan hun eind komen in schuilholen? En dus leefde ik mijn leven alsof idealen er werkelijk toe deden. En uiteindelijk was dat ook zo.'

Ik hield de hoorn vast en dacht aan Lenin die gekoeld en wel in mijn oude kamertje lag, en plotseling werd ik overvallen door een afgrijselijk gevoel, een verschrikkelijke angst. Ik wilde dat de ouwe me beloofde om buiten op het achtererf op me te wachten, onder de blauwe druiven van de pergola. In plaats daarvan begon ik te lachen. Mijn buik schudde, mijn slapen barstten. Ik kon het niet helpen. Ik lachte totdat ook opa door mijn lach werd aangestoken, totdat onze stemmen zich over de lijn met elkaar vermengden en als één stem weerklonken.

De brief

Niet dat oma me aanspoort om van de Engelsen te jatten. Maar ze weet dat ik het niet laten kan. Dus als ik onder de pergola door loop, kijkt ze op van haar krant en zegt: 'Maria, missis is vandaag in de winkel gezien met nieuwe oorbellen in. Echte parels.'

Ze vraagt me een losse scheut van de druivenrank op te binden en terwijl ik daarmee bezig ben, zegt ze: 'Ik heb niks gezegd, hoor. Maar wat dacht je van ieder de helft?'

Ik werp haar die speciale blik toe. Ze zegt: 'Zestig–veertig?,' en dan verdiept ze zich weer in haar krant. Slaat een pagina om en likt al aan haar vingers voor de volgende, alsof de inkt aan haar vingers honing is.

Ik weet waarvoor ze het geld nodig heeft. Ze zal de biljetten netjes dubbelvouwen en tussen een oud artikel over het houden van varkens of zo steken en de envelop met twee stukjes plakband dichtplakken. Vervolgens zal ze de envelop naar mijn moeder opsturen zodat die een paar maanden niet belt.

Ik ga de kippen voeren om die oorbellen uit mijn kop te krijgen, maar het is een en al parels voor mijn ogen. Ik raap vier eieren. Twee ervan zijn groot genoeg en ik poets ze op met mijn schort en leg ze in een mand. Ik pluk een paar dahlia's, witte, want die vindt missis mooi, en leg ze in de mand. Dan schenk ik uit de kelder honderd gram van opa's *rakia* in een flesje en dat gaat ook de mand in.

Missis ligt te zonnebaden in haar tuin en haar lange, gladde benen weerkaatsen de zon alsof ze vertind zijn met het beste tin dat een zigeuner je kan verkopen. '*Hello, Mary, doera-boera-doera-boera,*' zegt missis in het Engels. Ze ziet er zoals altijd verveeld en depressief uit, maar als ze haar zonnebril afzet, glinsteren haar ogen. Ze is een Russische hond, begint te kwijlen zodra ze me ziet. Ze weet dat ik altijd een mand kom brengen.

Eerst neemt ze een klein teugje, elegant, maar het is wel opa's rakia, van die goeie druif, uit dat donkere eiken vat, dus slaat ze het halve flesje achterover. Drieëndertig jaar en een vrouw, en ze drinkt meer dan oom Pesjo. En oom Pesjo is de buschauffeur van het dorp.

'Is mister thuis?' vraag ik. Ze schudt haar hoofd. De oorbellen geven een dure tink. De parels blinken in de zon en ik stik zowat.

'Drink maar op, missis,' zeg ik, en ik ga op de rand van de ligstoel zitten.

Missis is verreweg de ongelukkigste vrouw die ik ooit bestolen heb. Om te beginnen laat ze zich door ons 'missis' noemen, maar ze is geeneens Engels. Haar Bulgaars is vloeiend, zacht, met een noordelijk accent, maar als ze praat zijn haar zinnen vergeven van vreemde klanken, van woorden die hier bij ons in het dorp niks betekenen. Ze slentert over de zandwegen met een parasol die nooit opengaat, poedert haar neus als ze op de bakkerswagen staat te wachten die uit de stad moet komen. Ze vraagt de barman om drankjes met Engelse namen en fronst haar wenkbrauwen als hij *mastika* in haar mint julep doet. Maar ze drinkt hem wel op. Als missis op haar dreunende hoge hakken met het brood in een boodschappennetje de kroeg uit loopt, kwijlen alle zatlappen van het dorp van haar kuiten en alle boerinnen van haar mondaine manieren. Missis is bloedmooi, geen twijfel aan, al vind ik haar nek aan de lange kant (gefokt om sieraden op uit te stallen, zegt oma). Maar ik denk dat missis nog mooier zou zijn als ze zich niet voordeed als een ander soort vrouw dan ze is. Ik heb gezien hoe ze om de hoek, waar ze dacht dat niemand het zag, haar tanden in het brood zette en een slobberige hap nam. Ik heb gezien hoe ze in een buffelvlaai stapte en een sappige vloek vloekte. Zo vind ik haar veel leuker. Soms vraag ik me af of haar gedeprimeerde blik niet ook gewoon een pose is. Vooral sinds ze de laatste keer op en neer naar de stad is geweest en ze haar zuchten drie keer zo lang aanhoudt. Maar ik moet er wel bij vertellen dat als ik de huidenkoper door onze straat zie rijden, schallend van 'Ik koop huiden, ik koop leer', dat ik hem dan weleens het huis van missis zie binnenglippen wanneer mister niet thuis is. Dertig minuten later komt hij weer naar buiten. Altijd. Ik heb het geklokt. En ik weet dat geen enkele pose het ooit rechtvaardigt dat je het bed in duikt met een huidenkoper; maar haar droefheid lijkt in elk geval wél echt.

'Missis toch,' zeg ik, en ik schuif een tikkeltje hoger de ligstoel op, 'wie gaat er nu zonnebaden met sieraden aan?'

Ze trekt haar gezicht in een glimlach en smakt met haar lippen. Ze is een aardige vrouw, maar op dit moment denk ik alleen maar aan hoe makkelijk het is om een paar oorbellen uit een paar dronken oren te jatten.

·

De Engelsen, zoals wij ze graag noemen, zijn twee jaar geleden in ons dorp komen wonen, toen ik veertien was. Eerst hoorden we dat iemand het huis tegenover ons had gekocht. Toen kwamen de werklieden die de ingewanden eruit sloopten en op de vuilnisbelt smeten: stoelen, tafels, boekenplanken. Ze kalkten de voorgevel wit, plaatsten nieuwe raamkozijnen, aluminium, zetten er nieuwe deuren in, nieuwe hekken. Harkten de tuin aan. Stopten zaden in de grond. Plantten buxusstruiken en kersenbomen. Toen de kersen in bloei stonden, arriveerden de Engelsen. Missis en mister.

Mister is een eeuw ouder dan missis en spreekt best aardig Bulgaars. Zijn gezicht is rimpelig, maar zijn ogen zijn blauw. Hij draagt witte pakken en witte hoeden gemaakt van jonge hondjes. Tenminste, ik dácht dat ze van jonge hondjes gemaakt waren, want zo zacht voelde het aan toen hij me een keer de rand liet voelen. Sommige mensen beweren dat hij spion is geweest en het gerucht gaat dat mister heel lang in Sofia heeft gewoond, waar hij iets deed op de ambassade. De meeste mensen hier noemen hem nul-nul-zeven en dan lacht hij, puntgave tanden, maar ik noem hem 'mister'. Nul-nul is meer iets voor op een wc-deur, totaal niet aristocratisch.

'Alsof jij verstand hebt van aristocraten,' zegt oma dan, maar ze weet dat ik geen boerin ben, ze weet dat ik in de stad geboren ben. Ik ben geboren in de winter na de val van de Sovjets. Het kan me trouwens geen drol schelen dat de Sovjets ten val gekomen zijn, maar oma vindt dat ik die dingen moet weten, want ik moet mijn geschiedenis kennen, zegt ze. Wat ik trouwens nogal stug vind, als je nagaat wat ze allemaal voor me geheimgehouden heeft. Persoonlijke geschiedenis dan vooral. Maar oma zaagt maar door alsof de wereld vergaat als ik niet weet wanneer de Berlijnse Muur werd neergehaald, of waarom die überhaupt werd gebouwd.

In de winter dat ik geboren werd, zegt oma, zwierven er wolven door de straten die baby's roofden. Ze zegt dat geld wc-papier was en dat distributiebonnen het nieuwe geld waren en dat je voor die bonnen dagen achtereen in de rij moest staan. Voor driehonderd bonnen kon je een brood kopen. Voor vijfhonderd kaas. Ze zegt dat een wolf mijn vader roofde en zijn pik afhapte. En toen, zegt ze, kwam je vader thuis als een man zonder pik.

Mijn pa werkt in Engeland tegenwoordig. Ik heb hem nooit echt ontmoet, maar ik zou hem best wíllen ontmoeten. Ik zou hem een brief willen schrijven om hem te vertellen hoe het hier is, in ons dorp. Ik neem aan dat hij onze taal vergeten is, maar soms ga ik naar missis en zeg ik bijna: Luister eens, missis, wat zou u ervan zeggen als...

En dan bedenk ik me. Ik ben de dochter van mijn moeder, wat betekent dat ik een kreng ben. Ik lieg en ik steel. Ik kan het niet laten. Als ik niet steel is het net alsof mijn longen vollopen met wonderlijm. C-200. En ik niet kan ademhalen. Ik ben gemeen tegen mensen, zomaar, zonder reden. Niet altijd natuurlijk. Alleen als het nodig is. 'Alsjeblieft, Maria,' zegt oma, 'ik heb je niet voor niets naar de moeder van Jezus vernoemd.' Maar me wel altijd uitlokken: Moet je die oorbellen zien, Kijk eens naar die portefeuille. Vervolgens stuurt ze het geld naar mijn moeder. Dus ik zeg: 'Oma, doe normaal. Je hebt me Maria genoemd omdat je niks beters wist te verzinnen. Onze moeder noemde je ook al zo en moet je haar nu zien, driehonderdzestig dagen per jaar van huis en de andere vijf komt ze om geld bedelen.' En ik zeg: 'Oma, zou Jezus' moeder hem in zijn kribbetje hebben achtergelaten? Zou zíjn oma zich over hem hebben ontfermd en hem hebben grootgebracht tot verlosser? En oma, hoe komt het dat je je wel over míj hebt ontfermd, maar mijn zusje in het weeshuis hebt achtergelaten?'

•

In de zomer: op dinsdag en zaterdag. Dan rijden bij ons de bussen namelijk, één 's ochtends en één 's middags. Tijdens het schooljaar alleen op zaterdag. Soms spijbel ik om erheen te kunnen, maar niet vaak, want oma zit me op mijn kop als ik mijn schoolwerk verwaarloos. Ze zegt dat alleen mannen het zich kunnen permitteren om onopgeleid te zijn. Vrouwen, zegt ze, moeten hun hersens ontwikkelen. 'O ja?' zeg ik. 'En Magda dan? Haar hersens zijn het tegendeel van ontwikkeld, maar ze krijgt wel altijd genoeg te eten, draagt mooie kleren en slaapt tussen mooie lakens. Kijkt naar een plasma-tv.' 'Nou, nou,' zegt oma, 'doe eens niet zo onaardig.'

Bij het busstation betaal ik de chauffeur, oom Pesjo, en hij zegt: 'Zo, Marike, heb je de bank beroofd?' Ik stop het geld snel terug in mijn zak. Dertig lev. De andere twintig waren voor oma, toen ze de oorbellen had verkocht. En twee zijn er al op aan het kaartje, heen en terug. De bus is leeg en ik heb het koud zo vroeg in de ochtend. 'Kun je de verwarming niet aanzetten, oom?' Hij draait zich om en kijkt eerst naar mij, dan naar mijn t-shirt. 'Ik zíe dat je het koud hebt. Mooi hoor.' En lachend start hij de bus en daar gaan we.

Hij is een goeie vent, oom Pesjo, hij kent me nu al tien jaar. En al zeven jaar rijdt hij me heen en weer. Sinds ik Magda begon op te zoeken. Daarvoor wist ik niet eens dat ze bestond. Negen jaar. Dagen, nachten, zomers, winters. Ik ging naar bed en stond de volgende morgen weer op, ik zwom in de rivier, werkte op het land, ging naar school, en ik had geen idee. Maar toen oma het me vertelde, was het: ja, wist ik altijd al. Niet dat ik het wíst, maar het was wel alsof ik het altijd al geweten had. Zoals bij oude mensen die zeggen dat ze pijn hebben in hun knieschijven, dus dat het wel snel zal gaan regenen. Alleen deden mijn knieschijven pas pijn ná de regen. Toch moet ik iets hebben laten merken, want op een dag zei oma: 'Goed, goed, ik neem je wel een keer mee. Maar nu ophouden.'

Magda was een piepklein ding. Een hele kop kleiner dan ik, en haar gezicht stond zo: helemaal scheef. Haar tong lag opgezwollen in haar mond. Ik kon mijn ogen niet van haar bewegende tong afhouden, en van het kwijl dat langs haar kin droop. Oma veegde het af met een zakdoek alsof ze dat al duizend keer had gedaan. Later vroeg ik haar: 'Hoe lang al?' en zij zei: 'Af en aan, eens per maand, drie jaar nu al.'

'Waarom drie?'

Ze zei: 'Ik kon niet eeuwig zonder slaap. Ik dacht dat ik het kon. Maar ik kon het niet.'

De eerste keer dat we elkaar ontmoetten liet Magda haar handen over mijn hele gezicht gaan. Plakkerige handen op mijn wangen, mijn oren. Ze wroette in mijn neus. 'Laat dat!'

'Nou, nou,' zei oma, 'dat is haar manier om je te leren kennen.'

Je kunt iemand niet leren kennen door een vinger in zijn neus te steken. Maar als iemand een vinger in jouw neus steekt, leer je wel het een en ander over die persoon. Dat is wat je een eenzijdige gevolgtrekking noemt. Hebben we bij wiskunde gehad.

Ik probeer Magda het een en ander te leren. Aangezien we geen mannen zijn en het ons dus niet kunnen permitteren. Ik neem mijn boeken mee naar haar toe, ga met haar in een hoek van de kamer zitten, die naar rijstebrij met kaneel ruikt, en leer haar dingen. Wiskunde gaat best goed. Ze kan vermenigvuldigen. Eerst ging het van 1×1, 1×2, en kwam ze nooit verder dan twee, alles was gelijk aan twee. 5×7, 9×8, alles was twee. Maar nu snapt ze het. Geschiedenis snapt ze ook. Ze houdt van simpele dingen, verzonnen verhaaltjes, versjes, maar ze is vreselijk slecht in taal. En spellen kan ze voor geen meter. Vooral één letter kan ze maar niet leren schrijven. Ж.

Ж is de galg waaraan Magda zal hangen. Ik zeg tegen haar: 'Meid, je bent zestien en je Ж ziet eruit als een dooie kikker.' En dan lacht ze. Gelukkig kan ze wel lachen. Haar woorden zijn dan misschien gemompel en soms gewoon stompzinnig, maar haar lach is als sneeuwklokjes, er is niets stompzinnigs aan haar lach.

Nu, in de bus, roept oom Pesjo me bij zich. 'Marike, wil je bij me op schoot zitten? Wil je de bus besturen?' Dat deden we altijd toen ik nog klein was. Ik zat bij hem op schoot met het stuur in mijn handen en bestuurde de bus. Dus ik zeg: 'Oké, waarom niet.' Want mijn gedachten gaan een kant uit die me niks bevalt.

Ik ga op zijn schoot zitten, de bus zet zich in beweging en dan laat hij zijn hand naar boven glijden. Hij knijpt in mijn tepel en lacht, en ik zeg: '*Pederas*, laat me eruit.' Hij lacht en lacht, en ik sta op en trap met mijn voet tegen zijn knie en hij stuurt de bus de weg af. Ik trek aan de handrem en dan is het een en al ratelende bouten en moeren onder ons, en rook. De bus stopt. Ik druk op de knop, de deur uit en ik ben twee heuvels verder.

Dan huil ik even. Kappen, zeg ik, en ik geef mezelf een klap in mijn gezicht. Jezelf een klap geven is heel effectief als je moet huilen. Ik zag het een vrouw doen in een Amerikaanse film. Oma en ik kijken naar alle films op tv. Dus de tranen zijn bijna weg als een auto me over de weg tegemoetkomt. De auto stopt, het raampje rolt omlaag. '*Mary*, ben jij het?'

Mister doet het portier open en ik wip zonder iets te zeggen naar binnen.

'Ga je naar de weeskindjes?' vraagt hij. Hij klinkt precies als Magda. De juiste woorden, maar elk woord er een beetje naast, kreupel.

'Ja,' zeg ik, en mister zegt: 'Ik breng je wel even.'

Oma is stiekem verliefd op mister. En ze heeft een bloedhekel aan missis. Toen we naar die film *Zorba de Griek* keken, zei oma: 'Ik hoop dat missis sterft, net als dat ouwe wijf, zodat we haar huis kunnen leegroven, vazen en sieraden en zelfs haar nachtjapon, nog warm van haar lijf. Ik hoop dat de boeren haar met die huidenkoper betrappen, naakt op zijn stapel bontvellen, en dat ze haar, net als in die film, wegens ontrouw de keel doorsnijden van oor tot oor.' Dan zal er geen missis meer zijn, en draait het alleen nog om mister. Blanke huid en blauwe ogen. Zacht haar. Mister ziet er precies zo uit als die man in de film, die schrijver. Ouder natuurlijk, maar ook knapper, vanwege zijn leeftijd. Vanwege zijn witte pakken en zachte hoeden. Vanwege zijn ogen.

Ik leg mijn hand op de zijne als hij naar een andere versnelling schakelt. 'Lief kind,' zegt hij, en nog iets over hoe koud mijn hand aanvoelt, maar ik luister niet.

'Mooie auto, mister.' Zijn hand is warm en ik voel zijn knokkels bewegen en zijn spieren.

'Hoe gaat het met je zusje?' vraagt mister me. Hij weet alles over haar. Hij stopt al jaren geld in het weeshuis, bakken met geld. Uit pure goedheid, geloof ik, al heeft oma me ooit verteld dat het te maken heeft met belastingen en dat soort dingen. 'Dat arme kind,' zegt hij.

'Zo arm is ze nu ook weer niet, hoor,' zeg ik. Ik bedoel: U hebt nieuwe ledikanten voor ze gekocht, nieuwe gordijnen. U hebt een magnetron voor ze gekocht! Maar dat zeg ik niet natuurlijk. Ik laat gewoon mijn hand op de zijne rusten en ik ben blij dat de heuvels heuvels zijn en dat de weg slingert zoals hij slingert, zodat de versnellingspook zo vaak bewogen wordt als hij bewogen wordt. Zodat zijn knokkels bewegen.

'Weet u dat ze in haar bed piest?' zeg ik, alleen maar om iets te zeggen. 'Ze is zestien.'

'Jullie zijn een tweeling, toch?'

'Dat ziet niemand. Ik vraag me zelfs af of ze het weet. Haar gezicht is helemaal zo en dat van mij is helemaal...' Ik kijk naar mijn gezicht in het spiegeltje. Jezus! Ik duik opzij en zoek in mijn zakken naar een tissue.

'Hier,' zegt mister, en hij geeft me zijn zakdoek.

'Waarom zei u dat niet even?' Ik veeg de mascara weg en hij zegt: 'Het was haast niets.'

Mijn gezicht is knalrood en bijna zeg ik: Stop de auto, alstublieft, laat me uitstappen. Maar hij haalt een sigaret tevoorschijn en steekt hem aan met de autoaansteker, stopt de aansteker vervolgens terug in het gat. Davidoff. En de aansteker blinkt zo mooi dat ik naar lucht hap.

'Sorry,' zeg ik, en mister zegt: 'Geeft niet. Natuurlijk word je emotioneel als je over je zusje praat.'

Dan zijn we er en buigt hij zich over me heen om het portier te openen. Hij ruikt naar dennenappels.

'De deur klemt,' zegt hij, en hij duwt hem open.

'Bedankt.' Terwijl hij uit zijn raampje de as van zijn sigaret aftikt, druk ik de aansteker achterover en stop hem in mijn zak. 'Mag ik de zakdoek houden?' vraag ik, en hij zegt: 'Hou maar. En doe je grootmoeder de groeten.' En uit het niets verschijnt die grote glimlach op zijn gezicht.

•

Vandaag overhoor ik haar oude lesjes. We zitten in ons hoekje en ze is even ongedurig als altijd, wiegt naar voren en naar achteren in haar stoel, kijkt uit het raam. 'Magda, wanneer werd Bulgarije gesticht?' 'Zes-eenentachtig,' zegt ze. Ze smakt met haar lippen, haar opgezwollen tong beweegt in het rond. Kwijl druipt. Ik zeg tegen haar: 'Tweeduizendzeven is het jaar dat Bulgarije ophoudt te bestaan; dat zegt oma. Als we eenmaal bij de EU horen, houdt Bulgarije op te bestaan. Weet je wat de EU is?' 'EU, EU,' herhaalt ze, en ik zeg: 'Hou daarmee op. Zo lijkt het net of je hakkelt.' 'EU.' Ze lacht. 'Kom hier.' Ik veeg het kwijl van haar kin en dan zeg ik iets als: O, shit, Magda, dit is misters zakdoek. Je hebt de zakdoek van mister verruïneerd.

We doen dictee. Kauwend op haar tong zit ze ijverig te pennen, terwijl om ons heen kinderen hollen en spelen, dus ik vraag ze om die tv zachter te zetten. Al deze kinderen zijn normaal, al zijn het dan weeskinderen. Maar Magda is hier omdat ze nergens anders terechtkan. Niet in de buurt van ons dorp tenminste.

Moeder liet ons allebei hier achter. Toen was het gebouw nog een bouwval en hadden ze geen tv's en gordijnen. Er waren wolven op straat, dus moeder was bang dat we geroofd zouden worden en daarom bracht ze ons hier in veiligheid. Dat is wat oma altijd zegt, en dan begint ze te snotteren, en dan denk ik: Oma, oma toch, hou jezelf voor de gek. En nu kijk ik naar Magda die op haar tong kauwt en piepkleine lettertjes schrijft en denk ik bij mezelf: En wat als ík toen door de leiding in elkaar was gemept? Toen waren we nog hetzelfde, twee jaar oud. Zou Magda mij komen opzoeken, mij dingen leren? Mooie kamer, kaneel, zachte kussens. Vandaag nog zaten ze tosti's te eten toen ik binnenkwam. En toen mister die grote donatie deed, zat Magda bij hem op schoot en streelde hij haar haar en aaide haar wangen. In een parallelle wereld zou het zo slecht nog niet hoeven zijn.

We zijn klaar met schrijven en Magda kijkt op. Ze giechelt, gebaart me dichterbij te komen en sproeit spuug op mijn gezicht als ze haar mond opendoet.

'Ik heb iets levends in mijn buik,' zegt ze.

•

Het schijnt dat mijn vader Christo heet. Ik neem het hem totaal niet kwalijk dat hij ervandoor is gegaan. Ik zou het hem vast kwalijk moeten nemen, maar dat doe ik niet – het is nu eenmaal de natuur: verspreid je zaad en ga ervandoor, trek verder om nog meer zaad te verspreiden. Maar een moeder die haar eigen kinderen in de steek laat? Bloed dat bloed verraadt? Dat is pas slecht. Dus al mijn haat gaat naar moeder en er is gewoon niks over voor iemand anders. Pa belt tenminste nooit. Hij zegt nooit: Hoe is het met mijn mooie meisje? Waarop ik altijd antwoord: Die kauwt op haar eigen tong. En het droevigste is nog wel dat moeder niet eens begrijpt waarover ik het heb. Ze heeft Magda nog nooit gezien – niet sinds ze haar daar achterliet althans. Dus als ze belt, houdt ze me een minuutje aan de lijn, ik heb het geklokt. 'Behandelt het leven je een beetje goed?' vraagt ze altijd, met exact die woorden. Behandelt het leven je... Een stommere vraag bestaat er niet. Het leven behandelt je niet. Dat doen mensen.

En dan moet ze oma hebben. Vijf minuten. Klaar. En vervolgens gaat oma op zoek naar een oud artikel om het bedrag waar mijn moeder om heeft gevraagd tussen te steken.

Maar denk niet dat het zomaar een oud artikel mag zijn. Oma gooit nooit een krant weg. En ze leest oude kranten. Meestal dingen die opa geschreven heeft. In de achtertuin leest ze ze steeds opnieuw. Roept me soms en zegt: 'Moet je horen: *De secretaris-generaal besteedde tien minuten aan het dichtbinden van rode ballonnen voor de Dag van het Kind.* Zie je hoe subtiel je opa dat formuleerde?' Ik neem graag aan dat opa het subtiel kon formuleren. Maar waarom moet ze zo nodig eeuwig en overal die kranten bewaren?

Toen ik mister de eerste keer vertelde dat mijn vader in Engeland werkte, vroeg hij me welke stad en zei ik: 'Nou, Londen natuurlijk.' Alsof ik beledigd was dat hij het vroeg, alsof mijn pa zomaar ergens zou werken. Ik vertelde hem dat mijn pa bouwopzichter was en het opzicht had gehad over de bouw van dat grote reuzenrad, dat ene aan de Theems. Misters ogen vielen bijna uit hun kassen. 'Zo zo, jouw pa is echt iemand,' zei hij, en toen reageerde ik dus weer soort van beledigd: 'Zou het?'

Mister zei dat ik pa een brief moest schrijven. Ik zei: 'Laat maar zitten, mister. Pa heeft vast andere kinderen nu, en zijn eigen missis.' 'Ben je daar niet verdrietig over?' vroeg mister, en ik zei: 'Nee hoor, dat is helemaal prima.' Maar vanbinnen was het meer van: Zou het?

Soms denk ik aan mijn pa. En ik kan dat stomme reuzenrad niet uit mijn kop krijgen, nu ik het eenmaal uit mijn duim gezogen heb. Ik zie pa bij het rad met zijn nieuwe kinderen en zijn nieuwe missis. Het is altijd donker en het rad is altijd verlicht en draait altijd rond. De Theems ruikt naar watermeloen. Mijn zusje is bij me natuurlijk en we verschuilen ons achter een tostistalletje. Pa zet het ene kind op zijn schouders en pakt het andere als een mandfles rakia op en draagt ze allebei naar een cabine in het rad. Zijn missis lacht, geen pose te bekennen, met lange nek en pareloren. *Doera-boera*, zegt pa in het Engels, wat betekent: Nu gaan we lol beleven. En dan draait mijn zusje zich naar me om en zegt: 'Godsamme, Maria, waarom moet het nou zó zijn? Dit is jouw dagdroom. Maak hem eens wat mooier.' En nog terwijl ze het zegt, worden we plotseling naar het rad getransporteerd, honderd meter boven de grond, en lopen we over het metalen staketsel de ene na de andere lamp eruit te draaien. Er is geen gevaar dat we vallen. Zwaartekracht bestaat niet. Alleen de aantrekkingskracht tussen ons. En de lampen blijven branden, zelfs nadat we ze in onze zak hebben gestoken en onze zakken vol zitten met een miljoen gestolen, brandende lampen, oplichtende vuurvliegjes die zo sterk zijn dat ze ons op hun vleugels nemen. Dan vliegen we verlicht en wel, mijn zusje en ik, hand in hand boven de Theems. 'Ja, dít noem ik een droom,' zegt ze.

•

Inbreuk op huisregel zoveel, artikel zoveel, lid zoveel... dat is wat de directrice van het weeshuis opdreunt. Ik zit in haar kantoortje en wacht een goed moment af om een pen van haar bureau te jatten. Een oranje BIC met blauwe afgekloven dop. Lang verhaal kort, ze schoppen Magda op straat.

'Ze kan nergens heen,' zeg ik, en de directrice glimlacht naar me: 'Natuurlijk wel.'

In de bus naar huis kan ik nergens anders aan denken. Stel dat de baby net zoals Magda wordt? Wat dan? Opgezwollen tong, onverstaanbaar gemompel. Ik weet wel dat ze niet zo geboren is, maar stel dat dat opgezwollene op de een of andere manier via haar bloed of melk aan de baby wordt doorgegeven? Dat zou niet eerlijk zijn. En hoe zou oma het nieuws opnemen? Een beroerte? Een hartaanval? Een baby heeft eten nodig om stil te blijven, kleertjes, een ledikantje. Een baby verdient beter dan Magda, oma en mij.

Terug in het dorp ga ik op zoek naar mister. Een spion van zijn kaliber, met zijn connecties in Sofia, weet vast wel raad. Maar mister is weer eens niet thuis en missis ligt te bakken in de zon. 'Hello, Mary,' slijmt ze.

'In godsnaam, missis, u moet me helpen.'

Ik flap het eruit voor ik er erg in heb. En ik weet gewoon niet waar ik mijn handen, mijn haar, mijn nagels moet laten. Missis zet me binnen aan een grote eikenhouten tafel en vanwege de zon die over het hout glijdt kan ik in het tafelblad mijn eigen vervormde gezicht zien. Ik herken dat gezicht en veeg met mijn handen over de wangen van dat gezicht alsof ik ze wil gladstrijken. Met lichte stappen zweeft missis naar het dressoir. '*Cocktail?*' vraagt ze.

Om ons tijd te besparen vertel ik haar dat ik de huidenkoper haar huis in en uit heb zien gaan en beloof ik het niet aan mister te vertellen als zij me wil helpen. Ze is meteen nuchter. Met haar lippen op elkaar geklemd houdt ze de shaker vast alsof hij een nek is die ze wil wurgen. Ze kwakt de cocktail in twee hoge bekers en gooit wat extra olijven in de mijne. 'Een nieuwsgierig serpent ben je,' zegt ze. 'Ik mag dat wel bij een meisje.'

We slaan de drank achterover.

'Er is niets wat een borrel niet kan oplossen,' zegt missis, terwijl ik de vlammen probeer weg te happen. 'Zeg op, Maroesja, wat wil je?'

Ik vertel haar alles wat er te vertellen valt.

Ze klakt met haar tong, laat een vinger over de rand van haar glas walsen, en plotseling is ze springlevend. Haar doezeligheid is verdwenen, haar wangen blozen, haar ogen sprankelen. 'Vertel op. Wie is de vader? Waar en wanneer? Ik wil het allemaal weten...'

'De vader doet er niet toe, en de rest weet ik niet.'

Missis steekt haar onderlip naar voren. 'Met jou valt ook al geen lol te beleven. De hele dag luister ik naar deze muren en nu is er eindelijk eens wat leven in de brouwerij. En jij weet het niet... je moet erachter zien te komen...'

'Ik praat liever met mister.'

'Dat zal best!' zegt ze. Ze likt aan het glas. Dan valt haar iets in. 'Denk je dat de baby wordt zoals zij? Je weet wel... Dat zou heel droevig zijn. Zoiets droevigs mogen we niet laten gebeuren.'

'Hoe kunnen we het voorkomen?'

Een poosje speelt ze met de parels aan haar halssnoer en hoor ik het geklik dat ze maken. 'Het weg laten halen,' zegt ze. 'Dat zou het beste zijn.'

Ze gaat terug naar het dressoir. 'Ik heb het één of twee keer laten doen,' zegt ze. 'Míj heeft het erg geholpen.' Ze klokt de cocktail die ze zich heeft ingeschonken naar binnen en neemt een nieuwe mee naar de tafel. 'Ik ken een geweldige dokter. Heel knap om te zien. En je hoeft niet naar Sofia voor een consult. Alleen even hier naar de stad. Maar het gaat je wel duizend groentjes kosten.'

'Duizend groentjes krijgen we nooit bij elkaar,' zeg ik. Maar dan dient zich, zo helder als Magda's lach, een mogelijkheid aan. 'Tenzij we pa schrijven.'

Missis denkt even na. Ze klapt in haar handen. 'Maar natuurlijk. Een brief aan jullie pa.' En ze gaat mooi, chic briefpapier halen zodat pa weet dat het menens is. Ik haal de oranje BIC tevoorschijn.

'We gaan dit in het Engels schrijven voor het geval je pa onze taal vergeten is.'

'En langs de rand in het Bulgaars,' zeg ik, 'voor het geval hij zo stom is dat hij de hunne nooit geleerd heeft.'

Dit staat er in de brief: *Татко, Магда забременя. Гонят я от пансиона. Молим те за помощ. Абортът струва скъпо. Прати пари в плик до баба. Желаем ти много здраве. Мария и Магда.* Missis vertaalt hem. Ze zegt dat ik het in mijn eigen handschrift moet overschrijven, dat dat correcter is.

Ik schrijf geen Engels, al hebben we het op school gehad, maar het is niet zo moeilijk over te schrijven. Op papier zijn woorden tenminste gewoon woorden. *Pa, Magda is zwanger. Ze schoppen haar het weeshuis uit. We vragen je om hulp. De abortus kost veel geld. Stuur het in een envelop naar oma. Beste groeten. Maria en Magda.*

Als ik klaar ben, controleert missis wat ik heb opgeschreven. 'Fout,' zegt ze, en ze laat me zien waar ik één letter heb vermangeld. 'Overnieuw.'

Ik schrijf het weer over en ze zegt: 'Fout,' en ze brengt meer papier en keer op keer is het fout, fout, fout. Missis is bezig aan haar vijfde cocktail als ze begint te huilen. 'O jee,' zegt ze, en ze probeert te lachen.

Dan houdt ze haar mond, maar ik weet dat ze wil praten.

'Missis,' zeg ik. Zij zegt: 'Ik heb ooit een meisje gekend, bloedmooi was ze. Een keurige studente aan een taleninstituut. Om wat bij te verdienen serveerde ze cocktails aan buitenlanders in het Balkan Tourist Hotel. Haar vader was een dronkenlap die al hun geld verkwistte. Op een avond vroeg een ouwe Engelse zak aan het meisje om een corpse reviver voor hem te mixen. Ze had geen idee wat dat was.'

Ze schudt haar glas heen en weer. 'Zo erg is het niet. Gewoon een kleine operatie. Je voelt er niks van.' En dan opeens, alsof ze zichzelf een klap in het gezicht gegeven heeft, komt missis weer ter zake. 'Nou, schiet op met die brief.'

Ik schrijf hem nog een paar keer over en maak kennelijk steeds kleine foutjes, wat vreemd is, want ik zie echt niet wat er fout is aan wat ik opgeschreven heb. Maar missis zegt dat het fout is. Eindelijk zegt ze: 'Geef me die pen en steek je hand uit.' Ze slaat me met de pen op mijn vingers en nog eens en nog eens. 'Zó leer je Engels. Zó trouw je met mister om vervolgens een rijk leven te leiden. Wat nou? Dacht je dat ik niet wist dat je mijn spullen steelt? Mijn schoenen, mijn oorbellen, mijn kettingen. Je bent een klein achterbaks kreng, weet je dat?'

Het doet pijn. Maar ik vertik het om mijn vingers terug te trekken. Laat haar maar slaan. Laat haar míj maar een keer slaan. Leef je uit, missis. Het doet me niks.

Als missis klaar is met slaan, kalmeert ze. Het lijkt alsof ze even over iets nadenkt. Met haar rug stijf en recht loopt ze de kamer uit en komt terug met een dik pak biljetten. 'Vergeet die brief,' zegt ze, en ze legt het geld voor zich op tafel. 'Doe één ding voor mij en dit is voor jou.'

Haar troebele ogen staan me niet aan.

'Kus me,' zegt ze.

Duizend dollar voor één enkele kus. Ik zeg: 'Die kun je krijgen,' en ik buig naar voren om het achter de rug te hebben. Dan giechelt missis en buigt ook naar voren, haar ogen dicht, haar hele lijf licht zwalkend, haar gezicht vol strepen van het huilen, haar bovenlip bepareld met zweet. Ze ruikt naar parfum en rakia. Onze lippen raken elkaar, mijn ogen stijf dichtgeknepen omdat ik bang ben om te kijken, totdat missis krijst: 'O jasses, knoflook,' en me wegduwt. Ze barst in lachen uit. 'Ik kan het niet!' Ze wappert met haar handen alsof het kleine vleugeltjes zijn. 'Hier, pak aan, het is voor jou...' brengt ze eindelijk uit, en ze blijft lachen.

•

Vandaar ren ik naar de bus, zo hard als ik kan, en ik doe mijn best om mijn hoofd leeg te houden. 'Wil je dat ik nog eens bij je op schoot kom zitten, oom? Wil je nog een keer in mijn tiet knijpen?'

'Marike,' zegt hij, 'ik bedoelde er niks mee. Alsjeblieft, oogappel van me. Vergeef me.'

'Ik vergeef het je als je iets voor me doet,' zeg ik, en hij zegt: 'Voor jou altijd.'

Hij rijdt en ik zit achterin te grienen. Het pak geld is als modder in mijn hand. Hoe harder ik erin knijp, hoe harder het in smerige stroompjes langs mijn mouw sijpelt.

In het weeshuis zit Magda zachtjes wiegend op haar bed. De bedspiraal onder haar piept als de klaagvrouwen uit het dorp op hun laatste begrafenis van de dag. Haar haar is kortgeknipt en overal op haar voorhoofd, wangen en nek zitten kleine haartjes. Ze heeft een blauwe jurk aan, een zachte, frisse kleur. Ongetwijfeld een jurk die ze hebben gekocht met geld van mister.

'Nou, Magditsjka,' zeg ik, 'jurken als deze zijn er niet bij oma.' Ik rol al haar kleren in een deken: een spijkerbroek, drie bloezen, zes onderbroeken, zes beha's, zes paar sokken die niet echt bij elkaar passen. Met de bundel in mijn ene hand en met Magda aan de andere loop ik het weeshuis uit.

Ik zeg tegen haar dat het in orde is. 'We gaan een uitstapje maken,' zeg ik.

'Oké,' weet ze uit te brengen.

We gaan achterin zitten en oom rijdt. Hij wil weten waar precies in de stad.

'Zet ons maar af bij het station en wacht daar,' zeg ik. Ik tel het geld. Duizend groentjes. Dokter Rangelov is de naam. Een groepspraktijk in een geel gebouw, op de tweede verdieping. Ik moet de plek herkennen aan de lindeboom voor de deur, door de bliksem getroffen, totaal verkoold. Ik moet hem zeggen dat missis ons gestuurd heeft en hem het geld laten tellen. En dan is het gewoon een kleine operatie. We zullen er niets van voelen.

Het is vroeg in de middag, maar aan de andere kant van het raam is de lucht donker. De weg zwart, de wolken zwart en de heuvels rond als reuzenraderen. 'Het lijken wel reuzenraderen,' zeg ik, en Magda besmeurt het hele raam met haar handen, trekt aan de gordijntjes, kauwt op het koordje.

Zachtjes veeg ik de afgeknipte haartjes één voor één uit haar nek en van haar zweterige voorhoofd. Het zou niet eerlijk zijn, denk ik weer. Om een baby te krijgen met opgezwollen hersens, met oma als moeder. Met mij als tante. 'Zit stil,' zeg ik.

Eindelijk zijn we in de stad. De chauffeur zanikt aan mijn kop over de bus. Om zes uur, zegt hij, moeten we terug zijn bij de remise. Ik zeg tegen hem dat ik moet nadenken. 'Ga buiten een sigaret roken. Ga koffie halen,' en ik blijf die kleine haartjes wegvegen. 'Het is gewoon niet eerlijk, Magda, snap je?'

'Oké,' zegt ze.

'Geen wonder dat je er zo aan toe bent. Als dat alles is wat je kan zeggen.'

'Oké.'

We barsten in lachen uit. En dan stel ik me haar voor, uitgespreid als een Ж, de baby weggehaald. Of de baby die huilt, de godganse dag, de godganse nacht, van de honger, en dan het kind dat opgroeit, happend naar adem, omdat het net als ik de drang voelt om te stelen. En ik ben er altijd bij, vul zijn hoofd met slimme kneepjes. Ik leer hem hoe je dingen achteroverdrukt, pennen, halskettingen, aanstekers... *Vlug, kijk, zo, en niemand die het ziet.*

Duizend groentjes in mijn hand. En als ik er nu eens vandoor ging? Niemand die het zou zien. Met duizend groentjes kan ik een heel eind van deze zooi vandaan komen, en snel ook, zelfs mijn gedachten zouden het niet kunnen bijbenen. Ik zeg: 'Wacht hier, Magda. Ik ben zo terug. Hou de deken goed vast, stevig vasthouden, zo ja, ik ben zo terug.' Ze houdt de deken vast. Ik geef haar een snelle kus op de lippen, een spuugnat klein kusje.

Ik ben de dochter van mijn moeder. En dus ren ik zo hard als je kunt rennen door de regen – ik blijf zelfs rennen als ik buiten adem ben. Als ik stop, zullen mijn voeten me terugbrengen, ben ik bang.

Eindelijk bevind ik me aan de andere kant van de stad en sta ik, modderig en doorweekt, voor de een of andere schoonheidssalon. Door de winkelruit zie ik vrouwen in rijen stoelen genesteld, met lange nekken en elegant, aristocratisch, sommige met droogkappen over hun hoofd en andere met plukjes watten tussen hun tenen. Ik zie ook mijn eigen spiegelbeeld in het glas, zo mager als een spook en al even levendig. Mijn hele leven al knipt mijn oma mijn haar met dezelfde schaar als die waarmee haar oma haar haren knipte. Wat kan het bommen, denk ik.

En twintig dollar later zit ik in een stoel.

'Ik wil het kort,' zeg ik, en in de spiegel zie ik de ene na de andere natte lok vallen. Inmiddels zullen ze wel thuis zijn. Oom Pesjo heeft Magda vast naar oma gebracht, die vast doodongerust is. Eindelijk is het meisje in de spiegel iemand anders – een lichtere, mooiere versie van mezelf. Een vreemde eigenlijk.

Na de knipbeurt heb ik droge kleren nodig. Een jurk. Groen, rood, geel, blauw – het maakt niet uit zolang hij maar duur en nieuw is. Ik heb nieuwe schoenen nodig, met hoge hakken die klikklakkend door de plassen plassen. Vervolgens naar een hotel natuurlijk. Het Balkan Tourist.

De kelner noemt me 'Mademoiselle' en brengt me naar een tafeltje. De jurk ruist tegen mijn bovenbenen, de hakken tikken op de gewreven vloer. Hij steekt een kaars aan. Wit kleed en vorken in diverse maten. Ik bestel tosti's en eet ze op, terwijl ergens aan de kant een of andere opa pianospeelt, zijn kale kop blinkend alsof hij zelf een kaarsenhouder is. Ik bestel kipfricassee en vis, flan als dessert, en crème brûlée, en rijstebrij met kaneel, en ik roer het allemaal nauwelijks aan, maar toch bestel ik nog meer.

Vandaar vlieg ik omhoog naar de bar van het hotel. Vanavond is er zoals altijd, volgens de poster, een floorshow. Ik zit in een hoekje en laat amandelen aanrukken, sinaasappelsap en ananassap. De bar is halfleeg, hier en daar nippen oudere mannen aan hun drankjes – ze zijn allemaal keurig gekleed, de meesten van hen zo te zien buitenlanders. En op het podium, onder de sprankeling van een miljoen kleine, kleurige lampjes, dansen aantrekkelijke meisjes, met lange benen, korte rokjes, kapsels als het mijne en een grote stomme glimlach op hun gezicht. Variété. Het ziet er in mijn ogen meer uit als een circus. Ik wed dat ze goudgeld verdienen. Ik wed dat ik zo'n meisje zou kunnen zijn. Ik huur gewoon een kamer in de stad, werk 's nachts en slaap overdag, een droomloze slaap, tot op een dag een Engelsman, met hoeden gemaakt van jonge hondjes en sneeuwwitte pakken, mij een drankje aanbiedt.

Pa, Magda is zwanger. Ze schoppen haar het weeshuis uit.

Ik lees de brief nog eens. Ik kan de woorden nauwelijks onderscheiden, met al die knipperende lampen op het podium, maar woorden zijn woorden. Ik denk aan oma, en dan aan Magda, die nu wel in mijn bed zal liggen slapen.

Ik weet dat dit allemaal geen droom is, maar dan nog – waarom moet het nou zó zijn?

Ik voel de verstikkende behoefte om mijn zakken vol te proppen met al die flikkerende lampen op het podium. Als ik het niet doe, verzuip ik geheid. Ik zit en kijk hoe de lampen exploderen, een dikke brandende zwerm, maar ik vertik het om me te verroeren.

Wat kleingeld. Dat is alles wat er over is aan het eind van het programma. Ik bel vanuit de foyer en oma neemt direct op. Ik wacht niet tot ik haar hoor praten.

'Behandelt het leven je een beetje goed?' zeg ik. 'Luister,' zeg ik, 'ik heb geld nodig voor een kaartje naar huis.'

Op de foto met Yuki

Yuki en ik kwamen drie weken vóór onze afspraak in het ziekenhuis in Bulgarije aan, in de eerste plaats om genoeg tijd te hebben om van de jetlag te bekomen, maar ook om de ergste zomerhitte voor te zijn en geen vliegtickets te hoeven kopen tegen hoogseizoentarief. De eerste week brachten we door in Sofia, bij mijn ouders, met wie we, de omstandigheden in aanmerking genomen, wonderwel opschoten. Maar de stad waar ik vandaan kwam lag mijn vrouw niet zo. Zodra ze hoorden dat we zouden komen, hadden mijn ouders mijn oude kamer opgeknapt met een nieuw bed en een airco. Maar het apparaat was al stuk toen het werd afgeleverd en het vervangende onderdeel zou pas over een maand komen. 's Nachts klaagde Yuki over de hitte en als ik het raam opendeed had ze last van de boulevard, de blaffende zwerfhonden, de alcoholisten die het bushokje tot vaste stek hadden gekozen.

Een paar nachten achter elkaar kon Yuki niet slapen. Ze zat rechtop in bed en drukte telkens op de afstandsbediening van de airco, die dan wel ratelde maar niet koelde.

'Gewoon zenuwen,' zei ik tegen haar. Ik herinnerde haar eraan dat ze nog maar een paar dagen geleden haar laatste sigaret had gerookt op de stoep voor O'Hare. Zij herinnerde mij eraan dat nog maar een paar dagen geleden haar koffer niet samen met ons in Sofia was geland. En dat toen hij eindelijk was gearriveerd, haar tandenborstel foetsie was geweest, evenals haar blauwe Startergympen en het doosje Nicorette.

'Die dingen gebeuren nu eenmaal,' troostte ik haar. 'Bovendien, ik heb Bulgaarse nicotinekauwgum voor je gekocht. Net zo goed, waarschijnlijk zelfs beter.'

Ze stopte er een in haar mond en zat er een tijdje fanatiek op te kauwen. Met haar duim, waarvan de nagelriem door haar andere nagels aan flarden was gepulkt, porde ze in de afstandsbediening. 'Bulgaarse rotzooi,' zei ze. 'Hij doet het niet. Niks doet het hier.'

Ze begon te huilen. Ik zei haar dat ze het mis had. Sommige dingen deden het niet, oké, maar dat gold niet voor alles. Met sommige dingen zou het vast wel in orde komen. Dat verdienden we, want we waren goede mensen en met goede mensen komt het goed, vroeg of laat. Zo kletste ik nog een tijdje door en toen zei ze: 'Je kletst maar wat. Hou op.' Ze zei dat ik geen greintje verstand in mijn kop had. Als ik wel verstand in mijn kop had gehad, zei ze, was ik om te beginnen nooit met haar getrouwd.

Dat was het moment waarop mijn moeder aanklopte. Ik was blij dat ze het in zich had, de vrijpostigheid om om vier uur 's nachts op onze deur te kloppen.

'Zeg tegen Yuki dat ik lindebloesemthee heb,' beval mijn moeder, terwijl ze door het halfdonker haar weg vond naar het nachtkastje en het blad neerzette. '*Lipov tsjaj*, Yuki,' zei ze in het Bulgaars. 'Dat zal haar helpen om in slaap te komen. Zeg dat tegen haar. Met acaciahoning. Toe dan, zeg het haar.'

Ik zei het haar en Yuki, die zich onder de deken had verstopt, stak haar hoofd eronderuit om een dankbaar knikje te geven.

'Stoor ik...?' vroeg mijn moeder en trok een wenkbrauw op. 'Lagen jullie te–?'

Nee, we lagen niet te–

'Ik dacht ook al,' zei ze, wachtend tot Yuki haar thee had opgedronken. 'Dat zou in jullie toestand ook weinig zin hebben, nietwaar?'

De volgende ochtend vroeg ik mijn vader de oude Moskvitsj te leen en tegen zonsondergang waren Yuki en ik tweehonderd kilometer noordelijker, in het oude huis in het dorp van mijn grootouders.

•

Een jaar geleden hadden we over de in-vitrobehandeling in Sofia gehoord, in verband met een vriendin van mijn moeder, een lerares van in de veertig die na vele onvruchtbare jaren nu eindelijk moeder was van een tweeling – Lazar en Leopold of iets vergelijkbaar idioots.

Yuki en ik waren toen al getrouwd en probeerden al achttien maanden zwanger te worden. We raadpleegden een arts in Chicago, een Bulgaar die mijn vrienden bij O'Hare hadden aangeraden. Het bleek dat er iets mis was met Yuki's eierstokken. Het zou heel moeilijk zijn, zei de dokter, om zwanger te worden zoals de natuur het bedacht had, al moesten we het, zei hij, vooral blijven proberen. Met een ingreep hadden we meer kans van slagen, maar dat kostte natuurlijk klauwen met geld. Ik ben bagageafhandelaar op O'Hare International Airport. Yuki is serveerster in een derderangs sushirestaurant met de fantasierijke naam Tokyo Sushi en verdient wat bij als kinderoppas bij Amerikanen die de mening zijn toegedaan dat hun koters erbij gebaat zijn als Yuki Japans tegen ze spreekt. Wij kunnen geen klauwen met geld opbrengen.

Een telefoongesprek met Japan leverde nóg grimmiger vooruitzichten op, en zo zag ik mezelf genoodzaakt mijn ouders in te schakelen. In die tijd wilde mijn moeder nog steeds niet tegen me praten, dus toen zij de telefoon opnam, moest ik wachten tot mijn vader aan de lijn kwam. Dat kostte me bijna een minuut van mijn dure telefoonkaart. Mijn vader die vroeg 'Hoe laat is het in Chicago?' en 'Wat voor weer is het bij jullie?' kostte nog een minuut. Zeven jaar in de States en nog steeds dezelfde vragen, en dezelfde antwoorden ook. Acht uur vroeger. Winderig.

'Ik moet het met jullie over Yuki hebben,' zei ik tegen hem. Ik kon mijn moeders stem aan de andere kant van de kamer horen praten, als die van een geest uit een andere dimensie, hem instruerend wat hij moest zeggen en wachtend tot hij had doorgegeven wat ik zei.

'Zeg tegen ma dat ze zelf aan de telefoon komt,' zei ik.

'Zeg tegen hem dat hij ons voor zijn bruiloft uitnodigt de volgende keer,' hoorde ik haar zeggen.

'Er komt geen volgende keer,' zei ik, terwijl ik de telefoon nog meer kostbare seconden zag wegtikken.

'Je weet maar nooit,' zei mijn vader. Hij vroeg mijn moeder om iets te herhalen en herhaalde het toen tegen mij.

Ik vertelde ze wat er aan de hand was.

'Verbaast me niks,' zei mijn moeder, en ik hing op voordat vader iets kon zeggen.

Het punt met Yuki – althans het punt waarover mijn ouders zich nog meer opwinden dan over het feit dat ze geen fatsoenlijk Bulgaars meisje is – is haar leeftijd. Het feit dat ze vier jaar ouder is dan ik beschouwen ze kennelijk als iets rampzaligs.

'Dit kunnen jullie haar niet kwalijk nemen,' zei ik tegen ze toen ik opnieuw gedraaid had.

'We nemen het jóu kwalijk,' hoorde ik mijn moeder. 'Jou en je verkeerde keuzes,' voegde mijn vader eraan toe.

Weer hing ik op. Weer waren er centen van mijn tegoed verspild. Deze komedie herhaalde zich een aantal keren, maar ten slotte hoorde ik mijn moeder toezeggen dat ze eens zou informeren.

'We overwegen ook adoptie,' zei ik. Dit keer wachtte mijn vader niet op instructies. 'Onzin,' zei hij. 'Ons zaad mag niet verloren gaan. Hoor je wat ik zeg?'

Een week later belde ma me zelf met het nieuws over Lazar en Leopold.

'Het kost drieduizend dollar,' zei ze.

'Drieduizend moet lukken,' antwoordde ik.

'Wij betalen,' zei ze. 'Zie het als ons huwelijkscadeau.'

•

Mijn grootouders leven niet meer, maar zelfs al voor we in Bulgarije aankwamen, wist ik dat ik Yuki zou meenemen naar hun zomerhuis. Vanaf mijn vijfde had ik alle zomers daar doorgebracht: twee kamers, een keuken, een zolder met een schuin dak dat zo laag was dat je er niet rechtop kon staan, en een halve hectare boomgaard bij wijze van tuin. Door het dorp stroomde een riviertje, en boven het dorp was de berg. Meer kon een mens zich niet wensen.

We droegen onze tassen naar de voordeur en terwijl ik worstelde met het slot, kauwde Yuki op nicotinekauwgum en nam ze foto's van het erf en de buitenplee. Ze nam een foto van mij worstelend met het slot en nog een terwijl ik de tassen het donkere halletje in droeg.

'Hou alsjeblieft op met die foto's,' zei ik.

Ze stopte de camera terug in het hoesje. 'Is er iets?' vroeg ze.

Ik ging van kamer naar kamer en zette de ramen open. Ik klom de zolder op en zette het raam open en ik zette het raam in de kelder open. Terug in de woonkamer ging ik op oma's bed zitten, en Yuki op opa's bed. Een hele tijd zeiden we helemaal niets. Ik keek naar de kersen-, perzik-, appel- en pruimenbomen in de boomgaard, die er allemaal uitzagen alsof ze dood waren, totaal verdord. De zon gleed weg achter de reusachtige walnootboom, en ik keek ernaar, het oranje in de kale takken. Het begon al iets aangenamer te ruiken binnen.

'Mijn ouders waren hier vorige week nog,' zei ik. Ze waren langs geweest om het huis schoon te maken en schone dekens te brengen. Mijn vader had een pad gemaaid naar de plee.

'Het ziet er gezellig uit,' zei Yuki. 'Het huis ziet er echt gezellig uit.'

Ik legde mijn hand met de palm op de beddensprei en liet hem in cirkeltjes rondgaan.

'Dit is oma's bed,' zei ik. 'Hier slip ik altijd.'

Toen wees ik Yuki op een kleerhanger in de hoek, een houten standaard, met een wollen jasje eraan en een blauwe broek. 'Dat is opa's broek.'

•

Er was niets te eten in huis, dus gingen we naar een buurvrouw een eindje verderop, een oude vrouw die met mijn oma bevriend was geweest. Ze huilde en kuste me op beide wangen. Ik was bang dat ze Yuki zou gaan kussen. Japanners kussen elkaar lang zo vaak niet als wij, en al helemaal geen onbekenden.

'Hemeltjelief,' zei de vrouw, en ze klapte in haar handen. 'Wat is ze klein!' Toen bekeek ze Yuki van top tot teen. Yuki stond vuurrood te blozen, met een glimlachje.

'Toch niet zo geel als ik dacht,' zei de vrouw uiteindelijk tegen mij.

'Wat zegt ze?' vroeg Yuki.

'Wat zegt ze?' vroeg de vrouw. En onvermijdelijk stortte ze zich, met onverwachte lenigheid, naar voren en greep Yuki's handen. Ze kuste ze en daarna kuste ze Yuki op de wangen. Yuki onderging het, maar veegde haar gezicht af toen de vrouw even niet keek.

Daarna kwam iedereen naar buiten om Yuki te zien. Er waren veel gezichten die ik niet kende; veel kinderen en jonge vrouwen. Ze lieten ons plaatsnemen aan een tafel op het erf, onder de druivenranken, die vol groene knoppen zaten.

'Je familie heeft zich flink uitgebreid, grootmoedertje,' zei ik tegen de vrouw. Ze stonden allemaal naar Yuki te kijken, allemaal stralend van opwinding. Een klein meisje wrong zich dichterbij, raakte Yuki's knie aan en rende giechelend weg.

'Ik voel me vreselijk,' zei Yuki.

'Wat zegt ze?' vroeg iemand. Ze vroegen of dat nu Japans was.

Ik vertelde ze niet dat het Engels was wat we spraken. Ze dienden het eten op en we aten, onder de druivenranken, de hemel bijna donker en de maan groot en nog rood, laag boven de heuvels.

'Is dat een fototoestel, Yuki?' vroeg een jongetje. Hij sprak haar naam perfect uit. Ze liet hem het kleine cameraatje zien en nam toen een foto van hem. Ze dromden allemaal om haar heen om de foto op het schermpje te zien.

'Mogen we met jou op de foto, Yuki?' vroeg iemand. Iemand vroeg: 'Yuki, heb je weleens Bulgaarse *rakia* geproefd?' 'Oma,' riep iemand, 'breng eens wat rakia voor Yuki.'

•

Yuki en ik hebben elkaar ontmoet bij bagageband nummer acht. Haar koffer uit Tokio was niet aangekomen en ze zag eruit alsof ze zo in tranen kon uitbarsten.

'Die dingen gebeuren nu eenmaal,' zei ik troostend. Mijn dienst was net afgelopen, maar ik bracht haar naar de balie van haar vliegmaatschappij om een claim in te dienen en zorgde dat ze vooraan in de rij kwam. Mijn Bulgaarse vrienden floten ons na terwijl haar hoge hakken over de vloer van de aankomsthal klikten. Ik vroeg haar of ze misschien zin had in een kop koffie en zij zei dat ze alleen maar behoefte had aan een sigaret en dan naar huis, en in bad misschien. Ik zag haar voor me in bad, haar schouders glanzend boven het schuimende water en haar lange haar in een knoedel boven op haar hoofd.

Ik praatte met haar terwijl ze buiten een sigaret opstak en stak zelf ook op toen ze me er een aanbood. Vier jaar geleden was ze naar de States gekomen, vertelde ze, om een kunstopleiding te volgen. Ze wilde animator worden, maar ze was doodziek van Japan, waar je de juiste mensen moest kennen om een leuke baan te krijgen. Het was natuurlijk wel lastig; in het soort animatie dat zij wilde doen waren ze in Japan het best, niet in Amerika. Nu ze bijna was afgestudeerd moest ze kiezen...

Ik kreeg een hoestbui. Afgeleid door haar nabijheid had ik per ongeluk geïnhaleerd. Ik liet de sigaret op de grond vallen. Ze lachte. Ze boog dubbel en sloeg met haar hand op haar knie, zo hard moest ze lachen.

'Heb je nog nooit gerookt?'

Ik schudde mijn hoofd.

'Echt niet? Nooit?'

'Nooit,' zei ik.

'Waarom nam je er dan een?' vroeg ze, hoewel ik er zeker van ben dat ze best wist waarom. Ze bleef me maar uitlachen en ik vond het helemaal niet erg. Ik vroeg haar om haar verhaal af te maken, maar ik luisterde niet meer naar wat ze zei. Ik was bang dat ze op het eind gewoon afscheid zou nemen en weg zou lopen, dat ze in rook zou opgaan zodra haar verhaal uit was. 'Je ziet helemaal bleek,' zei ze, terwijl ze rondkeek naar een plekje waar ze de peuk kon weggooien. 'Vertel eens iets over jezelf,' vroeg ze. 'Wat doe jíj in de States?'

Dus dat vertelde ik haar. Wat ik in de States deed was koffers van andere mensen inladen. Koffers van andere mensen uitladen. Ik woonde met nog twee Bulgaren in een klein flatje en was aan het sparen om naar de universiteit te kunnen. Vijf jaar geleden was ik met een verblijfsvergunning op zak in de Verenigde Staten aangekomen.

Op de dag dat ik mijn *green card* won, stormde het in Sofia: teisterende wind, overstelpende zomerregen. Doornat kwam ik thuis uit mijn werk, en daar zag ik de dikke envelop uit de brievenbus steken, als een hart dat te groot is voor zijn ribbenkast. *Beste winnaar*, stond er boven aan de brief.

Ik stormde de acht trappen op naar onze flat, waar mijn ouders door het raam van de woonkamer naar de regen zaten te kijken. Mijn moeder barstte in tranen uit toen ik het ze vertelde.

'Wanneer heb je dat gedaan?' vroeg ze. 'Waarom heb je niks tegen ons gezegd?'

'Ik had niet gedacht dat ik de green-cardloterij zou winnen.'

'Nu even kalm allemaal,' zei vader. 'Niet huilen alsjeblieft, dat is ook weer niet nodig. Laten we erbij gaan zitten. Laten we erover praten. Wat heb je voor reden? Wat kom je hier te kort? Heb je iets te klagen? Je lijdt geen honger. Je hebt een prima kamer, een computer met internet. Je hebt werk. Laten we erover praten. Wat heb je nu eigenlijk voor reden?'

'Ik ben zevenentwintig. Ik woon nog steeds bij mijn ouders. Mijn baan—'

'Je hebt helemaal gelijk,' viel mijn vader me bij. Hij knikte en wreef over zijn kin. 'We gaan een eigen woonruimte voor je regelen. Een van mijn collega's verhuurt kamers.'

'*Taté*,' zei ik. 'Ik wil niet dat júllie een kamer voor me regelen. Ik wil zelf mijn geluk beproeven in Amerika. Snap dat toch!'

Hij zei niets. Hij sloeg zijn arm om mijn moeder heen en zei niets.

•

Nadat we hadden gegeten wat de buren ons voor ontbijt hadden gebracht, besloot ik om Yuki het dorp te laten zien. Om beurten hadden we de camera. Zij poseerde bij een huis waar ik als kind vaak had gespeeld. Het was nu helemaal vervallen. Aan het hek hingen allemaal overlijdensberichten en Yuki vroeg wat voor briefjes dat waren. Ik legde uit dat in Bulgarije wanneer iemand doodging de familie een *nekrolog* maakte: een blaadje met de naam en een foto van de overledene en daaronder een kort rouwvers. Mensen plakten zo'n necrologie aan hun hek en aan lantarenpalen en op allerlei andere plekken in hun dorp of stad, om anderen die de dode misschien hadden gekend op de hoogte te stellen.

'In Japan doen we ook zoiets,' zei Yuki, terwijl ze aandachtig het gezicht van een oude man bestudeerde, dat door de regen bijna inktloos was. 'Maar geen foto's. We hangen een briefje bij de ingang van het huis van de dode. Die en die is overleden, begrafenis zo en zo laat, daar en daar. Die huizen worden vaak leeggeroofd,' zei ze, en ze nam de camera van me over. Ze liet me poseren onder een oude linde. 'De inbrekers liggen buiten op de loer, wachten tot de stoet vertrekt en halen vervolgens het huis leeg. Toen mijn oom doodging heeft mijn tante hun buurman gevraagd om thuis te blijven en de wacht te houden terwijl ze met z'n allen naar de plechtigheid waren.'

Om haar te plagen maakte ik het vredesteken, het vaste gebaar dat Yuki op elke foto maakt. 'Wilde die buurman zelf niet naar de begrafenis?'

'Niemand wil naar begrafenissen,' zei Yuki. We maakten nog wat foto's. We liepen de weg af tot aan het plein. Een oude Lada volgestouwd met zigeuners raasde voorbij in een wolk van stof. Ze toeterden. 'Je moet hier goed uitkijken,' zei ik tegen Yuki. 'Altijd aan de kant gaan als je een auto hoort aankomen. Altijd, denk erom.'

Ze knikte.

'Ik wist niet dat er zigeuners in het dorp waren,' zei ik.

'Zigeuners? Waren dat zigeuners?' Ze werd er opgewonden van. Ze had er altijd al naar verlangd eens echte zigeuners te zien, mooie donkerogige tovenaressen die blootsvoets rond hoge vuren dansten, en vioolspelers die hun vingers zo snel over de hals van hun instrument lieten vliegen dat alleen een pact met de duivel hun waanzinnige vaardigheid kon verklaren.

'Maar zo is het alleen in sprookjes, Yuki.'

Ze wilde er niet van horen. Ze stond erop dat ik haar meenam naar de zigeuners, om foto's van ze te maken. Maar dat was ik volstrekt niet van plan.

'Oké,' zei ik. 'Een ander keertje misschien.'

Het was iets over twaalf en de mensen kwamen terug van hun akkers. Yuki begroette iedereen met een glimlach en iedereen glimlachte terug en bleef ons nog lang nakijken.

'Ik snap het niet,' zei Yuki. 'Wat vinden ze zo bijzonder aan mij?'

We namen foto's van het plein, van de brug en de rivier – nauwelijks een stroompje water eronder – en toen van de bron met de vijf spuiten, één voor iedere partizaan uit het dorp die in 1944 was gevallen.

'Wat gebeurde er in 1944?' vroeg Yuki. 'In Bulgarije, bedoel ik.'

Ze stond bij de bron, waarvan het bassin overliep en de bodem vol lag met rotte bladeren. Uit twee van de spuiten, die ergens mee waren platgeslagen, sijpelde maar nauwelijks water. Yuki maakte een v met haar vingers toen ik een foto nam.

'In '44 grepen de communistische partizanen de macht,' zei ik. 'Maar niet zonder slag of stoot. Velen van hen zijn gesneuveld.'

'Waarom zijn die spuiten stukgeslagen?' vroeg Yuki.

'Weet ik veel,' zei ik. 'Sinds de val van het communisme durven de mensen meer. Kennelijk heeft iemand zo zijn afkeer van de Partij laten blijken.'

Met twee vingers pakte Yuki de kroes die aan een roestige ketting bij de bron hing. Hij was groen uitgeslagen, behalve aan de rand waar dorstige lippen hem al meer dan zestig jaar kusten – daar glansde het metaal zo zuiver als op de dag dat hij was gemaakt. Yuki bracht de kroes naar haar neus, snuffelde eraan en liet hem weer los.

'Het lijkt wel alsof ze met een steen zijn platgeslagen,' zei ze.

Ik pakte de kroes en dronk van het koude bergwater. 'Nou ja,' zei ik, 'hoe had je ze ánders willen platslaan, Yuki?'

We deden inkopen bij de winkel op het plein, en toen we daarna terugliepen naar huis, riepen mensen ons aan van over hun hek en gaven ons zakken tomaten cadeau, een vroege kasvariëteit, een beetje bleekrood, die weliswaar niet zo vol van smaak was als de zomertomaten maar altijd nog een miljoen keer lekkerder dan wat je in Amerika kon kopen. Ze gaven ons kaas en brood, een fles rode wijn. Op ons erf aten we een smakelijke lunch. We dronken wat van de wijn.

'Ik vind het hier echt fijn,' zei Yuki.

'Mooi zo,' zei ik. Ik knuffelde haar en kuste haar op haar kruin. Ze sloeg haar armen om mijn middel en zo omhelsden we elkaar op het erf. 'Onthou,' zei ik, 'met goede mensen komt het goed. Oké? Kijk me aan,' zei ik, en ze hief haar gezicht naar me op. 'Oké?'

•

Yuki en ik waren snel, op een koopje en zonder veel omhaal getrouwd. Dat wil niet zeggen dat we niet hadden gefantaseerd over een echte bruiloft. En daarna nog een in Tokio. En een derde in Sofia. Maar het was niet alleen uit geldgebrek dat we ons moesten haasten. Zodra Yuki afstudeerde zou haar studentenvisum verlopen. Op mijn green card zou ze in Chicago kunnen blijven zonder te hoeven onderduiken.

Ik belde mijn ouders om ze te vertellen dat we gingen trouwen. Ik vertelde ze wie Yuki was, hoe lief ze voor me was en hoeveel goed me dat deed, en hoeveel we van elkaar hielden.

'Niet te geloven dat je ons dit nu pas vertelt,' zei mijn vader.

'Ik wilde de goden niet verzoeken,' zei ik tegen hem, naar waarheid. 'Je weet wat een pech ik altijd heb.'

'Waar komt ze ook weer vandaan?' vroeg mijn moeder, en ik herhaalde het.

'Nou ja, ze is tenminste niet zwart,' zei mijn moeder.

●

Die middag nam ik Yuki mee naar de rivier. We waadden door het water, dat nog koud was, en zaten toen op de rotsen en keken naar een troep dorpskinderen die rondspartelden in een ondiepe poel onder ons. Ze waren zeker met z'n twintigen en hun fietsen, die ze in een rij langs de weg hadden geparkeerd, stonden te blinken in de zon. Er scheurde weer een auto voorbij en hij toeterde en de kinderen beneden in het water joelden en zwaaiden alsof de auto hen kon zien.

'Ik heb zin om er ook in te gaan,' zei ik.

'Doe je toch niet.'

Ik deed mijn hemd en mijn broek uit en liep omlaag naar de poel en sprong erin. Het water was koud en ik schreeuwde en Yuki daarboven lachte en maakte haar geliefde v-teken.

'Brrr, wat koud,' zei ik tegen de kinderen.

'Nee hoor, helemaal niet. Gewoon blijven bewegen,' zeiden ze. We plonsden in het rond. Ze klommen met hun modderige voeten op mijn schouders en hielden me vast bij mijn nek, mijn haar, mijn oren. 'Au, m'n oren!' riep ik, en weer lachte Yuki daarboven. Ik zag dat ze aanstalten maakte om een foto te nemen. Ze ging op de rand van de rots staan en boog naar voren.

'Niet doen!' schreeuwde ik. Ik haastte me het water uit en krabbelde over de rotsen omhoog.

'Wat héb je?' vroeg ze.

'Je liet me schrikken. Buig alsjeblieft niet zo over de rand.'

'Malloot,' zei ze. Ze kuste me. Ik kuste haar op haar buik. We keken hoe de voetstappen die ik op de rotsen had achtergelaten opdroogden, toen kleedde ik me weer aan en liepen we terug naar huis. Ik vroeg haar of ze iets historisch wilde zien. Ik ging haar voor naar de schuur en veegde wat heel droog hooi weg uit een hoek. Onder het hooi lag een stel oude houten poortdelen, met grote, uitgelopen letters erop geschilderd.

'Wat staat er?' vroeg Yuki.

Ik had dit verhaal van mijn vader gehoord, want opa praatte nooit over die dingen. Op de ochtend van 9 september 1944 was een troep baardeloze knapen, pas opgedoken uit het bos waar ze zich maandenlang in uitgegraven holen hadden verscholen, bij mijn overgrootvader aan de poort komen aankloppen. Ze deelden hem mee dat al zijn vee, vijftig koeien en honderd schapen, en zijn land – drie hectare – van nu af aan eigendom waren van de Communistische Partij en zouden worden toegewezen aan een kolchoz. De Communistische Partij had de macht overgenomen, zeiden ze, en zou voortaan over Bulgarije regeren.

Mijn overgrootvader zei dat hij even naar achteren moest en kwam terug met zijn geweer. Hoe de gebeurtenissen zich verder ontrolden weet ik niet precies, maar het eindigde ermee dat hij een van de jongens doodschoot. Drie dagen daarna kwamen de kameraden terug, trommelden een geïmproviseerde volksrechtbank op, verklaarden mijn overgrootvader tot vijand van het volk en hingen hem op aan de onderste tak van de walnootboom. Ze dwongen opa, die toen een jaar of twintig was, om toe te kijken en conclusies te trekken over zijn eigen toekomst. Met grote letters teerden de kameraden KOELAK op de poort, opdat iedere voorbijganger zou weten dat wij klassenvijanden waren.

Toen ik twaalf was, nam vader mij mee naar de schuur en liet me de poortdelen zien, die opa uit de scharnieren had gelicht en verstopt onder het hooi had bewaard. Ik weet nog dat ik niets bijzonders voelde bij het lezen van de letters, met de uitgelopen teer aan de onderkant als de wortels van lente-uien. Maar nu, met Yuki naast me, voelde ik iets wat ik niet kon verklaren, een gevoel waarvan ik plotseling niet wilde dat het op haar zou overslaan.

'Ik weet niet wat er staat,' zei ik tegen haar.

'Je bent écht een malloot,' zei ze.

•

Voor de rest van de middag wist ik niets te verzinnen, dus vroeg Yuki of zij een stukje in de Moskvitsj mocht rijden. Ik zag geen bezwaar. Ik nam een foto van haar bij de auto en nog een van haar in de auto, zwaaiend uit het raampje dat eeuwig gedoemd was maar half open te kunnen.

'We zouden bij de zigeuners langs kunnen gaan,' zei ze.

Maar ik zei dat ze de andere richting moest nemen, het dorp uit. Eerst schakelde ze tamelijk onhandig, met knarsende tandwielen, maar algauw had ze de slag te pakken.

'Die auto valt me reuze mee,' zei ze, en ik vertelde haar dat de motor van de Moskvitsj een kopie was van de motor van een BMW, dus dat we in feite in een BMW reden.

'Het voelt meer als een Flintstone-auto.'

'Een Flintstone-auto? Jee, Yuki, is dat echt de beste grap die je kunt verzinnen?'

De weg slingerde langs de berg omhoog, met een dicht dennenbos aan de ene kant en onder ons de kloof waar de rivier doorheen stroomde. Toen we langs de fietsen van de kinderen kwamen, gaf Yuki een duw op de claxon. We reden een kilometer of vier en toen zei ik dat ze moest stoppen bij een verbreding van de weg, waar een enorme betonnen buis uitstak die bij regen het water van de hellingen in de riviergeul loosde.

We leunden tegen de motorkap en keken naar de dennen overal om ons heen, de berghellingen die in gloed stonden in de ondergaande zon. Ik herinnerde me hoe oma me elke keer als het flink geregend had meenam om paddenstoelen te zoeken. Hoe we een keer twee grote zakken zo vol hadden dat we ze nauwelijks naar huis gesleept kregen, enkel op de been gehouden, veronderstel ik, door het opwekkende vooruitzicht van de hoeveelheid weckpotten die we voor de winter konden vullen. Maar eenmaal thuis ontdekten we dat de paddenstoelen waren verdronken in hun eigen blauwe melk, giftige dubbelgangers die zelfs de geiten van de buren weigerden te eten.

Ik wilde die herinnering met Yuki delen, maar ik kende de naam van de eetbare paddenstoelen niet in het Engels, noch de naam van hun giftige dubbelgangers.

'Waarom wonen we eigenlijk in Amerika?' vroeg ik haar in plaats daarvan. 'Kun jij me dat vertellen? Als het om het geld is, kunnen we het net zo goed laten. Er zijn andere plaatsen waar we heen kunnen. We zouden hier terug kunnen komen.'

'Ik weet niet,' zei Yuki. 'Ik zie mezelf hier niet wonen. Er is hier niets te doen voor mij.'

'Dit is een goede plek om een kind groot te brengen,' zei ik.

'Misschien.'

Ik keek haar aan. Ik zei: 'Zeg zulke dingen niet als je ze niet meent.'

'Laten we eerst eens zien hoe het gaat volgende maand,' zei ze. 'Laten we het er nu niet over hebben. Laten we niet de goden verzoeken.' Ze stopte een stukje nicotinekauwgum in haar mond en kauwde bedachtzaam. 'Het lijkt wel of ik ze niet meer nodig heb. Het gaat prima zonder.'

'Met goede mensen..., Yuki,' herinnerde ik haar. We stapten weer in en ze reed terug naar het dorp; de versnellingsbak knarste bij het schakelen.

'Heuvelaf kun je in z'n vrij. Op z'n Bulgaars. Om benzine te sparen.'

Ze duwde de pook in de vrijstand en zonder knarsen rolden we steeds sneller naar beneden. Ik hield haar hand vast. Ik had een goed gevoel over onze situatie. 'Ik heb een goed gevoel over onze situatie,' zei ik.

'Ik ook,' zei ze, en ze draaide haar hoofd naar me toe om me aan te kijken.

Het jongetje op zijn fiets moet ook niet hebben uitgekeken. Maar Yuki kreeg hem in het oog toen we nog een heel eind van hem af waren. Ze gooide het stuur om en trapte keihard op de rem. De wielen blokkeerden en met een gierend geluid gleden we van de weg af, de greppel in. We botsten tegen een rotsblok, maar niet heel hard. Yuki had niks, en ik had ook niks. We keken elkaar aan om te zien of we niks hadden. Ze zette de motor af en we stapten uit.

Het jongetje lag aan de kant van de weg, zijn fiets een paar meter verderop in de berm. Hij was klein van stuk, donker van haar, donker van huid. Hij kan niet veel ouder dan tien zijn geweest.

'O god,' zei Yuki, en ze begon te huilen. Maar de jongen ging rechtop zitten en wreef over zijn hoofd.

'Ik heb niks,' zei hij, terwijl hij eerst mij en toen Yuki aankeek. Ze knielde bij hem neer en kuste hem op zijn wangen, op zijn voorhoofd; ze overstelpte hem met kussen.

'Niet doen,' zei ik. 'Raak hem niet aan.'

'Wat bent u mooi,' zei de jongen tegen haar. Hij wreef over zijn hoofd.

Ik zei tegen hem dat hij zich niet moest verroeren, en toen tegen Yuki dat ze in de auto moest gaan zitten. Ze was opgehouden met kussen, maar weigerde op te staan. Ze huilde niet meer. Ze keek naar de jongen.

'Weet je zeker dat je niks hebt?' vroeg ik.

'Ja, *baté*, alles best.'

'Ben je niet op je hoofd gevallen?'

'Zou kunnen. Maar het doet geen pijn.'

'En je armen? Niets gebroken?'

'Nee,' zei de jongen. Hij schudde met zijn armen. Hij voelde aan zijn benen om ze te controleren. Hij glimlachte naar Yuki.

'We moeten met hem naar het ziekenhuis,' zei ze.

'Hoe heet je?' vroeg ik hem.

'Assentsjo.'

'We brengen je naar het ziekenhuis, Assentsjo. We laten even een dokter naar je hoofd kijken.'

De jongen sprong overeind. Er leek echt niets met hem aan de hand. Hij wankelde niet, hij hinkte niet. We hadden hem niet geraakt. Hij was gewoon van zijn fiets gevallen, een oranje Balkantsje, net zo een als ik had toen ik klein was. In de berm probeerde hij de ketting, die eraf lag, weer over het tandrad te spannen.

'Ik help je wel even,' zei ik. Ik knielde naast hem en zette de fiets op zijn kop. Ik hield het ene eind van de ketting vast en de jongen het andere en we trokken hem strak en worstelden om hem over de derailleur te krijgen. Toen het eindelijk gelukt was, waren zowel mijn als zijn vingers zwart van de smeer.

'Kom,' zei ik, terwijl ik mijn vingers aan het gras afveegde. 'We doen de fiets achterin en brengen je naar huis.'

De jongen zette de fiets overeind. 'Als vader erachter komt dat ik hier was, krijg ik ervanlangs. Ze denken dat ik broer met het hout aan het helpen ben. Maar als ik eerder bij de rivier kom, laten de anderen me er niet in. Ik wacht tot ze allemaal weg zijn, dan heb ik de poel voor mij alleen. En 's avonds is het warmer. Het water is warmer.'

Zo ratelde hij nog een tijdje opgewonden door.

'Wat zegt-ie?' vroeg Yuki. Ze zat midden op de weg, dus ik zei dat ze op moest staan en teruggaan naar de auto. De jongen stapte op zijn fiets.

'Moet je horen, Assentsjo,' zei ik.

'Tot ziens, baté,' zei de jongen. Hij zwaaide naar Yuki, rinkelde met zijn bel en fietste ervandoor.

Een tijdlang zaten we in het gras zonder iets te zeggen. Ik probeerde mijn vingers schoon te vegen. Yuki nam een stukje kauwgum. 'We hebben hem dus echt niet geraakt?' vroeg ze, en ik zei dat we hem niet geraakt hadden, nee.

'Hoe weet je dat? Dat kun je toch niet zeker weten?'

'We reden zo hard. Als we hem geraakt hadden, had het er heel anders uitgezien.'

'We hadden hem naar het ziekenhuis moeten brengen. Waarom liet je hem gaan?'

'Hij sprong op zijn fiets en was ervandoor. Je zag het zelf. Hij had niets. Hij slingerde niet.'

'Nee, hij slingerde niet,' zei ze. Ze veegde langs haar wangen. Ik stapte in de auto en startte, en de auto startte zonder mankeren. Ik reed de greppel uit. Waar we het rotsblok hadden geraakt was de bumper verbogen en er zat een kras op.

'Was die jongen een zigeuner?' vroeg Yuki toen ik langs de berg omlaag reed, maar ik weet niet zeker of dat echt was wat ze zei.

We konden niet slapen die nacht. We lagen in bed en luisterden naar de muizen op zolder, de wind in de takken van de walnootboom, de dennen op de helling. We lagen stokstijf en hielden elkaars hand niet vast.

'Laten we ergens over praten,' zei Yuki. Ze ging rechtop zitten. We praatten over van alles. Hoe lekker de tomaten waren geweest. Wat onze vrienden in Chicago zouden uitvoeren op dit uur.

'Het helpt niet,' zei ze. Ze kleedde zich aan en ging naar buiten. Ik kwam niet meteen achter haar aan. Ik keek door het raam naar de walnootboom en om de een of andere reden, misschien omdat de maan achter de wolken zat, misschien vanwege de schaduwen, moest ik aan mijn overgrootvader denken. Ik had nog nooit over hem nagedacht, maar nu dacht ik aan hem. Toen bracht ik mijn vingers naar mijn neus en snoof die vage geur van kettingsmeer op die er nog steeds onafwasbaar aan hing. Ik dacht aan hoe het jongetje naar Yuki had geglimlacht, dat hij had gezegd dat ze mooi was. Dat had nog nooit iemand gezegd. Maar ik vond haar ook mooi. Heel erg. Ik dacht aan hoe de jongen op zijn fiets was gestapt. Dat hij helemaal niet had geslingerd en dat zijn hoofd geen pijn had gedaan.

'Ik weet zeker dat hem niks mankeert,' zei ik tegen Yuki, die op de drempel van de buitendeur zat en kauwgum kauwde. 'We kunnen morgen navraag doen.'

'Ik snak naar een sigaret,' zei ze.

Ik kwam naast haar zitten. Ik wilde haar aanraken, maar ik deed het niet.

•

We hoefden de buurman nergens naar te vragen toen hij het ontbijt kwam brengen: *boechti* en melk. Hij bleef erbij zitten terwijl we aten. 'Moet je horen wat er gebeurd is,' zei hij. 'Een van die zigeunerkinderen heeft er van zijn vader vanlangs gekregen toen hij gisteravond thuiskwam. Met een stok voor z'n donder, bedoel ik, echt een pak ransel. En daarna ging die jongen gewoon naar bed, ging liggen en deed zijn ogen dicht. En nu kunnen ze hem niet meer wakker krijgen. De dokter is geweest en die zegt dat hij in coma ligt. Zo hard heeft zijn vader hem geslagen.'

Ik weet niet precies wat we die middag deden. We zijn het huis niet uit geweest en we hebben geen woord gezegd. 'Ga alsjeblieft sigaretten voor me halen,' was het enige wat Yuki uit kon brengen, en op een gegeven moment liep ik naar het plein, blij dat ik even weg kon. Ik kocht een paar pakjes.

'Heb je het gehoord van dat jongetje?' vroeg de verkoopster. 'Wat een vreselijk verhaal,' zei ze. 'En die vader...' Ze schudde haar hoofd. 'Wilde zich verzuipen in de rivier.'

Bij terugkomst zag ik een buurman buiten op ons erf de Moskvitsj inspecteren.

'*Zdrasti, Amerikanets*,' zei de buurman. Hij had een groot bakblik in zijn handen. 'Ben je ergens tegenaan gereden?'

Ik mompelde iets. Het was al zo, zei ik, mijn vader had dat gedaan.

'Ik hoor dat Yuki zich niet zo lekker voelt,' zei de buurman. 'Ik hoor dat ze er bij het ontbijt niet goed uitzag. Nauwelijks een hap gegeten heeft. Dus heeft mijn vrouw een *banitsa* voor haar gebakken. Met extra eieren en boter.'

Ik bedankte hem en pakte het bakblik aan.

'Alles in orde, Amerikanets?' vroeg hij.

'Prima,' zei ik. 'Bedankt, het gaat prima.'

•

Na drie dagen waarin Yuki en ik nauwelijks aten, sliepen of spraken, ging het jongetje dood. We hoorden het van weer een andere buurvrouw. Er viel weinig meer over te zeggen. Het jongetje was dood.

'Heeft ze het over het jongetje?' vroeg Yuki terwijl de buurvrouw nog aan het woord was.

'Ja,' zei ik.

'Wat zegt ze?'

'Hij is dood. Hij is vanochtend gestorven.'

Yuki huilde niet. Ze stond daar en zweeg en ik zweeg ook, tot de buurvrouw weer wegging.

'Wat moeten we doen?' vroeg ze.

'We kunnen niks doen. Hij is dood.'

'Dat weet ik. Zeg dat toch niet steeds. Dat weet ik al. Maar we moeten het ze vertellen. We moeten het ze toch vertellen?'

We kwamen er niet uit. We waren radeloos, gewichtloos, zwevend in het luchtledige. We waren echt bang. Ik was nog nooit zo bang geweest.

Toen, vroeg in de middag, klopte er iemand aan de poort en door het raam zagen we een kar met een ezel ervoor, en een zigeuner ernaast. Yuki slaakte een gil. Ze boorde haar afgepulkte nagels in mijn arm. Een minuut lang zagen we de man zijn pet in zijn grote handen verfrommelen. Hij droeg geen schoenen, zag ik, en had een blauwe werkbroek aan en een t-shirt met blauw-witte matrozenstrepen. Zijn huid was heel donker van de zon en zijn kale hoofd glom van het zweet. Een minuut lang stonden we zo naar hem te kijken, en ik bedacht dat we ons moesten verstoppen tot hij weg zou gaan.

'Doe het hek open,' zei Yuki, en stuurde me in m'n eentje naar buiten.

Ik deed het hek open.

'Bent u...?' vroeg de man. Hij kwam wat dichterbij.

'Ja, ja,' zei ik. 'Ik ben de Amerikaan, ja.'

De man verontschuldigde zich. 'Mijn excuses,' zei hij. 'Neem me niet kwalijk dat ik u stoor.' Hij sprak snel, alsof hij bang was dat hij niets meer zou kunnen uitbrengen als hij eenmaal stopte. 'Mijn zoontje is zopas overleden,' zei hij. 'Morgen wordt hij begraven en we hebben geen foto van hem. Er is nooit een foto van hem genomen. Mijn vrouw kijkt me niet meer aan, maar ik weet dat ze zou willen dat ik naar u toe kwam. We hoorden, iemand zei – Tenjo was het, of iemand anders? – iemand zei dat u foto's aan het nemen was. Uw vrouw was foto's aan het nemen. U hebt een fototoestel, zei iemand. Was het Tenjo? Nee, niet Tenjo, geloof ik.' Toen keek hij me met zijn pet in zijn hand zwijgend aan.

Ik zei hem dat hij even moest wachten. Ik zei hem dat ik zo terugkwam. Ik liep om de hoek van het huis, klapte dubbel en viel op de grond. Ik wilde overgeven, maar het lukte niet. Zo erg was het. Weer binnen vertelde ik Yuki wat de man was komen vragen.

'We kunnen geen nee zeggen,' zei ze. 'We hebben het recht niet om nee te zeggen. Maar ik ga niet met je mee. Dat kan ik niet aan.'

'Je gaat wel mee,' zei ik. 'Je laat me nu niet in de steek. Hoor je me, Yuki? We gaan samen.' We zetten de camera aan. We controleerden of de batterij opgeladen was. We controleerden of er genoeg ruimte was op de geheugenkaart. We controleerden of het koordje niet in de knoop zat.

Buiten stond de zigeuner de Moskvitsj te bekijken. Hij knikte naar mijn vrouw. Hij kuste haar hand. Hij bedankte ons. Hij verontschuldigde zich nogmaals. 'Machtig mooie wagen,' zei hij met een knik naar de Moskvitsj. Hij ging met zijn hand over de deuk in de bumper. 'Dit kan ik wel repareren. Breng hem bij mij. Ik kan wel wat werk gebruiken.'

Hij wenkte ons naar zijn kar. Ik was opgelucht dat we niet hoefden te rijden. Hij hielp Yuki met instappen. We zaten achterin en hij knalde met de zweep. '*Dí*,' riep hij. '*Dí*, Marko. Vort.'

De kar ratelde. We reden door het dorp en ik zag de mensen ons nakijken. De zon stond nog hoog en er was geen wind en de lucht voelde benauwd en ondraaglijk heet. Ik zat tegen Yuki's elleboog aan, maar ze schoof van me af. Ze was bleek en haar lippen waren gebarsten. Ze zag eruit alsof ze dorst had. Ze hield de camera met beide handen in haar schoot vast, zoals ze bij de buren een levende kip had vastgehouden, bang dat die met haar vleugels zou klapperen of haar zou krabben.

'We moeten het hem vertellen,' zei ze. Ze fluisterde.

'Hij kan je niet verstaan.'

'We moeten het hem vertellen.'

De zigeuners woonden aan de andere kant van het dorp. Ze hadden er hun eigen nederzetting gebouwd. Het huis van de man was lang niet zo slecht als ik had verwacht. Ze hadden een schotelantenne, een tuin met bloemen erin. Er waren een heleboel mensen op het erf en de hele straat stond vol met auto's met nummerborden uit andere regio's. Er kwamen steeds meer mensen bij en het rook naar gekookte kool en uitlaatgassen.

Maar één keer zei de zigeuner iets, vlak voor we uitstapten, en ik weet niet eens of hij het wel tegen ons had. 'Ik weet niet hoe het gebeurd is,' zei hij. 'Hoe is het gebeurd?'

We liepen het erf op en iedereen stond op om ons te begroeten. Ze waren allemaal in het zwart, zelfs de kinderen. Sommigen van de vrouwen snikten achter zwarte omslagdoeken. Eén voor één kwamen de mannen naar ons toe en schudden ons de hand.

'Waarom doen ze dat?' vroeg Yuki.

'Ik weet het niet,' zei ik. Ik wilde wegrennen. Ik wilde me omdraaien en wegrennen en nooit meer omkijken. Ze namen ons mee naar binnen. We liepen door een gordijn van bamboekralen, waarop vliegen zaten te wachten op een hand die hun doorgang verschafte.

'Denk om de vliegen,' hoorde ik een stem zeggen terwijl we naar binnen stapten, en ik zag er een paar naar binnen schieten. Het hele huis rook naar de kool die ik buiten al had geroken. In de gang kwamen we langs een grote spiegel die met een wit laken was afgedekt, zodat de lichaamloze ziel van de jongen niet per ongeluk een glimp van zichzelf zou opvangen. In de keuken waren vrouwen salades aan het klaarmaken en in pannen aan het roeren. Een van hen was een vis aan het schoonmaken en die rook ik ook. De vrouwen keken op toen we langskwamen en knikten naar ons. Yuki tastte naar mijn hand. We hielden elkaars hand vast toen ze ons de kamer met de jongen binnen leidden.

Het jongetje lag op een smal bed en zag eruit zoals we ons hem herinnerden. Zijn moeder zat naast hem op een stoel en joeg met een krant de vliegen bij zijn gezicht vandaan. Ze keek niet naar ons op. Ze wapperde met de krant. Even verschikte ze met haar vrije hand zijn kraag. De jongen was gekleed in een zwarte broek en een bruine trui met een wit overhemd eronder. Hij had zwarte schoenen aan, die ze hadden geprobeerd te poetsen. Zijn haar was netjes opzij gekamd. Hij zag eruit alsof hij elk moment overeind kon komen, over zijn hoofd wrijven en glimlachen. Ik speurde zijn gezicht af naar blauwe plekken, maar zag er geen. Zijn vingers waren in elkaar gevlochten, en ik herkende de zweem van kettingsmeer die zijn moeder had geprobeerd weg te wassen, maar tevergeefs.

Ik trok mijn eigen vingers terug in de schulp van mijn vuist. Yuki begon te huilen. Het leek alsof de vrouwen daarop hadden gewacht. Ze rukten hun hoofddoeken af en wierpen ze de lucht in, en ze jammerden als doedelzakken in de hoofddoekenregen. Maar de moeder bracht ze tot bedaren. 'Vervloekte furies! Jullie maken hem bang. Hij kijkt nu naar ons en jullie maken hem bang met je gejammer.'

'Yuki?' zei de vader. Hij wist haar naam. Hij sprak hem prachtig uit. 'Is dit een goede plek voor de foto? Of is het hier te donker?'

Mijn vrouw was niet in staat om te antwoorden. Mij viel het spreken ook heel moeilijk, maar ik antwoordde dat het hier te donker was. We hadden maar een goedkoop cameraatje, zei ik, en foto's binnen vielen meestal slecht uit. De flits was niet goed. Ik moest mezelf de mond snoeren. Ik moest mezelf dwingen m'n kop te houden.

Ik leidde Yuki aan de hand naar buiten. Ik zei haar dat ze diep adem moest halen. Iemand bracht water en ze dronk. Ze vroeg om meer. Ze sprenkelde wat op haar gezicht. Even later brachten ze de jongen naar buiten.

Iedereen dromde opzij alsof de jongen en de mensen magneten waren met de gelijke polen naar elkaar toe. Ze droegen een stoel aan en zetten de jongen erin.

Ik begreep waar ze mee bezig waren.

'O nee,' kreunde ik. Dit had ik niet verwacht.

'Ze gaan toch niet...' zei Yuki. 'Hij blijft niet...'

Maar ze kwamen met kussens aandragen om zijn lichaam te

stutten. Zijn broers en zussen gingen om hem heen staan en hielden hem overeind. Toen voegde de moeder zich aan de ene kant bij haar kinderen en de vader ging aan de andere kant staan, maar zij zei in hun eigen taal iets tegen hem wat ik niet verstond. Hij zei iets terug. Hij smeekte haar, maar zij zei nee, nee, nee. Ze joeg hem weg uit de foto.

Er zorgvuldig voor wakend dat ze mijn besmeurde vingers niet zagen hield ik hen gevangen in het schermpje – een kader waarin hun tweedimensionale afbeeldingen voor eeuwig met elkaar verbonden zouden blijven, waarin tijd niet bestond, noch de noodzaak om adem te halen. In dit doosje bestonden geen levenden, geen doden. Alleen absolute stilte.

'We zijn zover,' zei de moeder eindelijk. 'Neemt u de foto.'

•

De zigeuners stonden erop dat we bleven eten. Op het erf werd een lange tafel op schragen gelegd en ze begonnen gerechten aan te dragen. Lange planken op bakstenen dienden als zitbanken.

'Nee,' zei ik.

'*Né, né, né,*' zei Yuki. Ze zwaaide met haar armen.

'U kunt niet weigeren,' zei de vader. 'Ga zitten. U kunt niet weigeren.'

We zaten bijna in het midden van de tafel. We hielden elkaars hand vast. De mensen schoven dicht tegen elkaar aan op de planken, als dikke zwaluwen op een draad.

'Neem zoveel u wilt,' zei de moeder tegen ons. 'Dit is verse kool. Dit is lamssoep. Dit is riviervis, dus pas op voor de graten. Het is allemaal heel lekker.'

Een tijdlang werd er gezwegen. We hoorden alleen het getik van de lepels tegen de blikken borden, het aflikken van vingers. Iemand zoog aan een mergpijp en buiten, op de weg, rinkelde een fietsbel.

'Is het fijn in Amerika?' vroeg een man aan ons.

'Niet echt,' zei ik.

'Is het fijn in Japan?'

'Ik ben er nog niet geweest. Ik zou er graag heen willen.'

'Dat komt nog wel,' zei een andere man. 'Jullie zijn nog jong. Er ligt nog een hele wereld voor jullie open.'

'We proberen een baby te krijgen,' zei ik. Ik weet niet waarom ik dat zei. Ik had het niet moeten doen. Het was de plaats noch de tijd. Maar het was eruit voor ik het wist. Yuki keek me aan. *Stop*, zeiden haar ogen. 'Het lukt niet om zwanger te worden,' ging ik door. 'We proberen het al een hele tijd, maar het lukt niet. Volgende week gaan we naar het ziekenhuis. Voor een ivf-behandeling. Weet u wat dat is?'

'Natuurlijk,' zei de zigeuner.

Een van de vrouwen zei: 'Ik kan jullie wat kruiden geven. Frambozenbladeren, brandnetels, passiebloem. Die helpen vast. Die helpen altijd.'

'Echt?' vroeg ik. 'Zou u dat willen doen?'

De vrouw stond op. 'Ik ben zo terug,' zei ze.

'Waar ben je mee bezig?' vroeg Yuki. 'Alsjeblieft, laten we weggaan. Ik kan er niet meer tegen.'

Ze wilde opstaan, maar ik hield haar tegen. 'Nog even,' zei ik. 'We gaan zo. Nog eventjes.'

De vrouw kwam terug met een builtje kruiden. 'Maak hier een aftreksel van. Geef het haar te drinken. En laat dan de dokters doen wat ze doen.'

Ik bedankte haar. Ik nam het zakje aan en legde Yuki uit waar het voor was.

De vrouw glimlachte naar haar. 'Lukt het niet, kindje?' zei ze. 'Mag ik even?' Ik schoof een eindje op en ze kwam tussen ons in zitten. 'Je vindt het toch niet erg?' zei ze, en ze legde haar hand op Yuki's buik. Yuki protesteerde niet. Ze sloot haar ogen. Haar gezicht ontspande. De vrouw liet haar hand in rondjes over Yuki's buik gaan en haar eeltknobbels bleven aan de stof van Yuki's jurk haken en verschoven hem een beetje. Toen liet ze haar hand weer op Yuki's buik rusten. 'Daar dan,' zei de vrouw. 'Al klaar.'

Het was donker toen we opstonden om weg te gaan.

'U gaat toch nog niet?' zei de vader, maar hij hiel ons niet tegen. 'Komt u morgen ook?'

'Ja,' zei ik. 'We zullen om tien uur op het kerkhof zijn. En daarna gaan we meteen naar de stad om de foto te laten afdrukken.'

'Dank u,' zei de vader. Hij nam me bij de elleboog. 'Kom nog even mee naar binnen alstublieft,' zei hij. 'Laat uw vrouw maar hier. Er overkomt haar niets. Maar neem het fototoestel mee.' Ik keek naar Yuki. Ik wist dat ze niet alleen gelaten wilde worden.

'Ga maar,' zei ze. Ze ging weer aan de tafel zitten en iemand schonk haar glas voor de helft vol met priklimonade en voor de andere helft met rode wijn.

De vader nam me mee naar de kamer met zijn zoon. Twee oudere meisjes zaten bij het bed, in het schijnsel van een olielampje waarvan het reflecterende spiegeltje eveneens was afgedekt met een zakdoek. De meisjes maakten zich uit de voeten en hun schaduwen stoven uiteen over de muur, als lang gras dat is gemaaid en door een windvlaag wordt weggeblazen. De vader knielde naast de jongen en legde een hand op zijn schouder.

'Gauw, een foto, voordat mijn vrouw het merkt. Alstublieft?' zei hij.

Ik richtte de camera op hen en keek naar hun korrelige beeld op het schermpje. De kant van het gezicht van de jongen die naar het licht was gekeerd leek heldergeel, bijna stralend. De zigeuners hadden twee munten op zijn ogen gelegd om te voorkomen dat ze opengingen, en de ene munt, het dichtst bij het licht, glansde als de pupil van een kat. De andere munt was donker en die hele kant van zijn gezicht was donkerder en zijn borst, met daarop de stijf gevouwen handen met de vuile vingers, was nog donkerder, en zijn schoenen ten slotte waren bijna onzichtbaar in het donker, zo ver van de olielamp vandaan.

Ik drukte op het knopje en de flits flitste en op de foto baadde zowel de vader als de jongen in het licht. Alles straalde.

De vader keek naar het schermpje. 'Is dat een schram?' vroeg hij. 'Waarom zit daar een schram?' Hij had iets op het gefotografeerde gezicht van de jongen gezien wat ik niet zag. 'Zijn gezicht is niet geschramd,' zei hij. 'Geen schrammetje op zijn gezicht.'

Ik keek wat beter naar het schermpje en toen naar de jongen.

'Het is een wimper,' zei ik.

De vader ging zelf kijken. Hij likte aan zijn vinger en haalde de wimper van het gezicht van de jongen. Hij wist niet meteen waar hij hem moest laten. Toen haalde hij met zijn vrije hand een zakdoek uit zijn zak, legde de wimper erop en knoopte hem dicht.

Ik zag het hem doen, en als ik het hem nu niet vertelde, zou ik het nooit doen, wist ik. En als ik het hem niet vertelde, zou ik het mezelf nooit vergeven, in geen duizend jaar.

Hij kwam naar me toe en boog zich over mijn handen en kuste ze.

·

Thuis op ons erf haalde Yuki een sigaret uit het pakje. Maar ze stak hem niet op. We zaten op de drempel en ze speelde met haar aansteker. Ze stak hem aan en tuurde zwijgend naar het vlammetje, tot ze haar vingers brandde en haar duim losliet.

'We moeten die foto vanavond nog laten afdrukken,' zei ze. 'We maken een nekrolog. Die plakken we overal in het dorp aan.'

Ik zei haar dat het al over negenen was. Het zou lastig zijn op dit uur in de stad nog een printshop te vinden.

'We vinden wel iets,' zei ze. 'Een internetcafé. Er zal toch wel íets open zijn?'

'Oké,' zei ik. 'We kunnen het proberen.'

'Maar we gaan niet naar de begrafenis morgen. We printen de foto uit en we brengen hem vanavond nog naar die mensen. We gaan morgen niet.'

Ik was het met haar eens. Ik zei dat we dan maar beter konden gaan pakken, we hadden nog een hele reis voor de boeg. Maar ze verroerde zich niet.

'Nog heel even,' zei ze. Ik kon zien dat ze wachtte tot ik mijn arm om haar schouders zou slaan en haar op haar voorhoofd zou kussen. Het komt goed, Yuki, hoopte ze dat ik zou zeggen. Met goede mensen komt het goed.

Maar dat kon ik haar nu niet zeggen. Ik kon niet, zoals ik anders aan het eind van een geslaagde vakantie zou hebben gedaan, de camera pakken en op de motorkap van de gedeukte auto zetten voor één laatste, gedenkwaardige foto. Ik kon haar niet, terwijl ik met de zelfontspanner prutste, vragen om een klein stapje naar rechts te doen, nee, ja, oké, Yuki, zo pas ik er precies naast, zo komen het huis en de boomgaard en de schuur er goed op.

Ik had mijn mond gehouden tegen de zigeuner, ik had mijn mond gehouden over de letters op de poortdelen. En nu, hier op de drempel, hield ik nog steeds mijn mond. Na een paar minuten ging ik naar binnen om de autosleutels te halen, en terwijl Yuki onze tassen inpakte, vouwde ik opa's broek op en stopte hem in een la, zodat hij niet stoffig zou worden. Ik controleerde of alle ramen en deuren goed dicht waren. Yuki wachtte in de auto terwijl ik worstelde met het slot. Buiten voor het hek bleef ik staan en gunde mezelf een laatste blik over het erf en de walnootboom. Maar ik stond mezelf niet toe aan het kind te denken, aan ons kind, of aan al die zomers die het zou duren voor we weer naar het dorp konden komen.

In de auto keek ik op de achterbank om te controleren of we niets vergeten waren.

'Hebben we alles?' vroeg ik. 'Alle tassen? Je sigaretten?'

'Ik hoef geen sigaretten,' zei ze. 'Ik heb ze weggegooid.' Ze kauwde op een stukje nicotinekauwgum.

Ik startte de motor.

'Wacht,' zei ze. Ze draaide zich om en rommelde door de bagage. Ze trok er dingen uit en stopte ze weer terug. Eindelijk hield ze het builtje kruiden omhoog dat de zigeunerin ons had gegeven. Ze legde het veilig in haar schoot. 'We hebben alles,' zei ze, 'we kunnen gaan.'

Kruisdieven

En meisje zonder borsten stormt het café binnen om ons te vertellen dat de regering is gevallen en dat we vandaag geen school hebben. Iemand smijt een bierflesje naar haar hoofd om duidelijk te maken dat ze de deur moet dichtdoen. Buiten is het min vijf maar in het café aan het schoolplein is het net lekker. We zijn de hele nacht opgebleven om *svarka* te spelen en blikjes Cloud te drinken. Al helemaal in het begin kwam Gogo met een drieëndertig uit tegen dat rijke gastje dat zijn horloge en zijn pieper had ingezet op twee azen, dus de rest van de avond werden we de hele tijd opgepiept door die gast zijn ouders. *Detsjko, waar zit je? Detsjko, kom naar huis!*

'Het idee dat mijn ouders me zouden oppiepen!' zegt Gogo tegen mij.

'Hoe bedoel je? Het idee dat jij een pieper had of het idee dat zij jou "detsjko" zouden noemen?'

Niet dat het Gogo's ouders geen bal kan schelen wat hij uitvoert. Maar ze zitten met die oudere broer van hem die voortdurend voor problemen zorgt. En wat mijn ouders betreft, laten we het erop houden dat ik ze in geen vier dagen gezien heb, vader de schuld geven en er verder over zwijgen.

Het meisje doet de deur dicht en loopt naar de bar om een *ViK* te bestellen. Ze is wel oké, beetje korte benen alleen. Ze slaat haar wodka achterover en veegt haar mond af met haar mouw. Dan drinkt ze met kleine slokjes haar cola.

'Kijk die teef, *koptsje*,' zegt Gogo, en hij roept naar haar: 'Wafwaf.' Zo noemen we elkaar op dit moment. 'Koptsje', knopje betekent dat. Daarvoor was het: Hoe gaat-ie, *sjnoer*. Snoer. En dáárvoor: Hoe gaat-ie, *sjprangel*, wat geeneens een woord is. Waarom? Geen idee, het is gewoon onzin. We hebben onze namen afgelegd. Geen Radoslav meer, geen Georgi. Ik ben vernoemd naar mijn opa, die weer naar zijn opa was vernoemd, maar wat zou dat?

'Pas even op mijn centen, koptsje,' zeg ik, en ik loop het café uit om te pissen. Achter me klettert glas kapot en Baj Petko, de cafébaas, vloekt tegen degene die ermee gooide. Het is een bijtend koude ochtend en nu al zijn de straten aan de andere kant van het schoolhek volgestroomd met mensen, een vuile vloed. Ik zie een kolkende massa van gezichten, armen en benen, en hun leuzen, boos en luid, doen de stoppen in mijn kop doorslaan. 'Weg met de rooien!' '*Tsjerveni bokloetsi!*' 'Communistentuig!'

Het is januari 1997 en de regering is weer eens gevallen. Weinig verrassends aan. De eerste keer dat hij viel was ik zeven. November 1989. Dat was een spectaculaire ineenstorting – het einde van het communisme. Thuis zaten we met onze neus op de tv terwijl een of andere hoge partijbons op zeurderige toon een verklaring aflegde waarin partijleider Todor Zjivkov afstand deed van de macht. Zjivkov zelf zat links van het podium, zijn ogen glazig gevestigd op iets wat alleen hij kon zien, zonder te knipperen, als een koe, met zijn mond halfopen en glinsterend van het spuug. 'Goeie genade, die schoften hebben hem gedrogeerd,' zei mijn vader, en hij hapte in de gedroogde staart van een gezouten visje. 'Ik dacht dat hij eeuwig zou aanblijven,' zei mijn moeder.

'Dank je de koekoek,' zei vader, en hij wees met de vis als een gemummificeerde vinger in mijn richting. 'Kijk je wel, Rado? Dit is belangrijk. Zorg dat je het onthoudt.' Alsof ik ooit iets vergat.

Toen waren de straten verstopt met massademonstraties en stortten overal in Oost-Europa muren in. Bulgarije hield zijn eerste democratische verkiezingen en sindsdien zijn de regeringen als rotte peren blijven vallen. 1990, 1992, 1994. Hyperinflatie, devaluatie. Mijn vader verdient tegenwoordig vijftienduizend lev per maand en een brood kost zeshonderd. En er blijven maar nullen bij komen.

Soms denk ik weleens: Veel erger dan dit kan het niet worden. Dieper kunnen we toch zeker niet zinken? We hebben de bodem nu toch wel bereikt, zodat we ons kunnen afzetten en omhoog trappelen, het moeras uit?

Vorige week, zegt Gogo, heeft zijn broer hun ma in elkaar geslagen. Ze wou niet zeggen waar ze het geld had verstopt en daarom sloeg hij een stoel aan stukken en ranselde haar met een van de poten. Toen hun pa thuiskwam zat Gogo's broer in een hoekje te shaken en op zijn vingers te bijten. Gogo's vader sleurde hem mee naar buiten, spoorde de dealer op en kocht een shot voor hem. Hij kocht ook nog een schone spuit, liet hem toen achter op een bankje en ging naar huis om zijn vrouw te verzorgen.

Afschuwelijk verhaal, toch? En wat deed Gogo om te helpen? Een paar dagen later vond hij het geld dat zijn moeder in de pot van de ficus had begraven en schoof de schuld van de diefstal in de schoenen van zijn broer, die natuurlijk te ver heen was om wat dan ook te ontkennen. Maar, zeg je dan, daar zijn vrienden voor, toch? Een paar verwijtende woorden en een beetje verstandige raad van mijn kant en alles komt weer goed. Zodra het geld is teruggegeven, kunnen we ons van de modderige bodem afzetten, al was het maar voor even.

We besteedden het geld aan twee flessen wodka, drie broden en de lotto en verspeelden de rest bij het kaarten. De lotto was mijn idee. 'Soms denk ik weleens,' zei ik tegen Gogo terwijl ik kruisjes zette in de kleine hokjes op het lottoformulier, 'veel erger dan dit kan het niet worden. Onze kans komt nog wel, koptsje. Let maar op.'

•

Nu sta ik dus te pissen tegen de schoolmuur, met aan de andere kant van het hek die demonstranten die leuzen scanderen, als de conciërge me in de gaten krijgt. Hij heeft net de school op slot gedaan om te laten zien dat die dicht is en komt nu grommend op me afrennen.

'Kalm aan, ouwe,' zeg ik. 'Zie je niet dat ik een ster aan het tekenen ben?'

Ik sta erom bekend dat ik regelmatig speciaal een omweg maak om tegen de schoolmuur te pissen. Eén keer nam ik de bus van het Cultuurpaleis helemaal naar school en moest ik het zo lang ophouden dat mijn pik wel een uur in brand stond. Mijn vader zei dat mijn pisbuis zeker verstopt zat en dat ik vast nierstenen had. Dat ik meer water moest drinken.

'Ik snij je pik eraf, Rado!' schreeuwt de conciërge tegen me.

'Wil je hem niet liever afbijten?'

Hij steunt met zijn handen op zijn knieën om op adem te komen. 'Rado het Wonderkind,' zegt hij, al heb ik hem al een miljoen keer gezegd dat hij me niet zo moet noemen. Zijn adem ontsnapt in klein wolkjes in de kou, alsof het de zielen zijn van de woorden die hij gaat zeggen. 'Kan niet eens in een rechte straal pissen, zigzaggende drugskop.'

'Ik doe niet aan drugs, ouwe,' zeg ik tegen hem. 'Ik drink Doctor's-wodka, die met toegevoegde vitamine C.'

Ik rits mijn gulp dicht en hij biedt me een saffie aan. We roken terwijl de ochtendmist langzaam optrekt, terwijl er leerlingen aankomen bij de dichte schooldeur. Voor een ouwe vent is de conciërge best oké. Heeft in het leger gezeten, als terreinwagenbestuurder, maar tijdens de hongerjaren is hij een keer betrapt op het stelen van voorraden van de tankbrigade, en toen hebben ze hem een pak slaag gegeven en op straat gezet. Hij vertelde me dat hij wel een halfjaar blikken buffelvlees achterover gedrukt had voordat ze hem snapten. Die blikken waren dertig jaar oud, zei hij, maar het vlees was malser dan kip. Dertig jaar, dat is twee keer zo oud als ik ben.

'Nog nieuwe nummers deze maand?' vraagt de ouwe, en hij port me tussen mijn ribben. 'Zal Rado het Wonderkind ons, de ouwe zakken van de bejaardensoos, opnieuw komen verblijden met zijn gave?'

'Kappen, ouwe.'

'Ik lul maar een eind weg, Rado,' zegt hij. 'Gewoon om een

praatje te maken.' Hij haalt een steen uit zijn broekzak en stopt hem in mijn handen. 'Voel je de vrijheid die daarin zit?' vraagt hij.

Dan vertelt hij dat een neef van hem, een vrachtwagenchauffeur die vaak op Duitsland rijdt, die steen pasgeleden heeft meegenomen. 'Een stuk van de Muur,' zegt hij. 'Kun je het geloven? Maak ik minstens tienduizend lev voor.'

'Nee, ouwe,' zeg ik. 'Ik geloof er geen bal van. Dit is leisteen. Een metamorf gesteente. De Muur was van beton, zoals onze flatgebouwen. Ken je die foto's niet van Russische soldaten die de panelen op een rij zetten?'

'Ik heb geen tijd voor foto's,' zegt de ouwe, en hij stopt de steen weer in zijn zak. 'Jij bent een slimme rakker. Maar een stomkop zal er misschien voor betalen.' En dan buigt hij zich naar me over en fluistert in mijn oor: 'Over rakkers gesproken, heb je nog iets te verpatsen? Een munt? Een zilveren lepel?'

Ik ga er niet op in. 'Ze zeggen dat de regering is gevallen.'

De ouwe hapt meteen. Hij begint zijn vaste tirade over wat een hekel hij heeft aan de regering, over hoe hij ooit weer de kazerne binnen zal sluipen om een pantserwagen of desnoods een tank te stelen en daarmee het parlement binnen te denderen. 'Ik zie er vast goed uit, verpletterd in een tank,' zegt hij. 'Een glorieuze heldendood zal me goed staan. Verdomme, Rado, laten we een tank te pakken zien te krijgen.' En dan dramt hij een tijdje door dat ik met hem mee moet naar de demonstratie. Er gaan minstens een miljoen mensen de straat op vandaag. Heel Sofia. 'Ik heb niemand anders,' zegt hij.

'Je bent ziek, ouwe,' zeg ik, en ik houd hem voor dat alle politiek nep is.

'Je pik is nep,' zegt hij.

Terug in het café kijk ik rond of ik Gogo zie. Maar Gogo is weg en ik ga in een hoek liggen, op een hoop jacks en schooltassen, en doe heel even mijn ogen dicht.

•

Ik ben het slimste joch dat je ooit zult tegenkomen. Dus in die zin ben ik waarschijnlijk inderdaad een wonderkind. Maar ik ben niet slím slim, ook niet boerenslim trouwens. Ik vergeet gewoon nooit wat. Ooit hebben ze over me in de krant geschreven. WONDER-KIND: *zesjarige met fenomenaal geheugen is wandelende encyclopedie.* De verslaggever was naar onze flat gekomen in het stadje waar we woonden voordat we naar Sofia verhuisden. Hij begon meteen vragen op me af te vuren.

'Hoeveel meter gaat er in een mijl? Hoeveel voet in een meter? Mijn dochter is geboren op 21 maart 1980. Wat was dat voor een dag? Wat betekent verkeersbord B1? Hoeveel elementen zitten er in het periodiek systeem? Welk element is nummer 32?'

Ik vond zijn vragen stomvervelend. En bovendien vond ik het beroerd dat hij niet wist op wat voor dag zijn dochter was geboren. *Rado is een oplettend kereltje,* stond er in het artikel, *met belangstelling voor alles wat in een systeem kan worden gevat. Hij was pas twee toen hij alle honderdtien verkeersborden uit zijn hoofd kende, alsmede het cyrillische én het Latijnse alfabet. Voor zijn derde verjaardag, vertelt zijn vader, kreeg hij een wereldatlas en hij leerde alle landen uit zijn hoofd, alle hoofdsteden en alle vlaggen. Met potlood tekent Rado voor onze verslaggever de vlag van Kameroen, en dan wijst hij aan welke baan groen is, welke rood en welke geel. De ster in het midden, legt hij uit, is ook geel. Vervolgens tekent hij een figuur van de menselijke hand en benoemt één voor één alle botjes. Op de vraag wat hij later wil worden antwoordt Rado: kosmonaut, net als Georgi Ivanov, de eerste Bulgaar in de ruimte. Sojoez 33 gelanceerd van Bajkonoer op 10 april 1979, om 17:34... Kleine kameraad, er wacht je een briljante toekomst...*

Het jaar daarop verhuisden mijn ouders naar Sofia in de hoop mij op een school voor begaafde kinderen geplaatst te krijgen. Maar ik zakte voor het toelatingsexamen, dus schreven ze me in plaats daarvan in bij de school bij ons in de buurt. Toen ik twee maanden in de eerste klas zat, ging onze huur zó omhoog dat we naar een goedkopere buurt moesten verhuizen. Vanwege huurverhogingen ben ik al elf keer van school veranderd. Ten slotte nam mijn vader me mee naar het gemeentehuis. 'Deze jongen,' zei hij, 'heeft een fenomenaal geheugen, maar geen huis om in te wonen.' Hij liet me een kunstje doen: ik las een bladzij uit een boek dat een of andere ambtenaar had laten slingeren, *Grondslagen van de boekhoudkunde voor niet-boekhouders*, en zei daarna die bladzij woord voor woord achterstevoren op. Daarna liet hij iedereen het krantenknipsel zien en iedereen moest lachen. 'Als u tien kinderen had,' zei een van de ambtenaren, 'konden we u misschien een flat toewijzen. Maar op dit moment krijgen de zigeuners, met hun talrijke kroost, de voorrang.'

'Tien van zulke kinderen?' zei mijn vader verbolgen. 'Dank je de koekoek.'

Nog steeds dakloos verlieten we het kantoor. Ongeveer een week later nam een vriend van mijn vader hem mee naar een flat in een buitenwijk waarvan hij had gezien dat die leegstond. En daar trokken we in. Gewoon, zonder vergunning. Onder ons wonen dertien zigeuners in een driekamerflat. Overgrootouders en een meisje van veertien dat haar tweede kind aan de borst heeft, maar nu hoeven we tenminste niet meer te verhuizen. Niet voordat ze ons snappen en ons eruit zetten.

Kleine kameraad, er wacht je een briljante toekomst... Er is geen leraar geweest die dat ooit tegen me heeft gezegd. Maar ik heb wel een keer een leraar gehad die zei: 'Fijn zo, Rado. Dus jij kent pi tot vijftig cijfers achter de komma. Daar hebben we tegenwoordig rekenmachientjes voor, jongen, en verder kun je alles opzoeken op internet.'

•

Iemand trapt tegen mijn schoenen. 'Wakker worden, koptsje.'

'Ik ben wakker.'

Ik grijp Gogo's hand en hij helpt me overeind. Al mijn spieren doen pijn en ik ben nog steeds een beetje dronken van de mint-en-mastiekbrandewijn. Op het schoolplein roken we een sigaret en kijken naar de kolkende straten en de witte lucht boven ons, die zich opmaakt voor sneeuw.

'De ouwe zei dat er vandaag een miljoen mensen de straat op gaan.'

'De mensen kunnen me geen zak schelen,' zegt Gogo. 'Mijn broer zit in de shit, koptsje. Hij heeft ons allemaal genaaid. Hij heeft alles naar de lommerd gebracht. Mijn dierbare Sony Trinitron, de koelkast, het fornuis. Zelfs mijn bed, verdomme. Kan ik op de grond slapen.'

Ik schiet in de lach en bied meteen mijn excuses aan. Als ik íets van onze politici heb geleerd, is het dat je zo ongeveer alles kunt zeggen of doen als je maar achteraf je excuses aanbiedt. Of van tevoren, wat ook vaak voorkomt.

'Ik heb poen nodig, snel, nu meteen,' zegt Gogo. 'Die kloothommel in de lommerd wil onze spullen niet teruggeven. Broer houdt het niet meer en we hebben het geld niet om hem te laten scoren. We hebben hem met een ketting aan de radiator vastgebonden. Stom idee trouwens; hij hoeft maar één ruk aan de buis te geven en de hele flat staat onder water.'

'Hou maar op, koptsje,' zeg ik. 'Ik heb het gehad met die broer van jou. Hij is te erg.'

'Ik meen het. We moeten hem helpen,' houdt hij aan. 'Laatst sleepte mijn moeder me mee naar die kerk, de Sveti Sedmotsjislenitsi. Ze had brood en wijn meegebracht om de zegen van de pope te vragen. Ze gaf hem geld om wijwater over een paar van broers broeken en hemden te sprenkelen. Ik wed dat ze het liefst broer zelf had meegesleept, als ze gekund had. Om hem te laten exorciseren, weet je wel, net als in die film. Ze kocht voor vijfduizend lev aan kaarsen en stopte nog eens vijfduizend in een houten kist. Ze gaf me een handvol munten om op de iconen te leggen. Als ze tegen het glas blijven plakken, zei ze, komen je gebeden misschien uit. Ze zei niet eens kómen ze uit. Misschíen komen ze uit, zei ze. Ze zei dat ik voor broer moest bidden en iets goeds moest wensen.'

'Wat heb je gewenst?'

'Dat ik niet in die klotekerk zat.'

Hij steekt een nieuwe sigaret aan met het peukje van de vorige en kijkt me aan, een spiegel. Zijn ogen rood van de rook, zijn gezicht geel van de kou, zijn lippen gebarsten.

Ergens op straat roept iemand dat alle communisten mietjes zijn.

'Verrassend. Vertel eens iets nieuws,' zeg ik, en Gogo zegt: 'Oké, hier dan. In die kerk, boven op de houten troon, staat een kruis. Dat kruis is van goud en jij, koptsje, gaat me helpen om het te stelen.'

•

Gogo en ik hebben van stelen een soort humanitaire missie gemaakt. We stelen onbaatzuchtig, met grote tegenzin, met weerzin zelfs. We doen het niet voor onszelf natuurlijk, want dat zou laag zijn. We stelen voor Gogo's broer. We kopen heroïne voor hem, we betalen zijn borgtocht, we kopen kaartjes voor voetbalwedstrijden zodat ook Gogo's broer zich een normaal mens kan voelen en wat gezonde ontspanning krijgt. De helft van de keren komt het zo uit dat we vergeten het geld aan hem te geven. We hebben bijvoorbeeld uiteindelijk niet zijn borgtocht betaald toen. We vonden het wel een keer goed voor hem dat hij op zijn lazer kreeg. Wij konden toch niet weten dat die geüniformeerde rotzakken hem zo verrot zouden slaan dat ze zijn neus braken?

Gogo en ik stelen dingen en verkopen ze, meestal aan de conciërge. We zijn een keer stiekem het biologielokaal in geslopen om de schedel te jatten die de leraar als asbak gebruikt. De ouwe beweerde later dat hij hem op de zwarte markt had doorverkocht als een authentieke schedel uit de communistische opstand van 1944. Hij was er niet van onder de indruk toen ik hem vertelde dat de schedel in werkelijkheid had toebehoord aan Tosjko Afrikanski, een chimpansee uit de dierentuin van Sofia. 'Dat zou niet zo goed verkopen, of dacht je wel?' zei hij. 'Kijk, Rado, een schoen zonder een goed verhaal erbij is niks, minder dan stront. Maar zeg dat het de schoen is waarmee Chroesjtsjov op die tafel timmerde, en de prijs vliegt omhoog naar minstens tienduizend. Zo heb ik er vijf verkocht, en twee ervan waren gympen. Zelfs stront wordt belangrijk als je er een goed verhaal bij hebt.' En dan duwt hij gestolen voorwerpen in mijn handen en vraagt me er geschiedenis en betekenis aan te verlenen.

Gogo en ik hebben kolven en pipetten uit het scheikundelokaal gejat die de ouwe later doorverkocht als kolven en pipetten die de nazi's na de val van Berlijn hadden meegebracht naar Bulgarije (de reden om ze ons land binnen te smokkelen was al even mysterieus als het zuur dat de swastika's had weggeëtst). We hebben rollen koperdraad gestolen uit het natuurkundelab (door de Sovjets achtergelaten na de Praagse Lente van '68), een kaart van de Balkanoorlog (zeldzame eerste druk!), een globe (met de USSR nog één machtig geheel). In Bulgarije is tegenwoordig voor álles een zwarte markt, lijkt het wel.

Maar Gogo en ik zijn geen dieven. Toe-eigenaars misschien. Verhalenspinners. Maar tot diefstal verlagen we ons niet. Ergens moet je een grens trekken, en grenzen trekken, ben ik me gaan realiseren, is net zoiets als excuses aanbieden. Soms kom je ermee weg om pas achteraf de grens te trekken.

•

'Communistentuig!' brult Gogo terwijl we ons laten meevoeren door de mensenstroom. We worden er vrolijk van, alsof we op weg zijn naar een goeie voetbalwedstrijd. Grappig dat ik daaraan moet denken, want sommige van de leuzen, valt me ineens op, zijn eigenlijk voetballeuzen. Alleen hebben we de naam van de tegenclub vervangen door de naam van de Partij, en de naam van de scheidsrechter door die van de premier. Het zijn voornamelijk jonge mensen om ons heen. Vlak voor me zeurt een klein meisje in een roze jack tegen haar vader. 'Ze drukken me plat,' jammert ze. Hij tilt haar op zijn schouders en ik zie haar paardenstaart op en neer wapperen als een vaandel uit de oude tijd van de kans – de staart van een echt paard aan een speer. 'Ik hoor je niet,' roept haar vader, en het meisje schreeuwt: 'Rooie rotzakken! Rooie schijterds!' en iedereen om haar heen lacht. Ze straalt vanwege de aandacht. 'Zeg maar: "Rooie kuttenkoppen",' zegt Gogo tegen haar en ze doet het: '*Tsjerveni poetki!*' Nog meer gelach. De wind raast tegen de balkons boven ons hoofd, laat het bevroren wasgoed aan de lijnen klapperen, en het meisje klaagt dat ze het koud heeft. Haar vader zet haar weer op de grond en ik kan haar stemmetje nog horen schelden lang nadat de stroom hen heeft meegevoerd.

We zijn bij het gedenkteken voor Levski als Gogo tegen me zegt dat hij wat moet eten, doet er niet toe wat, omdat hij sterft van de honger. Mijn maag rammelt ook. Ik word duizelig van de warmte van al die lichamen om ons heen, dus banen we ons een weg uit de massa.

Om de hoek is een bakker. De geur van brood schaaft paarse krullen voor mijn ogen.

'We zijn gesloten,' zegt de verkoopster terwijl ze haar jas met veiligheidsspelden dichtmaakt. Achter haar zie ik hele bakblikken met warm brood, dampend goud.

'Eén brood maar, *gospozjo*,' zeg ik. Ik hoop dat gospozjo – mevrouw – haar hand over haar communistenhatershart zal strijken. Maar stiekem wou ik dat ze onze kameraad – *droegarka* – was, zodat we gratis te eten kregen, zoals vroeger toen we nog klein waren en de bakkerijen staatseigendom waren en de verkoopsters je brood gaven zonder dat het ze iets kon schelen als je niet betaalde.

'Ik moet demonstreren,' zegt ze. 'Maar goed dan. Duizend lev.' En ze strikt een sjaal om haar hals.

'Gospozjo,' zegt Gogo, 'we hebben geen geld. Maar deze jongen hier is een wonderkind. Hij kan een kunstje doen voor een brood.'

'Ik heb genoeg kunstjes gezien voor zes levens,' zegt mevrouw. Ze taxeert me met hebberige ogen. 'Wie gaat de parlementsverkiezingen winnen? Nee, wacht even. Wat zijn de winnende getallen bij de lotto?'

Ik haal mijn schouders op. 'Zo'n soort wonderkind ben ik niet.' Mevrouw komt achter de toonbank vandaan en pakt haar sleutels om af te sluiten. 'Nee, natuurlijk niet. Jij bent een ander soort. Tegenwoordig is iedereen in Bulgarije een wonderkind,' zegt ze, en ze jaagt ons naar buiten.

'Waarom hebben we verdomme niet gewoon een brood gepakt en het op een lopen gezet?' vraag ik aan Gogo, en hij zegt: 'Zo zijn wij niet. Onze voorouders hebben hun leven gegeven voor brood. Wij kunnen geen brood stelen.'

Dat is een ongewone opmerking voor Gogo. Maar als je honger hebt, tekent je hele geschiedenis zich voor je ogen af, al was het maar in een flits. Hij heeft ergens wel gelijk trouwens. Sommige dingen zijn belangrijker dan wij. De 'eerste levensbehoefte' is er daar één van. *Nasasjtnijat*, eerste levensbehoefte, zo noemen we brood hier in Bulgarije. Niemand is belangrijker dan brood. *Spreuken en gezegden*, deel 35, bladzij 124.

'Gogo,' zeg ik, om er een spreuk van mezelf aan toe te voegen, 'niemand geeft je brood voor niks.'

•

Toen ik nog klein was, riep vader me vaak bij zich aan tafel, waar hij en zijn vrienden bezig waren aan de tigste fles wodka en de nimmer ontbrekende streng met gedroogde zoute visjes. Dan pakten ze de krant op en lazen met schorre, dronken stemmen hele passages voor, hele pagina's soms, die ik dan woord voor woord op zo'n zelfde lispelende, dronken manier uit mijn hoofd nazei. Ik neem aan dat het op zo'n moment van benevelde helderheid was dat een van hen het idee opperde dat mijn vader me in Sofia op school moest doen, op de school voor begaafde kinderen.

Zo'n school is er in Sofia. Kinderen met bijzondere gaven worden daar, in theorie althans, aan de hand van strenge toelatingsexamens geselecteerd en vervolgens mogen ze hun gaven, wetenschappelijk, maatschappelijk dan wel artistiek, tot bloei laten komen en zoete, sappige vrucht laten dragen.

'Als ze er eenmaal achter zijn dat die knul van jou in feite een genie is–' moet de vriend hebben uitgelegd, en mijn vader moet hem onmiddellijk in de rede zijn gevallen met: 'Hoezo, áls? Hoezo in féite? Moet je hem zien! Zo zeker als wat!'

'Nou ja, wannéér ze hebben vastgesteld dat hij een gave heeft, laten ze je hele gezin naar Sofia komen. Ze kopen een flat voor je en geven jou en je vrouw een goede baan. En zijn kostje is gekocht.'

'We doen het,' moet vader hebben gezegd, terwijl hij vastbesloten met zijn vuist op tafel sloeg, 'maar niet om er zelf beter van te worden. Nee, kameraad, dank je de koekoek. Zo zijn wij niet. We doen het voor zíjn bestwil.'

Maar ik was nog te jong om aan een school te worden ingeschreven en vader besloot om de tussentijd te gebruiken om mijn naam in het hele Moederland te laten klinken. Hij dolf een stel verouderde schoolboeken op, geschiedenis, scheikunde, natuurkunde, liep alle scholen van de stad af en haalde enkele leraressen over om hun lessen door ons te laten onderbreken. Dan plantte hij me op een stoel tegenover de verveelde blikken van een klas vol puistenkoppen en deelde de boeken uit die we hadden meegebracht. Het was altijd ik die de zware boekdelen moest dragen, want vader beweerde met stelligheid dat een dergelijke lichamelijke inspanning bevorderlijk was voor mijn vermogen tot kennisopname. 'Sla open op een willekeurige bladzij,' beval hij de scholieren, 'en lees hardop voor. Mijn zoon zal als een wonderbaarlijke echo alles herhalen!' De scholieren lazen, de ene na de andere. Dan lieten we een tijdje voorbijgaan en daarna herhaalde ik – woorden waarvan ik de betekenis niet vatte, maar waarvan de klanken zich voor eeuwig in mijn gehoor hadden vastgezet. 'De zwaartekracht tussen twee puntmassa's is evenredig met het product van hun massa's en omgekeerd evenredig met het kwadraat van hun afstand. Deze kracht is altijd aantrekkend en werkt langs de verbindingslijn. Valentie is het aantal chemische verbindingen dat een atoom van een gegeven element kan aangaan. Pi is de zestiende letter van het Griekse alfabet.'

De scholieren gaven me een lauw applausje. De lerares klopte me op mijn hoofd. 'Moet je jullie nu zien zitten, stelletje sufferds,' zei ze tegen de klas, 'in je hemd gezet door een vijfjarige', alsof iedereen een geheugen zou moeten hebben als een alles vasthoudende spons. Na afloop lunchten vader en ik dan mee in de schoolkantine en vulden we de jampotten die we onder onze jassen verstopt hadden met *moesaka* of *gjoevetsj* en noemden dat ons avondeten.

'Als je eenmaal op die school in Sofia zit, hoeven we nooit meer twee maaltijden achter elkaar hetzelfde te eten. En dan hebben we ook geen lawaaiige dronken buren meer, want de regering gaat ons een flat geven in een duur gebouw. Zodra we naar Sofia verhuizen wordt het allemaal grandioos. Let maar op.'

Toen ik in de plaatselijke krant kwam, kocht vader tientallen exemplaren om aan kennissen uit te delen. Hij stuurde er zelfs een aan zijn penvriend, iemand in Jekaterinenburg die hij in geen dertig jaar meer had geschreven.

In het voorjaar van '89 deed ik toelatingsexamen voor de school voor begaafde kinderen. Twee maanden later kregen we te horen dat ik was afgewezen. Ik weet nog dat ik met mijn moeder in de auto bleef wachten terwijl vader met het krantenknipsel naar het schoolhoofd ging om een verklaring te eisen. Een ijzeren hek met punten scheidde het schoolterrein van de rest van de wereld. Ik liep ernaartoe en plakte mijn gezicht tegen de spijlen. Ik zag een voetbalveld, en aan de andere kant een tennisbaan. 'Het zou leuk zijn om hier naar school te gaan,' zei ik tegen mijn moeder, en ze begon te huilen.

Op de terugweg zei vader geen woord. Hij rookte de ene sigaret na de andere, maar weigerde het raampje open te draaien, want het regende en hij wilde niet dat zijn orthopedische stoelbekleding van bamboekralen nat werd.

'Ze zeiden dat hij niet bijzonder genoeg was,' zei hij ten slotte tegen mijn moeder. We stonden stil voor een verkeerslicht en hij draaide zich om en keek me door de rook heen aan, en onder het praten ontsnapte er nog meer rook uit zijn neus. 'Is dat zo?' vroeg hij mij.

Jaren later kwamen we erachter dat die toelatingsexamens doorgestoken kaart waren. Het was een school waar alle hoge partij-bonzen hun kinderen naartoe stuurden en om erop te komen moest je connecties hebben. Maar dat wisten we destijds niet.

'We kunnen nu niet meer weg uit Sofia,' zei vader, en hij draaide zich opnieuw naar me om, ook al was de auto inmiddels weer in beweging. 'Volgend jaar doe je opnieuw examen. Laat ze maar zien dat je bijzonder bent.'

Ik knikte, tot over mijn oren beschaamd.

Dat jaar november trad Todor Zjivkov na vijfendertig jaar af als eerste secretaris van de Communistische Partij van Bulgarije. Velen vatten dit op als een teken aan de wand en grote menigten trokken de straten op. De winter die volgde was koud en donker, maar volgens vader was de toestand vol belofte. 's Avonds zaten we bij kaarslicht te wachten tot de stroom weer aan zou gaan en dan rookte vader en sprak over de glanzende toekomst die voor ons lag. 'Het wordt allemaal grandioos,' zei hij dan. 'Die knul heeft een gave. Vroeg of laat zullen ze dat erkennen.'

Maar het volgende voorjaar werd ik niet eens toegelaten tot de examens. 'Je kunt niet nog een keer meedoen als je eenmaal bent afgewezen,' zei een beambte tegen vader. 'Maar ze zeiden van wel,' protesteerde vader tevergeefs.

Ik was er alleen maar blij om. Ik had een hekel aan Sofia. Ik droomde ervan om terug te gaan naar ons eigen stadje, naar onze eigen flat en de hectaren bos op de bergen erachter, met de herten en de konijnen en de sneeuwklokjes die moeder en ik altijd plukten zodra de sneeuw in maart begon te smelten.

'We mogen niet opgeven,' zei vader op een avond, en hij sloeg met zijn vuist op tafel. 'Dank je de koekoek. We moeten hergroeperen, dat is alles. Er ligt hier een kans en die moeten we grijpen. Eindelijk hebben we een vrije markt. Mensen willen best betalen om jouw gave te zien.' Hij hield een sigaret bij de kaarsvlam en zat een tijdje zwijgend te roken. 'Waarom ben je niet een ander soort genie?' zei hij ten slotte. En toen zei hij: 'Ga tegen je moeder zeggen dat ze moet ophouden met huilen en het eten moet klaarmaken. Kom dan weer hier en help me iets te verzinnen om je aan te kondigen bij het publiek. Iets simpels, dacht ik, iets als: "Dames en heren, graag een hartelijk applaus voor Rado het Wonderkind...'"

•

De stroom voert ons mee naar het parlementsgebouw, het gebouw waar de ouwe met een tank naar binnen wilde kamikazeren. Om de voet ervan windt zich een dubbele helix van politieagenten, maar de meeste zien er nogal slaperig uit, apathisch vermoeide puistenkoppen die door hun schilden overeind worden gehouden. Ze staan hier al zo lang, vier dagen nu, en het lijkt alsof ze alle belangstelling hebben verloren. Gogo begroet ze dienovereenkomstig: 'Varkens, klojo's, stomme *oesjevi*.' Maar zelfs dan reageren ze niet. Een van hen vraagt of ik weet hoe laat het is. Zijn horloge staat stil, zegt hij.

'Zie ik eruit alsof mij dat wat kan schelen?' zeg ik tegen hem, en daarna herhaal ik de vraag tegen Gogo.

'Nee, koptsje, het interesseert je geen reet.'

De menigte splitst zich in twee stromen, want pal voor het parlement ligt een enorme hoop stenen. Een gigantische hoop. Iemand heeft er een vlag bovenop geplant, wit-groen-rood, maar de vlag is bevroren als een boxershort aan de waslijn.

Nu merk ik dat iedereen in de menigte een steen bij zich heeft. Onder het langslopen dumpen ze hun stenen en de hoop groeit aan tot iets immens, iets afzichtelijks, als een stapel gebroken lichamen. Ik weet dat dit niet de origineelste manier is om het te beschrijven, maar zo ziet het er in mijn ogen uit – handen en voeten boven op schedels en rompen.

Ik vraag aan Gogo of hij een idee heeft waar dit over gaat. 'Rado het Wonderkind weet iets niet?' vraagt hij, en ik zeg: 'Ja, ja, heel grappig.' Ik zeg tegen hem dat ik al een paar dagen niet thuis ben geweest, weet je nog? Ik heb niet voor de tv gezeten zoals hij, voor zijn mooie grootbeeld-Sony Trinitron.

'Rot op, koptsje. Die tv is het eerste wat ik ga terugkopen.' Dan legt hij uit dat die stenenvertoning deel uitmaakt van het beschaafde protest. Er is afgesproken dat de mensen stenen neer zullen leggen in plaats van er als wilde beesten mee te gooien. Het is een boodschap aan de politici daarbinnen.

'We hebben geen stenen bij ons, koptsje.'

Een vrouw naast ons maakt haar tas open. 'Ik heb er een paar extra,' zegt ze. Haar tas is een steengroeve. We dumpen allebei een steen op de hoop en ik denk: Het is me de boodschap wel. Geachte dames en heren parlementsleden, het staat ons niet aan. We hebben stenen in onze zakken, geen geld. Doe er iets aan alstublieft. We blijven beschaafd, maar we hebben ook honger. Hier hebt u wat van onze stenen, op een hoop.

Wat zijn we mak geworden, nog makker dan schapen. Maar dat is wat vijfhonderd jaar Ottomaanse overheersing doet met een volk, neem ik aan. En daarna vijfenveertig jaar onder het communistische juk. Daar pieker ik over, terwijl we weglopen van de hoop. Vroeger waren we niet zo. Ooit waren we vurige ruiters. Als een stormwind kwamen we aangegaloppeerd uit het oosten, achterstevoren op onze paarden gezeten schoten we pijlen af, we sloten verdragen met de Byzantijnen, onderwierpen de Slaven. Man, wat had ik graag toen geleefd. Als de verdragen werden geschonden trokken we ten strijde. Kan Kroem de Verschrikkelijke doodde Nikeforos, een van slechts een handjevol Griekse keizers dat ooit op het slagveld gesneuveld is, en maakte van diens alleszins menselijke schedel een beker om zijn wijn uit te drinken. Tsaar Simeon de Grote versloeg Leo de Wijze en hakte bij vijfduizend van diens mannen de neus af, zomaar, gewoon om hem te beledigen. En we waren heus niet alleen maar geweldenaren: toen Groot-Moravië de eerste apostelen die bezig waren met het ontwerpen van ons schrift in het gevang gooide, hebben wij ze bevrijd en ze in de veilige bescherming van ons land boeken laten transcriberen. De zeven apostelen van het cyrillische alfabet. De Sedmotsjislenitsi. Dát waren nog eens wonderkerels. En nu? Een hoop stenen. Stenen zijn geschapen om schedels mee in te slaan en wij leggen ze neer als bloemen.

'Hé, koptsje,' zegt Gogo. 'Je ziet eruit als een geranium waar iemand op heeft staan pissen.'

Dat is nogal een cliché, maar ik lach toch. We lopen door en ik moet eraan denken dat sommige buren in onze flat hun potten met ficussen of geraniums in het trappenhuis hadden staan en dat Gogo en ik daar soms op pisten. Op den duur haalden de buren hun verschroeide planten naar binnen; ze durfden ze nooit meer buiten te zetten. En dan bedenk ik dat het niet met Gogo was, maar met een andere jongen, wiens naam ik me niet meer kan herinneren, in een ander flatgebouw, lang, lang geleden.

'Dat moesten we nog eens doen, koptsje,' zeg ik.

'Wat?' vraagt Gogo.

•

Dit is de beste mop die ik ken. Niemand lacht ooit als ik hem vertel. Een circus. Bijna aan het eind van de voorstelling. De spreekstalmeester zegt: 'En nu, hooggeëerd publiek, graag een hartelijk applaus voor de jongen met het fenomenale geheugen.' Tromgeroffel. Een jongetje loopt de piste in en staart tien seconden met een uitgestreken gezicht naar de voorste rijen. Totale stilte. Dan zegt de spreekstalmeester: 'En nu, hooggeëerd publiek, zal de jongen met het fenomenale geheugen over de twee voorste rijen pissen.' De mensen beginnen weg te rennen en de spreekstalmeester zegt: 'Het heeft geen zin om weg te lopen, dames en heren. Er is geen ontsnappen mogelijk. De jongen met het fenomenale geheugen heeft u allemaal allang in zijn hoofd geprent.'

•

'*Droegarki i droegari*, beste kameraden, graag een hartelijk applaus voor Rado het Wonderkind!'

Zo kondigt mijn vader me aan bij het publiek. Nu al zeven jaar, minstens één keer per week. Verpleeghuizen, buurtclubs voor gepensioneerden – voor gepensioneerde technici, gepensioneerde lassers, gepensioneerde kraanbestuurders. Daar sta ik dan, in een zaaltje dat ruikt naar lavendelessence, tegenover twee rijen rolstoelen, bibberende kinnen, bungelende slangetjes, zakjes urine, en doe mijn geheugenkunstjes onder een zwak, parkinsonachtig applaus. Na afloop doet mijn vader de ronde tussen de rijen met een leeg drieliterblik in zijn handen. Het etiket is er bijna helemaal af en op het wit heeft vader in dikke letters geschreven: STUDIEFONDS VOOR RADO HET WONDERKIND. Maar als je goed kijkt, zie je nog een hoekje van het oorspronkelijke etiket en dan weet je het: ooit zat dit blik vol met ingelegde bloemkool. En vader blijft maar rondgaan, doet charmant tegen de arme oude vrouwtjes, maakt grapjes tegen de arme oude mannetjes. En soms, bij tijd en wijle, slaagt hij erin het blik halfvol met gekreukte biljetten te krijgen.

Zeven jaar trekken we zo al langs de bejaardenclubs. We lezen nog steeds uit de oude schoolboeken die vader ooit in de kelder heeft gevonden, naast de strengen gedroogde zoute visjes: geschiedenis, scheikunde, natuurkunde. Eén keer heb ik er iets van gezegd. 'Nog zeven jaar,' zei ik, 'en een aap zegt het hele periodieke systeem op.'

'Er is al verandering genoeg in dit land,' antwoordde vader. 'We hebben een prima nummer. Waarom zouden we er iets aan veranderen?'

En daar gaat hij weer tussen de rijen door, met zijn conservenblik. Hij maakt altijd een tweede ronde, want vaak zijn de mensen te seniel om zich te herinneren of ze al iets hebben gegeven of niet. Ik kijk het van terzijde aan en vraag me af of dit de glanzende toekomst is waarover hij sprak bij het licht van die kaars. Is dit het grandioze vooruitzicht dat hij ons voorspiegelde? En soms, bij tijd en wijle, ben ik ervan overtuigd dat hij vindt dat we gewoon de kaarten uitspelen die ons zijn toebedeeld en er het beste van maken. 'Het leven heeft ons mispels gegeven,' zegt vader soms. 'Hele hopen harde, onrijpe mispels. We kunnen erom mokken. We kunnen erom huilen. Of we kunnen wachten tot ze gaan gisten en er marmelade van maken.'

Ik weet niet of je weet wat mispels zijn? Of je ooit een coöpera-tieve boomgaard in bent geslopen, met rijen en rijen lage boom-pjes, de takken zwaarbeladen, en je broekzakken en je hemd hebt volgestopt, en dan bent weggejaagd door de bewaker, en met kor-rels grof zout beschoten, terwijl je onder het rennen bruine mis-pels achter je liet vallen als een bang klein geitje? Ik weet niet of je de vrucht ooit hebt geproefd, het wrange sap hebt opgezogen en op de pitten hebt gekauwd, waar je vervolgens spijt van had als ha-ren op je hoofd omdat je er gezwollen tandvlees van kreeg en pijn in je keel en omdat dat vriendje wiens naam je je niet kunt herin-neren een schot in zijn kont kreeg en later thuis een pak slaag van zijn vader omdat hij zijn enige goeie broek had verpest? Koptsje, ik ben het zat om te wachten tot de mispels rotten.

'Ik zweer het je, koptsje,' zegt Gogo, en hij pakt me bij mijn schouder, 'ik heb geen idee waar je het over hebt.'

•

We blijven doorlopen en leuzen schreeuwen. Op een gegeven mo-ment geeft iemand me een blauwe ballon om vast te houden. Aan de dichtgeknoopte opening zit het bevroren spuug van degene die hem heeft opgeblazen. Blauw is tegenwoordig de kleur van de de-mocratie. Gogo zwaait met een papieren vlaggetje. De lucht bo-ven ons hoofd is nog witter geworden, het kan nu elk moment gaan sneeuwen.

Ik zie een zwart kruis uitsteken boven de berijpte treurwilgen, waar de gele slierten nog aan hangen, als gouden haarlokken. Ik zie een koepel, een opgezwollen buik met een loodgrijze huid. Ik zie een klokkentoren. Ik zie de Kerk van de Zeven Apostelen. De kerk met het kruis dat we op het punt staan te stelen. En op het plein voor die kerk en tussen de takken zwaaien mensen met grote blauwe vlaggen. Het ziet ernaar uit dat de ouwe gelijk had, dat ie-dereen op de been is, dat we met meer zijn dan het land aankan.

De democratische leiders staan op de kerktreden en een van hen roept iets in een megafoon. Ik kan zijn woorden niet verstaan, alleen wanneer hij schreeuwt: 'En wie niet springt, die is een rooie!' Om ons heen begint iedereen te springen.

'Ben jij een rooie, koptsje?' gromt Gogo. 'Je bent toch zeker geen communist. Spring!'

Ik begin ook te hopsen, vooral om het warm te krijgen. En plotseling valt me in dat Gogo's gegrom, dat vreemde, hongerige geluid, gewoon zijn manier van lachen is.

Ik voel me slap van de honger. We banen ons een weg naar de zijkant van de kerk en blijven staan onder een raam. De ramen zijn op onze hoogte, wat een meevaller is, maar ze zijn afgeschermd met zwart rasterwerk. Ik druk mijn gezicht tegen de tralies en probeer naar binnen te gluren. De ruiten zijn van rookglas en ik zie niets behalve mijn eigen zwakke weerspiegeling.

We rukken aan het metalen rooster, dat alleen ter versiering dient, en het raakt los. Dan trekt Gogo zijn vuist in zijn mouw en slaat de ruit in. Mensen om ons heen kijken toe, maar het kan niemand genoeg schelen om in te grijpen. En algauw zet de megafoon hen weer aan om door te gaan met springen en dan springen ze.

'Oké, koptsje,' zegt Gogo. Hij slaat een kruis als iemand die het nooit echt gedaan heeft, van links naar rechts. Hij laat zich naar binnen zakken en ik kom achter hem aan.

Binnen is het donker en koud en op de een of andere manier heel stil. Het lijkt alsof al die stemmen op het plein niet meer zijn dan wind die in een put blaast. We horen het gejoel van de woorden, maar niet hun essentie. Hierbinnen in de kerk verliezen woorden hun betekenis, en even blijven Gogo en ik midden in de ruimte staan, verbijsterd. Het ruikt sterk naar kaarsen, maar er staan er geen in de kandelaars en ook niet in de bakjes met zand voor de overledenen; er is alleen maar kaarsvet, bevroren langs de kandelaars, bevroren zand.

'Wat is het hier stil,' zeg ik, en ik zie mijn adem wegdrijven in het schemerduister.

'Luister,' zegt Gogo. 'Ssssj, koptsje, luister!' En dan laat hij een keiharde ranzige boer.

'Smeerlap!' lach ik.

Maagden en martelaren, duiven en cherubijnen blikken in vrome verveling op ons neer. Aan de zijkant zie ik de troon van de metropoliet: het ingewikkelde houtsnijwerk, de vier beesten van de openbaring, het kalf, de leeuw en de hele reutemeteut, en boven die troon, hoog in de lucht, kostbaar glanzend in het donker, twee el hoog, het gouden kruis.

'HiBlack Trinitron, ik kom eraan!' zegt Gogo, en hij wipt op de armleuningen. Hij grijpt het kruis bij de armen. Hij rukt en wrikt. Het kruis geeft een gemartelde krak als Gogo er met zijn volle gewicht aan gaat hangen en het onderaan afknapt. Net als op school toen we nieuwe basketbalringen hadden en we niet rustten voor we ze allemaal van hun bord af hadden getrokken, nergens om eigenlijk, alleen omdat we het konden, alleen omdat we de pest in hadden.

Samen vallen ze op de grond. Gogo staat op en draait met zijn hoofd om zijn nek los te maken. Hij blaast het stof van het kruis en even blijft het stof om hem heen hangen als een halo, die door de tocht uiteen wordt geblazen. Gogo staat met het kruis in zijn armen als een vroedvrouw die je precies het gewicht van de boreling kan vertellen. 'Krijg nou wat,' zegt hij. 'Dat kreng is van hout.'

In het licht dat door een raam valt inspecteren we het kruis: de gele verf, niet eens bladgoud, schilfert af en het hout eronder is zwart en poreus als een dijbeen met reumatiek. Hier en daar zitten houtwormen in de gaatjes, opgerold om de winterkou te doorstaan.

'Wat nu?' begin ik, maar Gogo heeft het kruis al aan de kant geslingerd en is bezig de collectekist open te breken. Maar de kist is leeg. Zelfs het armzalige kleingeld bij sommige van de iconen is weggehaald.

'Verdomme, koptsje, dit is de verkeerde kerk om te beroven,' zegt Gogo. Hij probeert zijn armen om een icoon van de Bogoroditsa en haar peuter te slaan. 'Denk je dat we deze mee naar buiten krijgen?'

Nee, de icoon is te groot. We moeten iets hebben wat kostbaar is, maar toch klein genoeg om onder onze jassen te verbergen en ongemerkt door de menigte te smokkelen. 'Daar, achter die houten wand,' zeg ik, en ik leid hem naar de iconostase. Ik laat mijn hand over de geschilderde gezichten glijden, over het houten hekwerk. Er zit een hangslot op het hek, maar net als bij het kruis is ook dit hout vermolmd. Eén trap is genoeg.

In het sanctuarium is het nog donkerder, nog kouder. Ik tuur en zie een altaar bedekt met een dikke lap rode stof en daarop een gouden kandelaar, een gouden drinkbeker, een gouden schaal. Hun gewicht is precies goed.

'*Bog si*, koptsje,' zegt Gogo, en hij kust me op mijn hoofd. 'Je bent een god!'

'Blijf van me af, homo,' zeg ik. Ik begin me echt goed te voelen. Mijn bloed begint te stromen. Ik stop mijn hemd in, trek mijn riem strak aan en stop de buit tegen mijn borst. Het goud is eerst lekker koud tegen mijn huid, daarna warm.

'Moet je kijken,' zegt Gogo terwijl hij een echt gouden kruis oppakt. Hij kust het. Hij wrijft het langs zijn mouw en stopt het in zijn jack.

Mijn ogen beginnen te wennen aan het donker. Ik zie een tafel in de hoek en op die tafel iets langwerpigs en diks, in zo'n zelfde altaarkleed gewikkeld.

Ik weet meteen wat het is. Ik roep Gogo erbij en samen staan we voor het omwikkelde lijk, de mummie van een heilige, een heilig reliek. Het gezicht lijkt wel te leven, onwaarschijnlijk goed geconserveerd. 'Ze zeggen dat het geluk brengt als je een reliek kust,' zeg ik. 'Kom op, koptsje, geef hem een tongzoen.'

'Jij bent ziek, weet je dat?' zegt Gogo. Walgend kijkt hij naar het lijk, en dan om zich heen. Onder de tafel vindt hij twee grote nylon tassen en hij rommelt een beetje door de inhoud.

Ik vraag me af wat deze oude man heeft gedaan om zo veel achting te verdienen: heiligverklaring en een mantel op een tafel in een kerk. Ik buig me voorover en snuffel aan zijn wangen. Een heilige hoort naar wierook en mirre te ruiken. Daar ruikt deze heilige helemaal niet naar. Maar wat zou het? We kunnen wel een beetje geluk gebruiken.

'Wacht, koptsje, hier klopt iets niet,' zegt Gogo, die nog steeds de tassen doorzoekt.

Ik kus de gerimpelde wang, droog, heel koud.

En dan ontsnapt er een zucht aan de heilige, een zacht, lang aangehouden gekreun, en uit de geopende mond komt de stank van rottend vlees.

Struikelend deinzen we achteruit. De gestolen spullen rammelen in onze jassen. 'Mijn hart staat verdomme stil,' zeg ik. Ik probeer dit van me af te schudden; een horde kleffe, wriemelende houtwormen rolt langs mijn rug omlaag. Ik veeg mijn lippen af aan mijn mouw en nog eens en nog eens.

'Dit is geen heilige, stomme weetal,' zegt Gogo terwijl hij wat kleren uit een van de tassen haalt: een T-shirt, een lange witte onderbroek, een wollen trui. 'Kijk dan,' zegt hij, en uit de andere tas haalt hij een rond brood, een mandfles met wijn, een bus met gekookte graankorrels. 'Precies de dingen die mijn moeder voor de pope meebracht om broer te laten zegenen.'

We sluipen wat dichter naar de kreunende heilige. Zijn mond gaat dicht en weer open, zijn ogen draaien in onze richting. Pikdonkere, uitpuilende ogen. Dat is alles wat hij is, deze oude cocon, een paar ogen dat eerst Gogo opneemt en dan mij.

Ik zeg: 'Hé ouwe...' maar verder weet ik niks.

'Hallo, opa,' roept Gogo en hij knipt met zijn vingers. 'Pst, hallo. Kijk me eens aan. Hoe heet je? Lig je hier al lang?'

De ogen knipperen, de mond gaat open, dicht, weer open. De stank is niet te harden.

'Lekker gezoend?' vraagt Gogo, en werpt dan een blik op mij. 'Flikker,' zegt hij.

Ik pak de mandfles en neem een paar grote slokken wijn. Ik spoel mijn mond, veeg mijn lippen af, doe het nog een keer.

Ik zeg: 'Ze hebben hem hier gebracht om hem door de pope te laten zegenen. Om hem te laten genezen. En toen zijn ze ervandoor gegaan. Klopt toch, opa? Ze hebben je hier achtergelaten?'

Gogo neemt de mandfles over en drinkt. We kijken naar de ingebakerde man.

Als ik het was, denk ik, zou ik gek worden. Daar maar als een larf in dat kleed liggen en alleen mijn ogen kunnen bewegen, en mijn mond. Ik vraag me af of de oude man beseft dat hij is achtergelaten om te sterven. Neemt hij het degenen kwalijk die hem hebben achtergelaten? Kan hij zich überhaupt iets herinneren? Ik hoop voor hem dat hij zijn geheugen kwijt is – geen besef meer heeft van wie hij is, waar hij is. Ik hoop dat hij het tegenovergestelde is van mij.

Gogo steekt een sigaret op. 'Moet je kijken,' zegt hij. Hij houdt de sigaret tegen de lippen van de oude man en laat hem een trekje nemen. Rook stroomt uit zijn neus, zijn ogen springen vol tranen, hij hoest.

'Je was een roker, hè, opa?' zegt Gogo. 'Dat heeft je de das omgedaan.' Hij neemt het ronde brood uit de doek en probeert er een stuk af te breken door het tegen zijn knie te houden. 'Is dit een brood of een steen? Jezus christus.' Hij bijt er een stukje af en spuugt het in zijn hand. Hij houdt het voor de lippen van de oude man, en die zuigt erop tot het pap is. Dan begint hij aan Gogo's vingers te zuigen. 'Dit is té goor, koptsje,' zegt Gogo, en hij veegt zijn vingers af aan zijn jas.

'Kappen,' zeg ik. 'Hoor je me, Gogo? Kap ermee.'

Maar Gogo breekt nog een stuk brood af. 'Heeft-ie dan zo'n honger?' vraagt hij. 'Heb je dan zo'n honger, lieve kleine heilige?' Dan houdt hij de mandfles bij de lippen van de oude man, maar raakt ze niet aan. Hij giet de wijn van een afstandje in zijn mond. De oude man drinkt, de wijn loopt in rode straaltjes in de groeven van zijn gerimpelde hals.

'Moet je jezelf nou eens zien, opa,' zegt Gogo ten slotte, tevreden met zichzelf. 'Een mooie heilige,' en hij laat zijn grommende lachje horen.

Ik weet niet wat ik ervan moet denken.

Ik voel aan het kleed. 'Godsamme, koptsje, hij is drijfnat.'

'Geeft niks.'

'Tuurlijk wel, eikel.'

'Nou, verschoon hem dan, wonderkind.'

En dan weet ik ineens: dat is precies wat ik moet doen. Ik pel de rand van het kleed los om de oude man uit te pakken. 'Jezus christus.'

'Allemachtig, hou dicht. Godsklere, wat een stank.'

Ik neem nog een paar slokken en ik voel de wijn door mijn slokdarm en maag zijn weg naar beneden branden. Ik leg de kleren uit de tas op de tafel uit: de onderbroek, broek en sokken, de gebreide trui.

Ik vraag Gogo om zijn zakmes. Hij kijkt toe, glimlachend en drinkend, terwijl ik de ouwe zijn kleren opensnijd. De eerste paar jaar nadat we naar Sofia waren verhuisd hadden we geen geld voor benzine om naar ons vroegere stadje te rijden en oma regelmatig op te zoeken. We gingen maar twee keer per jaar bij haar op bezoek. De tweede keer was in de zomer. We vonden haar op de keukenvloer, zo stijf dat vader haar met mijn kleuterschaartje in de vorm van een eendensnavel uit haar jurk moest knippen, en toen uit haar ondergoed. Die lucht, die aanblik blijven je altijd bij, daar heb je geen fenomenaal geheugen voor nodig.

'Help me hem naar het altaar te dragen,' zeg ik.

'Wáárheen?' Maar Gogo helpt me. 'Ik heb nog nooit een man gedragen die zo weinig woog,' zegt hij als we de oude man op het schone kleed leggen. 'En heb je ooit zo'n bleke huid gezien?'

'Ik vraag me af wat hij heeft,' zeg ik. Ik schud de broodkruimels uit de doek en begin zijn borst droog te wrijven.

'Kanker, wed ik,' zegt Gogo. Hij neemt wat kerklappen van het altaar, dat wil zeggen, iets wat eruitziet als een lange, brede sjaal, en begint ook te wrijven. De oude man kreunt. Ik hoop dat hij ons dankbaar is voor onze hulp.

'Waarom lach je?' vraagt Gogo.

Ik haal mijn schouders op. 'Ik lach niet.'

'Wel waar.'

Ik wijs naar het kruis van de oude man.

'Flinke pik,' zegt Gogo. 'Niks om te lachen.' Hij kijkt me aan. 'Alsof jij een grotere hebt.'

De armen van de oude man zijn vel over been en ik houd ze vast terwijl Gogo worstelt om hem het schone overhemd aan te trekken. Ik ben bang dat ze uit de kom schieten als ik ze verder naar achteren duw. 'Jezus,' zegt Gogo. Zijn gezicht is helemaal bezweet en hij veegt het af met het hemd. 'Ik krijg niet eens één hand in een mouw.'

Na het hemd hijsen we hem in de strakke witte onderbroek, zo een als de soldaten van Napoleon moeten hebben gedragen. Dan de wollen broek, dan de trui. Ik neem nog een slok wijn.

'Ik voel me geweldig,' zeg ik. Ik doe een stap achteruit om de man eens goed te bekijken: netjes aangekleed, schoon en droog, sereen op het altaar. Ik ben trots. Ik ben tevreden met mezelf. 'God, wat heb ik een honger.'

Ik neem nog een slok om me moed in te drinken en wankel op het altaar af. 'Gaat het weer een beetje, opa?' vraag ik. 'Lekker schoon?' Ik houd mijn gezicht op een vuist afstand van het zijne. Gogo buigt zich ook over hem heen.

'Ik geloof niet dat opa nog ademt,' zegt hij. Hij knijpt in de neus van de oude man en houdt hem dichtgeknepen.

'Hoe weet je dat?'

'Ik knijp in zijn neus.'

'Knijp dan niet in zijn neus.'

Hij laat los en we blijven doodstil staan, in afwachting. 'Dat hielp dus ook niet,' zegt hij.

•

Waar we nu zitten, op de grond, tegen de iconostase geleund, is de tocht sterker.

'Ik voel me klote,' zeg ik.

Gogo breekt een stuk brood af en stopt het in mijn handen. We eten, we drinken.

'Gaat het weer een beetje?'

Natuurlijk niet. Mijn keel doet pijn. Mijn tandvlees is gezwollen. De gouden kandelaar prikt als een lans in mijn ribben, maar hij zit vast in mijn hemd en ik krijg hem er niet uit. Ik geef het op.

Ik vraag Gogo of hij denkt dat we de oude man hebben vermoord.

'Zal best,' zegt hij. Hij zegt dat als híj in zijn eigen vuil lag te stinken, vel over been, dat hij dan zou bidden om dood te gaan. 'Misschien heeft hij gebeden dat wij zouden komen om hem te bevrijden. Had je dat al bedacht?'

Ik probeer het altaar en de dode oude man in het oog te houden, maar ze wervelen samen rond in een afzichtelijke, zwijgende dans. De wijn in de mandfles klotst mee in de maat.

'Doe eens een gok,' zeg ik. 'Wat zou hij van zijn beroep geweest zijn? Denk je dat hij van zijn kinderen hield? Denk je dat hij een beetje een goed leven heeft gehad?'

'Kan mij wat schelen,' zegt Gogo. 'Alsof dat nog iets uitmaakt. Kijk dan naar hem, koptsje, die vent is dood.' Hij bonkt met zijn achterhoofd tegen het houten hek. 'Dit is te erg, man. Mijn handen zitten letterlijk onder de stront, moet je ruiken.' Hij duwt zijn handen in mijn gezicht.

'Nooit anders geweest, toch?' Ik duw hem weg.

'Jezus, Rado,' gaat hij door, 'wat maakt het allemaal uit? Zodra ik met mijn lieve, lekkere tv thuiskom, brengt broer hem weer naar de lommerd. Ik ben nog liever blut en blijf op de vloer slapen.' En Gogo smijt de spullen die hij in zijn jack had gestopt van zich af, beker, kruis en schaal. Eén voor één kletteren ze in het donker ergens tegenaan, stuiteren terug en rollen rinkelend een andere kant op.

'Best wel een idee om broer hier te lozen,' zegt Gogo. 'Dat ik hem hiernaartoe neem en hem dan achterlaat.' Hij zegt nog meer, maar ik luister niet.

'Laatst had ik zoiets stoms, Gogo,' zeg ik. 'Moet je horen. We waren laatst bij zo'n bejaardensoos, mijn vader en ik... hé, wakker worden, luisteren... Ik ben een formule op het bord aan het schrijven, *r is gelijk aan p gedeeld door één plus epsilon keer cosinus thèta*, je weet wel, *de baan van een planeet is een ellips met de zon als middelpunt?* Dus ik ben dat aan het opschrijven precies zoals ik het in mijn kop heb, precies zoals ik het in dat oude boek heb zien staan dat vader me lang geleden gaf. Ik ben iets aan het bewijzen. Een van die oude wijven had twintig minuten daarvoor een willekeurige bladzij voor mijn ogen opengeslagen en nu ben ik mijn gave aan het bewijzen. Als ik ben uitgeschreven, vraagt dat ouwe mens me waar epsilon voor staat. Dat heeft nog nooit iemand me gevraagd. "Kom, kom," zegt ze, "als je echt zo'n wonderkind bent, moet je dat toch weten." Nou, mooi niet dus. De uitleg stond op de volgende bladzij, weet je, en die was weg. Eruit gescheurd. Blijkt dat dat mens natuurkundelerares was geweest. Ze gaat maar door: "En die derde wet van Newton waar je het over had?" zegt ze. "Heb je enig idee wat die ons nu eigenlijk zegt over de wereld?"'

'Wat lul je nou, koptsje?' zegt Gogo. Hij probeert op te staan, maar valt terug op zijn krent.

'Wacht, luister. Na afloop komt mijn vader naar me toe. "Nou," zegt-ie, "misschien maar goed ook." Waarmee hij bedoelt dat we tenslotte misschien toch geen nieuwe boeken aan onze show hoeven toe te voegen. Waarmee hij bedoelt dat mijn geheugen misschien toch niet goed genoeg is voor nieuwe boeken. Waarmee hij bedoelt dat het misschien wel terecht was dat ik niet tot die school ben toegelaten. Hij wist niet dat die bladzij weg was. Dus hij zegt alleen: "Nou, misschien maar goed ook."'

'Nou,' zegt Gogo, 'misschien ís het maar goed ook, koptsje.' Hij tilt de mandfles op en schudt hem leeg. Drie liter heilige wijn, weg.

'Wát zei je?' zeg ik, en hij zegt, gromlachend: 'Zie je wel? Punt bewezen.'

Maar ik zie het niet. Ik zie helemaal niks.

'Weet je wat het is, koptsje?' zegt Gogo. 'Jij hebt een paar ouwe boeken uit je kop geleerd – geschiedenis, aardrijkskunde, weet ik veel. Je bewaart een krantenknipsel waarin staat dat je geweldig bent, maar wat heb je afgezien daarvan nou eigenlijk gepresteerd? Oké, je hebt een ouwe vent om zeep geholpen in een kerk, maar ik bedoel, wat heb jij ooit klaargemaakt?'

'Nou, toen bij je tante, weet je nog?'

'Rado de Clown, is dat voortaan je artiestennaam?'

Ik kan er niks grappigs aan vinden. Ik zeg: 'Ho even, koptsje. Wou je zeggen dat je eraan twijfelt dat ik de slimste gozer ooit ben?' Ik kom overeind, struikel, val weer. Ik doe mijn best om met mijn vinger voor zijn gezicht te zwaaien, maar ik weet niet of zijn gezicht is waar ik met mijn vinger zwaai. 'Het laatste woord van de Bijbel is "amen",' zeg ik. 'Het eerste is "in". Het oog van een struisvogel is groter dan zijn hersens. In Engeland zijn alle zwanen eigendom van de koningin. Winston Churchill kwam ter wereld in een damestoilet, tijdens een bal. Stalin had geen moeder. Hij werd door zijn tante gebaard. Hitler kwam ter wereld met een volledig gebit, compleet met vier vullingen en een kroon.'

'Ja hoor,' zegt Gogo, 'de roddelpers is een ware bron van kennis.'

'Een roddelbron,' zeg ik, en ik luister naar het gieren van de wind, de leuzen van de massa buiten. Dan begint er in mijn broekzak iets te tjirpen, als een krekel. Die pieper van dat rijke gastje die we met kaarten hebben gewonnen. *Kom naar huis, detsjko*, staat er. *Mama heeft gehaktballen gebraden.*

'Mama heeft gehaktballen gebraden,' zeg ik, en ik slinger de pieper het donker in. Ik zeg het nog eens en nog eens, tot de betekenis van de woorden af is gerot. 'Pas even op mijn centen, koptsje,' zeg ik. 'Ik moet pissen, oké?'

Op de een of andere manier krabbel ik overeind. Met een snelle ruk trek ik mijn hemd uit mijn broek en de kandelaar klettert op de grond. Ik probeer er een schop tegen te geven, maar ik schop mis. Ik probeer het hek open te maken, maar het lukt niet. Er is maar één uitweg: omhoog. Ik kan niet in de kerk pissen. Zo ben ik niet. Dus begin ik die trap op te klimmen, met die houten treden, en ik kijk of ik ergens een pot geraniums zie staan. Maar de buren houden al hun planten tegenwoordig kennelijk veilig achter slot en grendel. Dus klim ik verder en verder, tot er niets meer te klimmen valt, tot de wind in mijn gezicht snijdt. Ik ben waar de klokken hangen.

Het sneeuwt grote, witte vlokken. Onder me zijn de wilgen en de mensen – één miljoen mensen aan mijn voeten, twee miljoen, acht miljoen. Mijn Bulgaren.

Het zou leuk zijn, bedenk ik, als iemand de klokken luidde. Een metamorfisch gebaar. Nee, metafórisch bedoel ik. Maar ik blijf gewoon maar kijken naar de sneeuw die valt, de mensen die nog steeds op en neer springen als krekels in mijn broekzak en aan mijn voeten.

Spring maar, mijn arme sukkels – of liever: mijn broeders. Mama heeft voor ons allemaal gehaktballen gebraden. Spring als ik het zeg. Als ik mijn hand opsteek. Laat zien dat jullie verandering willen. Dat jullie geen rooien zijn.

'Gogo,' roep ik, 'twijfel je nog aan me? Kom eens kijken wat ik kan!'

Ik klim op de richel, rits mijn broek open. De gesp van mijn riem slaat tegen de reling als een koperen klepel.

Het spijt me, mijn beste Bulgaren. Kijk aan, ik heb vooraf mijn excuses gemaakt. Maar ik heb jullie allemaal in mijn hoofd geprent. Stuk voor stuk. Dus, mijn volk, kijk uit. Deze jongen heeft stenen in zijn nieren.

Nachthorizon

1

Ze paste als een steen in haar vaders gekomde handpalm toen hij haar voor het eerst vasthield. Gele handpalm, verkleurd van het rijgen van tabak, en zij bebloed, blind en stil. Ze krijste niet toen haar vader haar aanpakte. Ze ademde niet. Een bloedige steen was alles wat ze op dat moment was. Dus schudde haar vader haar flink en sloeg hij haar in het gezicht, en toen krijste ze, en toen ademde ze.

Hij hief haar naar het plafond, alsof God bijziend was en haar daarbeneden waar ze lag niet zou zien. Hij noemde haar naam, Kemal, wat eigenlijk zíjn naam was, de naam van zijn vader, en herhaalde hem toen, als een trots lied, om er zeker van te zijn dat de engel daarboven in de Djanna hem goed gehoord had en haar naam correct in het grote boek had opgeschreven.

'Je kunt je dochter geen mannennaam geven,' zei de *hodja* tegen hem.

'Nu is het te laat,' antwoordde haar vader. 'Hij is al opgeschreven.'

2

Kemals vader maakte doedelzakken, boven in het Rodopegebergte. *Kaba gaidi* werden ze genoemd – enorm in de armen van de doedelzakspeler, met een lage, monotone, droevige klank. Op het erf had hij een werkplaats voor zichzelf gebouwd en terwijl hij melodiepijpen en rieten boorde, terwijl hij geitenhuiden perforeerde en er *mehs* van maakte voor zijn doedelzakken, had hij daar in de werkplaats Kemals wiegje staan.

'Laat haar het zaagsel opsnuiven,' zei hij tegen haar moeder. 'Laat het met haar bloed meestromen en laat haar hart het rond-pompen.'

Al toen Kemal heel klein was, zette haar vader haar op een krukje in de hoek en legde hij een beitel in haar handen. Hij liet haar zien hoe je kleine halve rondjes sneed aan de buitenkant van een melodiepijp en spoorde haar aan om haar eigen patronen te verzinnen. 'Maak ze mooi,' zei hij tegen haar, en dus sneed Kemal, terwijl hij over zijn draaibank gebogen stond, dag na dag kleine halvemaantjes en stipjes als verre sterren aan een houten firma-ment. Soms prikte ze in haar vingers, soms sneed ze zich. Maar ze huilde nooit. Ze legde alleen het gereedschap op de grond, liep naar haar vader toe en hield haar vinger voor zijn lippen, het hout-stof rood en plakkerig, zodat hij het vuile bloed kon wegzuigen, zodat hij de pijn op de vloer kon uitspugen. Dan liet hij haar erop stampen, alsof het een slangenkop onder haar voetzool was.

Toen Kemal een beetje groter was, leerde haar vader haar hoe ze hout moest uitzoeken voor de melodiepijpen. Hij nam haar mee het dorp uit, over de smalle weg naar de tabaksvelden en verder omhoog langs de weidegronden, op zoek naar kornoeljehout. Als ze de juiste boom gevonden hadden, zette haar vader zijn tanden in een tak en proefde het hout, en ook Kemal proefde het. Hoe bitterder de smaak, zei haar vader, hoe taaier het hout. Hoe taaier het hout, hoe zachter de klank. Alleen heel hard hout kon muziek maken. Dan hakte hij de boom om en zaagde de takken eraf, waarna Kemal ze bij elkaar bond en onder haar armen naar huis droeg. Ze lieten het hout in de werkplaats drogen, want om mu-ziek te maken, zo leerde Kemal, moest het goed droog zijn.

Ooit hadden ze in de winter een bos bevroren takken in een hoek van de warme hut gezet en er een paar dagen niet naar omge-keken. Opeens zag Kemal op een ochtend dat de takken waren uitgebot, met dikke witte bloemen die stonken naar hondendrollen. 'Dit is een voorteken,' vertelde haar vader haar, en ze hielp hem om de bos in brand te steken.

3

Kemals vader hield haar hoofd kaalgeschoren, hoewel ze dat niet fijn vond. Kemal hield niet van haar eigen beeld in de spiegel. Ze hield van haar moeders haar, de dikke, zwarte tressen die als kabels onder haar hoofddoek uit vielen. Maar ze mocht die tressen niet aanraken en ook niet vlechten.

'Hou op met die onzin,' had haar vader ooit gezegd, toen Kemal onder het afdak haar moeders haar had gekamd terwijl haar moeder wol voor pantoffeltjes zat te spinnen. 'De doedelzakken wachten.'

De dorpskinderen maakten Kemal belachelijk omdat haar hoofd glom als dat van een hagedis, omdat ze stonk als een geit en omdat haar vader gek was. Hij moest wel gek zijn, zeiden ze tegen haar, want anders had hij zijn dochter toch geen jongensnaam gegeven? En als Kemal echt een meisje was, waarom droeg ze dan geen *sjamina*? Wist ze soms niet dat Allah een hekel had aan vrouwen die geen hoofddoek droegen? Dat Hij een plaag van hongerige maden naar hun hersens stuurde om ze van binnenuit op te vreten?

'Onzin,' zei haar vader toen Kemal het hem vroeg. 'Jij bent een doedelzakmaker. Om doedelzakken te maken moet je een mannennaam hebben.' Vervolgens nam hij haar mee naar de moskee, en toen de hodja weigerde haar binnen te laten en riep: 'Je maakt Allah kwaad!', lachte haar vader hard en duwde haar desondanks naar binnen. Kemal bad met hem, en later, in zijn werkplaats, leerde haar vader haar de verzen van de Qur'an, die ze reciteerde terwijl ze aan de doedelzakken werkte, opdat het werk goed zou vlotten, opdat hun muziek zoeter zou vloeien.

Kemal was zes toen haar vader haar eigen doedelzak voor haar maakte, klein genoeg om onder haar arm te houden en met haar elleboog in te drukken. Maandenlang was dat het enige wat hij haar leerde: hoe je een gelijkmatige toon aanhield – geen melodie, maar alleen lucht die in een gelijkmatige stroom naar buiten vloeide. In het begin kon Kemal het niet. In bed hield ze haar kussen als een meh vast en drukte het in, niet te hard en niet te zacht, totdat haar vader op een dag zijn stoffige hand op haar geschoren hoofd legde.

'Nu doe je het goed,' zei hij. Er kon een dag komen, zei hij, waarop ze zelfs haar eigen naam niet meer wist, maar ze zou nooit meer verleren hoe je een doedelzak indrukt. Toen plakte hij oude kranten voor de ramen, pakte zelf een kaba gaida op en vulde die met lucht. 'Niet nadenken,' zei hij, 'gewoon nadoen.'

De schrille toon barstte los – de melodieën waren te groot voor de kleine hut, het waren melodieën die verlangden naar de lucht en de wei. Ze stampten, beukten, versplinterden en krulden zich toen op in een hoek, als honden die hun baasje hadden herkend.

'Nu ben je een bedwinger van melodieën,' zei haar vader tegen haar.

En zo speelden ze samen, dagen achtereen, lange uren; ze dansten in kringetjes rond de draaibank, met schaduwen van woorden op hun gezichten, Kemals borst in vuur en vlam, haar vingers kloppend als de wortels van rotte kiezen. En ze kwamen als herboren de hut uit, de lucht zo fris en de zonsondergangen zo fel dat Kemal in haar vaders armen moest vluchten om niet volledig verblind te worden.

Maar hij omarmde haar niet. 'Omhelzingen zijn voor meisjes,' zei hij dan.

4

Toen Kemal tien was, vertrok haar moeder naar de stad. Voor ze wegging kwam ze naar Kemals kamer en vroeg haar de doedelzak opzij te leggen. 'Ik voel me niet goed,' zei haar moeder, en ze legde haar hand op haar buik. 'Geef me een kus en maak dat ik me beter voel.' Haar gezicht was geel, en toen Kemal haar kuste, smaakte haar zweet naar kornoeljebloesem. 'Voel je je nu beter?' vroeg Kemal haar. 'Ik voel me beter,' zei haar moeder.

Daarna sloot Kemals vader zich een week lang in zijn werkplaats op. Maar de draaibank draaide niet en de hamer bleef liggen. Hij wilde Kemal niet binnenlaten, hoe ze hem ook smeekte. Ze kookte melk met maismeel voor het eten en zette elke avond een houten nap voor de drempel neer. De pap werd altijd klonterig – haar moeder had haar nooit echt geleerd hoe je die precies klaarmaakte – maar 's ochtends trof ze de nap leeg aan, waste hem om en vulde hem met ontbijt. Ze voerde de kippen, en hoewel er een paar ergens aan stierven, ging dat over het algemeen goed. Ze schoffelde de tuin. Ze keek hoe de vleermuizen netten tekenden in de blauwe nacht en luisterde naar de hodja die vanaf de minaret opriep voor het gebed. Ze miste het zaagsel en de kou van de beitels. En ze had niemand om mee te praten. Dus soms, als de stilte te drukkend werd, liep Kemal over de helling boven het dorp, boven de kloof en de rivier, en speelde ze op haar doedelzak. Snerpend vloeiden haar melodieën, ze sloegen aan stukken tegen de heuveltoppen en kaatsten gedempt terug, alsof er een andere doedelzakspeler antwoordde, alsof het haar vader was die terugspeelde vanaf de heuveltoppen.

In de tweede week stapte Kemals vader de hut uit als een andere man. Hij tilde haar op en ze probeerde zijn baard af te scheuren, om te zien of zijn echte gezicht er niet onder verstopt zat. Hij nam haar mee naar de moskee om voor haar moeder te bidden, maar Kemal bad om andere dingen: ze bad dat hij thuis de werkplaats niet op slot zou doen, ze bad dat hij zijn baard zou afscheren.

5

Op de eerste schooldag stond Kemal op voordat de hanen kraaiden. Toen ze het huis uit stapte, plensde haar vader water voor haar voeten om haar geluk te brengen. Hij zei dat hij wou dat haar moeder haar kon zien. Kemal droeg een witte bloes en een zwarte broek, maar haar schoenen waren van haar neef geweest. 'Slof maar een beetje met je voeten,' zei haar vader, om te voorkomen dat ze uit haar schoenen zou stappen. Op het schoolplein kreeg ze een papieren vlaggetje, wit-groen-rood, en ging bij de andere kinderen in de rij staan. Ze kauwde op het stokje van haar vlaggetje, net zo'n stokje als van een suikerspin, en een van de onderwijzers gaf haar een standje. *Divak*, noemde de onderwijzer haar, die dacht dat Kemal een jongen was, een wildebras. Kemal was bijna in tranen. Maar ze herinnerde zich wat haar vader altijd tegen de mensen zei. 'Mijn dochter,' zei hij tegen ze, 'weet niet wat tranen zijn. Zelfs toen ze geboren werd, huilde ze niet.' Dus toen de onderwijzer niet keek, beet Kemal een stukje van het vlaggenstokje af, kauwde erop en slikte het door. Het hout was zout van alle handen die het hadden vastgehouden, maar tegen de tijd dat ze haar het lokaal binnen leidden, had ze het stokje al voor de helft opgegeten. Tegen de tijd dat het haar beurt was om het gedicht op te zeggen, kauwde ze al op het vlaggetje. Alle kinderen zeiden hetzelfde gedicht op. Een onderwijzer was een maand tevoren naar Kemals huis gekomen om te zorgen dat ze de tekst had. Een klassieker van Ivan Vazov. *Аз съм българче*, ging het gedicht. Ik ben een kleine Bulgaar. Ik woon in een vrij land. Ik koester alles wat Bulgaars is. Ik ben de zoon van een heldhaftige stam. Toen Kemal 'heldhaftige stam' zei, hoestte ze een stukje vlag op. Haar speeksel had de kleur opgelost en het stuk lag daar nat als een kattentong op de vloer. Alle kinderen begonnen te lachen. De onderwijzer stuurde Kemal naar huis om haar vader te halen.

'Dat gedicht dat je geleerd hebt,' zei haar vader toen ze van het kantoortje van het schoolhoofd naar huis liepen, 'dat moet je uit je hoofd zetten. Je bent geen Bulgaar, wat de mensen je ook vertellen. Je bent geboren als Turk en je zult als Turk voor de Almachtige staan wanneer Hij je bij zich roept. "Kemal," zal de Almachtige tegen je zeggen, "zeg een gedicht voor me op." Wat zul je dan tegen Hem zeggen, Kemal, als je niet wilt dat Hij je in de Djahannam stort om doorns van de doornstruik te eten?'

'Welk gedicht, Almachtige?' antwoordde Kemal, bang om haar vader aan te kijken. 'Ik ken geen gedichten.'

6

Ook Kemals moeder was veranderd toen ze thuiskwam.

Toen Kemal nog heel klein was, had haar vader haar gevraagd om een oud overhemd van hem te pakken en met hooi te vullen om een vogelverschrikker te maken voor in de moestuin. En nu ze haar moeder gebogen voor de drempel zag staan, gewichtloos, een hand op haar buik, haar huid de kleur van verziekte tabak, haar jukbeenderen als scherpe stenen en haar gezicht onder de hoofddoek als dat van een wolf, dacht Kemal aan die vogelverschrikker, aan hoe die vogelverschrikker meer hooi nodig had gehad als vulling.

Vanaf dat moment zag Kemal haar moeder nog maar zelden. Haar moeder at geen ontbijt en geen avondeten en Kemal mocht niet met haar praten of zelfs maar haar hand vasthouden. Haar moeders kamer bleef altijd op slot.

Wanneer Kemal haar doedelzak vol blies, in de hoop dat ze samen konden spelen, duwde haar vader haar weg en eiste stilte. Maar er was geen stilte. Deuren gingen open en dicht, in de badkamer liep een kraan. En in haar kamer huilde Kemals moeder zachtjes en probeerde haar vader haar te troosten, zijn stem kalmerend voor haar, maar voor Kemal beangstigend. Waarom praatte hij zo niet tegen Kemal? Waarom mocht hij haar moeders hand wel vasthouden, terwijl Kemal dat niet mocht? En zelfs wanneer haar moeder niet huilde, hield haar vaders stem Kemal uit de slaap.

's Nachts omarmde ze haar doedelzak, haar gezicht tegen de meh gedrukt als tegen een boezem, en zoog op de blaaspijp, en snoof die geitenlucht op, en bad tot Allah om alles weer rustig te maken.

Een keer, toen haar moeder onder de douche stond, sloop Kemal haar kamer binnen en snuffelde in een la vol verpakte injectiespuiten. De hele kamer rook naar kamfer, naar pies en poep, en de vloer was afgedekt met grote stukken plastic om te zorgen dat er geen vlekken op de kleden kwamen. In een hoek vond ze een doos met nylon zakjes, ze pakte er een en probeerde hem op te blazen, om er muziek uit te krijgen.

De deur ging open en haar moeder kwam in kamerjas naar binnen. Haar hoofd was kaal, niet gladgeschoren als dat van Kemal, maar met kale plekken. Kemal zag dat haar moeder onder de kamerjas net zo'n zakje vasthield als zij in haar hand had.

'Waar is je haar gebleven?' vroeg Kemal.

'Het is heus zo erg niet,' zei haar moeder.

Ze keken elkaar zwijgend aan, terwijl er water van onder de kamerjas drupte en de druppels op het plastic tikten.

7

Het was de tijd van de tabaksoogst, dus wanneer Kemal uit het raam naar de weg keek, nu, zo voor zonsopgang, nog in het donker, zag ze druk verkeer van karren en mensen. Ze kon vrouwen horen zingen en hun kinderen, slaperig in draagdoeken op hun rug, horen jengelen. Er schenen olielampen en er brandden fakkels, en de bergop ratelende karren en sjokkende mensen leken op een in stukken gehakte slang, het ene kronkelende stuk achter het andere aan slingerend, zonder dat de stukken echt bij elkaar kwamen.

Maar zij zou geen tabak gaan plukken.

Haar vader was weer begonnen met doedelzakken maken. 'We kunnen het geld goed gebruiken,' hoorde Kemal hem tegen haar moeder zeggen. 'Als je iets nodig hebt,' had hij tegen haar gezegd, 'blaas dan op deze pijp.' Dus in de werkplaats hielp Kemal hem een opdracht af te krijgen: dertig doedelzakken voor drie scholen in de omgeving. Ze werkten 's ochtends, maar het werk wilde niet vlotten. Telkens stopte haar vader en maande hij Kemal om stil te zijn. 'Hoor ik daar de pijp klinken?' vroeg hij dan. Tussen de middag ging hij voor haar moeder zorgen, terwijl Kemal doorwerkte.

Geitenvellen lagen in stapels om haar heen te wachten om te worden omgevormd tot mehs. Oud, droog pruimen- en kornoeljehout stond in de hoeken te wachten en in kisten lagen de zwarte buffelhoorns die ter versiering dienden te glanzen in de middagzon. Ze voelde zich goed in de werkplaats. Ze at er zelfs, geitenkaas en witbrood, en dronk er bronwater uit een beslagen kruik, terwijl houtstof ronddwarrelde en aan de buitenkant van de kruik bleef vastplakken.

'Er is iets,' zei haar vader op een keer, 'wat ik van de oude meesters heb gehoord. Honderd doedelzakken, tegelijk bespeeld boven een zieke, verjagen de dood.'

Honderd doedelzakken, wilde Kemal hem vertellen, waren wel heel veel doedelzakken. Hoe zouden ze, in één keer, genoeg huiden bij elkaar kunnen krijgen voor honderd doedelzakken?

Die nacht hielp Kemal haar vader om in de tuin een pan op te graven van onder de perenboom, een pan vol opgerolde biljetten. Met het geld kochten ze meer huiden. Diezelfde week zegde haar vader de opdracht van de scholen af. Maar in zijn telegrammen aan de schoolhoofden repte hij niet van de voorschotten die hij al had gekregen, noch van de ruwe huiden die hij gekocht had met geld van de Partij.

8

Een week nadat haar vader de opdracht had teruggegeven, kwam er een militiesergeant naar de werkplaats. Ze lieten hem plaatsnemen onder de druivenranken, en Kemals vader zei tegen haar dat ze een emmer bronwater moest gaan putten. Ze schonk een kruik vol voor de sergeant en een andere voor haar vader, en keek toe hoe haar vader met trillende handen zijn kruik ophief en de sergeant de zijne met kleine vogelslokjes leegdronk.

'Lekker water, dit,' zei de sergeant tegen haar. 'Ik had dorst.'

Ze hield haar ogen op het pistool in zijn holster gericht en zei niets. Haar vader schraapte zijn keel en vroeg haar om meer water.

'Er zijn orders gekomen van de Partij,' begon de sergeant, 'rechtstreeks van het Politbureau. Een onverkwikkelijke zaak, maar er valt niet aan te ontkomen. Ik ga de hele ochtend al van deur tot deur om de mensen op de hoogte te stellen. Als u het mij vraagt, is het een onverkwikkelijke zaak, maar mijn mening wordt niet gevraagd. Het zijn orders van de Partij, rechtstreeks van het Politbureau.' En toen vertelde hij het ze: alle Turken, Pomaken en andere moslims zouden nieuwe, Bulgaarse namen krijgen. Als je in Bulgarije woonde, zei hij, dan moest je een Bulgaarse naam hebben. Als het je niet aanstond, dan hield niemand je tegen om naar Turkije te vertrekken. 'Morgen moeten jullie op het plein zijn. Bussen zullen jullie naar de stad brengen voor jullie nieuwe paspoorten.'

'*Natsjalstvo*, mijn vrouw ligt ziek in bed en kan niet met de bus mee.'

'Mijn mening wordt niet gevraagd,' zei de sergeant, en hij stond op en salueerde.

9

Het regende toen ze op de bus wachtten die hen zou komen ophalen. Er was geen afdak op het plein en paraplu's hadden ze niet, dus Kemals vader had geitenvellen meegebracht. Met trillende hand hield hij er een boven haar moeder, maar desondanks sloeg de regen op hen neer. Kemal wist dat alle ogen op hen gericht zouden zijn – kijk toch eens hoe bleek Zeynep ziet, zouden de mensen over haar moeder zeggen, hoe de ziekte haar binnenste heeft opgevreten, hoe Allah haar heeft vervloekt – dus verschool ze zich diep onder haar geitenvel, en keek ook. Er woei geen wind, maar toch hield haar moeder haar hoofddoek met haar ene hand strak om haar hoofd getrokken. Met de andere hield ze haar jurk vast, het nylon zakje eronder, veronderstelde Kemal. Ze zag eruit als een gevlekte geit, arme zieke Zeynep, dampend in de kou, haar jurk op sommige plaatsen droog en op andere nat.

Toen de bus arriveerde, liet haar vader het geitenvel zakken en gutste alle regen die zich in het vel verzameld had over haar moeder heen. Er klonk gelach, dus in de bus ging Kemal achterin zitten, een eindje bij haar ouders vandaan. Alles rook naar natte hoofddoeken, natte snorren, en de ruiten besloegen van de adem van de mensen. Met haar mouw veegde Kemal een kijkgaatje en keek hoe modderige rivieren de heuvels af stroomden totdat de ruit opnieuw besloeg. Een paar keer hield de bus halt om nog meer mensen op te pikken, en een paar keer om haar moeder te laten overgeven in de bosjes. Kemal verschool zich onder het stinkende geitenvel en luisterde.

'Vannacht heb ik gedroomd,' vertelde een man. 'Ik sta in de rij voor iets. Mijn mond is gortdroog van de dorst en mijn maag rammelt. De rij is lang, zeg ik je, geen rij maar een menselijke kabel. En ik hoor niets dan gejammer waarvan je haren overeind gaan staan als tabak die in knop staat. Alleen is het geen gejammer, maar zijn het een miljoen rammelende magen, hongerig van het wachten. Eindelijk ben ik aan de beurt, en daar staat mijn grootvader voor me – een reus, zeg ik je, met zijn knevels in de was gezet en glanzend als geoliede hoeven, met opgekrulde uiteinden zo groot als ramshoorns. Achter opa, zo wijd als de wereld, glanzen de poorten van de hemel. In zijn ene hand zie ik een schaal met vijgen zo rijp dat hun honing er in stromen uit gutst, en in zijn andere hand een schaal met doorns, die bittere hellevrucht. "Hoe heet je, jongen?" vraagt opa me, en zijn stem brengt mijn knieën aan het knikken en de rijpe vijgen brengen mijn maag nog harder aan het rammelen. Ik vertel hem hoe ik heet. "Ik ben het, Mehmet," zeg ik, "dus geef me een vijg, opa. Laat me door de goede poort naar binnen." "Mehmet, hè?" zegt de reus. Precies op dat moment rollen zijn knevels zich uit, zeg ik je, en veranderen in handen, mijn moeders handen, en houden een doornbal voor mijn droge lippen. "Dat is een doornbal, opa," roep ik uit, en de reus begint te lachen.

"Dan geef je het toch gewoon een andere naam, verrader. Noem het een vijg en smul ervan in de Djahannam.'"

Hierop begonnen de vrouwen in de bus te huilen. Maar de mannen, die dit geleuter eerder geamuseerd dan bevreesd hadden aangehoord, klapten schaterend van het lachen in hun handen. 'Luister maar niet naar die ouwe dronkaard,' zei een oud opaatje tegen Kemal. Hij moest haar onder het geitenvel hebben zien huiveren. Haar lippen waren gebarsten van de dorst en haar maag rammelde. Toen draaide de oude man aan zijn snor, boog naar haar over en vroeg: 'Hoe heet je, jongen?' terwijl de mannen om haar heen opnieuw in geschater uitbarstten.

10

In het militiebureau kronkelde de rij omhoog tot aan de derde verdieping. Kemal moest wel naast haar moeder wachten. Het was donker op de gang en Kemal kon geen kleuren of scherpe omtrekken onderscheiden, en daarom zag haar moeder er voor het eerst in een heel jaar haast vredig uit. Op dat moment wilde ze wel graag haar hand vasthouden en tegen haar zeggen dat ze haar hoofddoek niet zo strak om haar hoofd hoefde te houden, zich niet hoefde te schamen voor een hoofd zonder haar. In plaats daarvan hield ze een schrift vast dat iemand haar gegeven had. In het schrift stonden bladzijden en bladzijden vol voornamen. Fatsoenlijke. Bulgaarse. *Aleksandra, Anelia, Anna, Borislava, Borjana, Vanja, Vesselina, Vjara.*

Het duurde drie uur voordat ze vooraan in de rij stonden.

'Wat er daarbinnen ook gebeurt,' zei haar vader, 'vergeet het weer.' Vervolgens stapte Kemal een kamer binnen, met een schrijftafel, een man erachter die namen opschreef in een boek, een dode ficus in de hoek, een portret van Todor Zjivkov scheef aan de muur, een vloer vol modder van de laarzen van andere mensen.

'Welke naam hebt u gekozen?' vroeg de man, en hij likte aan zijn vingers en sloeg een bladzij om zonder haar aan te kijken. Ze zei hem dat ze al een naam had. Dat niemand haar kon dwingen. De Partij niet, de militie niet.

'Er staan nog vierhonderd mensen achter je te wachten,' zei de man toen hij haar eindelijk aankeek.

Dus zei ze: 'Vjara,' en de man schreef het op in het grote boek.

Op de terugweg bleef ze die nieuwe naam herhalen en keek ze naar haar gezicht in het raam – en voorbij het raam naar de berg, ook háár hoofd bedekt door een hoofddoek, haar gezicht gesluierd in een kleed van regenmist. Het was geen slechte naam, de nieuwe, vond ze, en ze bleef hem herhalen. Toen dacht ze eraan hoe haar vader het geitenvel had laten zakken en hoe het water haar moeder had doorweekt. Ze begon te lachen. En lachend liep ze naar hun bank en ging tussen hen in zitten.

Ze had verwacht dat haar vader verontwaardigd zou zijn, woedend zelfs. In plaats daarvan staarde hij zwijgend uit het raam. Nu al een andere man, dacht Kemal, en ze legde een hand op zijn knie en de andere op die van haar moeder. 'Aangenaam kennis te maken,' zei ze. 'Wie zijn jullie nu?'

II

Het waren niet alleen de levenden.

Ze waren doedelzakken aan het maken toen een buurman het ze vertelde.

'Schaam je, Roeffat, om zulke goedkope leugenpraatjes rond te strooien,' zei Kemals vader, maar toch rende hij, een priem nog in de hand, het dorp uit. Kemal rende achter hem aan.

Alle stenen op alle graven waren overgepleisterd. Op sommige stenen hadden ze nieuwe namen uitgehakt en andere waren leeg gelaten. Kemals grootvader had een nieuwe naam gekregen. Haar grootmoeder was naamloos gebleven. Haar vader knielde naast een andere, kleinere steen en liet zijn vingers over het verse pleister glijden. Steeds meer mensen verzamelden zich en een eindje verderop zag Kemal een man met een houweel tegen de steen van zijn vader beuken. De man sloeg de steen aan stukken en begon te graven.

Haar vader ramde met de beitel in de steen voor zich totdat het pleisterwerk verpulverde. En toen hij aan zijn vingers had gelikt en de letters stuk voor stuk schoongepoetst had, was het Kemals oude naam die ze op de grafsteen zag staan. Haar vader poetste de jaartallen schoon. Maar dit graf was niet haar graf, en ze rekende uit dat de jongen die erin lag nog niet eens half zo oud geworden was als zij.

Verderop trok de man met het houweel, die nu zijn hemd had uitgetrokken en wiens armen tot aan de ellebogen onder de kleverige aarde zaten, beenderen uit de grond en legde ze één voor één in het hemd naast hem.

12

Ze werkten voort aan de doedelzakken. Dag en nacht zonder rust. Wanneer Kemals vingers bloedden, kuste haar vader ze niet langer. 'Mijn vingers bloeden ook,' zei hij tegen haar. Hij begon te drinken, in weerwil van de Qur'an en zijn eigen gezonde verstand. Soms boorde Kemal van moeheid een gat in een melodiepijp dat te wijd was, verknoeide ze een riet, brak ze een mondstuk.

'Het is die nieuwe naam die ze je gegeven hebben die je onhandig maakt,' zei haar vader dan verbolgen. 'Om doedelzakken te maken heb je een mannennaam nodig.' In het begin gaf hij haar nog een vlug tikje achter op haar hoofd, maar al snel gingen zijn handen losser zitten. Er ging geen dag voorbij zonder klappen.

Het geld dat ze hadden opgegraven was niet genoeg voor honderd huiden, dus op een nacht nam haar vader haar mee naar de geitenkooien om geitenlammeren te stelen.

Er stond geen maan toen ze het dorp uit liepen. Een warme wind blies hen in het gezicht, een bries van de Witte Zee, en hoe vaker Kemal over haar lippen likte, hoe meer kloven erin kwamen. Dus bleef ze eraan likken, het zout en het zeewier zo schoon na de stank van haar moeder. Ze klommen een heuvel op en staken een wei over. De wind werd muskusachtig. In de verte zagen ze een wolk vonken van een hoog vuur dat knetterde van het dennen-hout. Rond dat vuur, wist Kemal, lagen de herders, te dronken om hen op te merken. De honden sloegen aan, maar toen de wind geuren in hun snuiten blies die ze kenden, hielden ze zich weer koest. Dit was de kooi waar Kemals vader naartoe ging als hij mehhuiden kocht. Dit waren de honden waarmee Kemal altijd speelde, de honden die ze als muildieren bereed, de honden die ooit haar lijfje hadden schoongelikt toen haar vader haar als baby bij ditzelfde vuur in een trog met geitenmelk had gebaad.

Aangekomen bij de haag die de kooi omheinde, klemde Kemal het mes tussen haar tanden en hees zich eroverheen. Roerloos stond ze tussen de kudde sluimerende geiten, die dromerig kauw-den, met heen en weer bewegende oren. Ze zag het vuur buiten de haag branden en kon de herders horen snurken, de honden zacht-jes, lui, horen janken, de wind gedempt door de gevlochten haag horen blazen. In het donker zocht haar vader naar geitjes. Alleen van jonge geitjes kon je een meh voor een doedelzak maken. Een oudere geit, die geslachtsrijp was, stonk zo erg dat zelfs rozenolie de stank niet kon verjagen.

Op handen en voeten kroop Kemal door het donker, het mes nog steeds tussen haar tanden, kwijl druipend langs haar kin. Ze naderde een geitenlam en zoals haar vader haar had geleerd rolde ze het op zijn rug, ging op zijn achterpoten zitten en omklemde met haar vuist de voorpoten. Het geitje gaf zelfs geen kik toen ze zijn buik opensneed. Ze snoof de stank op. Het geitje wapperde met zijn oren. Kemal begroef haar hand diep in zijn binnenste, en de vochtige warmte verraste haar vingers zoals de voelhoorns van een slak door een aanraking worden verrast. Ze voelde haar weg rond de maag, een meh met half verteerd gras in plaats van lucht. Toen greep ze het hart van het geitje, terwijl het nog klopte. Het geitje trapte zachtjes, strekte zijn nek toen ze zijn snuit dicht-kneep.

In het donker kon ze haar vader op zijn buik door het korte gras horen schuiven en geitenharten horen stilzetten. Het fluiten van zijn neus, verstopt door het hooi en de bloemen, het zwoegen van zijn ademhaling, en om de zoveel tijd een tik. Ze kon hem niet zien, maar dat hoefde ook niet. Ze kon zich niet voorstellen dat deze zelfde hand haar kon slaan. In het donker was hij zoals Kemal zich hem altijd zou herinneren.

Vanaf die nacht sliep ze in de werkplaats op de stapels gestolen geitenhuiden en in haar dromen zag ze houders, rieten, melodie-pijpen, mehs, als harten in haar gebalde vuisten kloppen. En in haar droom was het haar moeders hart dat ze vasthield, en dus hield ze het nog steviger vast.

13

Ze hadden zeventig doedelzakken af toen de militieauto nogmaals bij de werkplaats stopte. Drie mannen en de sergeant aan wie Kemal bronwater te drinken had gegeven stapten uit. 'Moet u horen, kameraad,' zei de sergeant tegen haar vader. 'De herders belden op vanaf de geitenkooi om te melden dat er een paar geiten zijn gestolen. Dus we hebben de wollen draad gevolgd, om zo te zeggen, en moet u eens raden waar die ons naartoe leidde? Wilt u zo vriendelijk zijn om ons de kwitanties te laten zien voor de huiden die u hebt gekocht?'

'Die ben ik kwijt,' antwoordde Kemals vader.

'En uw paspoort?'

'Dat heb ik waarschijnlijk verbrand.'

'*Losjo, droegarjoe*,' zei de sergeant. 'Dat is nou jammer, kameraad.' Hij liep tussen de kisten door en trapte ze zachtjes omver, terwijl Kemal toekeek hoe de rieten en pijpen over de grond rolden. Hij boog zich een eindje voorover om haar beter te kunnen aankijken, likte toen aan zijn duim en wreef het geronnen bloed van haar gescheurde lip. 'Hoe komt jouw lip gescheurd?' vroeg hij haar, en toen pakte hij haar hand en bekeek haar vingers. 'En waarom bloeden je vingers? Probeert jouw vader soms om snel aan geld te komen?' De sergeant bleef heen en weer drentelen en telde de doedelzakken. Toen stelde hij vader voor om mee te komen naar het bureau voor een kop koffie – misschien zelfs wat Turks fruit – en de zaak te bespreken. Hij overhandigde Kemals vader een stel handboeien en verzocht hem vriendelijk ze om zijn eigen polsen te klikken.

<h2 style="text-align:center">14</h2>

Vanaf dat moment was het Kemal die voor haar moeder zorgde. Als het donker werd, sprong ze over het hek naar de buren en molk de weinige melk die zij in hun geiten hadden laten zitten – een halve kan, soms een hele. Ze voelde geen wroeging over de diefstal. Geen van de buren was komen vragen of Kemal het wel redde nu haar vader was meegenomen. Of hoe haar moeder zich voelde. Dus kookte ze klonterige maispap of *popara*, en al weigerde haar moeder te eten, Kemal dwong haar toch: twintig happen bij het avondeten en tien tussen de middag.

Ze bleven wachten op de militieauto die Kemals vader zou terugbrengen.

'Hoor ik daar een motor?' zei haar moeder vaak.

In de douche zette Kemal een krukje neer, zodat haar moeder kon zitten. Ze kon het niet verdragen om haar moeder naakt te zien – haar dunne armen en benen, haar opgezwollen knieschijven, haar glimmende kale schedel, het gat in haar buik waar het zakje in stak.

'Het is heus zo erg niet,' zei haar moeder tegen haar. 'Het gaat al veel beter met me.'

Kemal kon het niet langer verdragen om haar eigen schedel in de spiegel te zien. Dus liet ze haar haar groeien – eerst dik en borstelig als varkenshaar, later veel zachter. Het kriebelende gevoel van haar haren langs haar nek, wangen en oogleden vond ze niet fijn, maar ze vond het wel fijn om haar vingers door haar haren te halen en ze rond haar vingers te winden. Haar moeder had haar een oude kam gegeven, en elke ochtend zat Kemal een uur lang op de drempel haar haren te kammen.

'Laat me je haar aanraken,' zei haar moeder soms, maar nooit tilde ze haar hand op om het ook echt te doen. Ze streek alleen een kreukel in de deken glad. 'Prachtig haar, Kemal. Tot aan mijn middel. Weet je nog?'

Soms nam Kemal haar doedelzak mee de berg op om boven het dorp met de echo te spelen. Een keer zag ze auto's op de weg onder zich, bumper aan bumper, met matrassen, stoelen, houten bedden op het dak gebonden – blauwe, groene, gele, rode auto's die van de berg wegstroomden. Ze had mannen wel horen praten over naar Turkije vluchten, en ze probeerde zichzelf voor te stellen in een rode auto, een auto die hard reed, met alleen de weg voor hen uit, schoon, glad, eindeloos. Haar vader zat achter het stuur, haar moeder naast hem, en achterin speelde Kemal dat ene wijsje waarvan ze het meest hield.

Onder zich zag ze mensen uit de bovendorpen als kamelen hun huisraad op hun rug de helling af dragen. Zwaarbeladen mannen, vrouwen en kinderen. Ze zag een vrouw struikelen en alle spullen die ze op haar rug gebonden had losschieten en samen met haar lichaam langs de helling naar beneden rollen. Pannen en potten en lepels en pollepels en blikken borden die wild naar beneden stuiterden en in de zon schitterden als gouden munten. Daarop hief Kemal op haar doedelzak haar lied aan: *Langs de berg omlaag rolde een kleine steen, verzamelde zijn broers om zich heen. Beneden in het dal hoedde Stojan honderd witte schapen. 'Rol niet, kleine steen,' smeekte hij de kleine steen. 'Verzamel je broers niet om je heen. Ik geef je mijn twee zonen, kleine steen, maar spaar mijn witte schapen.'*

15

Op een nacht riep Kemals moeder haar bij zich. 'Luister, Kemal, binnenkort zal ik voor de Barmhartige moeten verschijnen, dus doe me een plezier. Breng me een doedelzak. Ik wil erop blazen.' Toen Kemal haar eigen doedelzak bracht, wiegde haar moeder hem als een baby in haar armen en bracht haar lippen naar de blaaspijp. Een zwakke ademtocht ontsnapte aan haar mond en de zak zette een heel klein beetje uit. 'Heb ik je weleens verteld, Kemal, hoe ik je vader heb ontmoet? Ik was nog maar een jong meisje, zestien jaar, maar mijn vader had me al uitgehuwelijkt. Ik zou met een buurman trouwen, twee keer zo oud als ik, maar een rijk man: hij bezat vijf akkers en was naar Mekka geweest. Goed, op een zomeravond ging ik naar de bronnen – buiten mijn dorp, Kemal, waren bronnen waar het water zachter was – en ik begon de ketels te vullen. Achter me hoorde ik voetstappen, en toen ik me omdraaide, zag ik je vader. Zijn hemd stond open, zijn haar zat in de war en zijn gezicht was bezweet en overdekt met houtstof. In zijn armen: twee doedelzakken. "Ik ben doedelzakmaker," zegt hij. "Blaas jij de ene doedelzak op, dan blaas ik de andere op," zegt hij. "Ik wil horen hoe ze samen klinken." Dus ik blaas de ene doedelzak op en hij de andere. Met twee keer blazen – zo snel deed hij het. "Heb je ooit een man gezien," zegt hij, "die sneller een doedelzak opblaast?" "Mijn echtgenoot," zeg ik hem, "die kan het in één keer blazen." "Ik zal jouw echtgenoot zijn," zegt hij, en hij laat de doedelzakken schreeuwen. Onder elke arm houdt hij er een, drukt ze in en danst. En ik kan niet ophouden met lachen. Maar ik hield wel op toen ik mijn broers onze kant uit zag rennen, terug van de tabak. Ze hadden gezien dat je vader me het hof maakte, en meer hoefden ze niet te zien. Ze gaven hem er flink vanlangs. Vernielden de doedelzakken, scheurden zijn gordelriem. Die nacht tikte er een steentje tegen onze ruit. "Ik schaak je," zegt je vader als ik naar hem toe kom bij de schuur, "en morgen gaan we trouwen." Zeynep, Zeynep, zeg ik tegen mezelf, je bent een uitgehuwelijkte bruid en je vader vermoordt je. Maar als je het overleeft, zal je leven een lied zijn met deze man, een vrolijke man, een doedelzakmaker.'

Toen, met één slingerbeweging, gooide haar moeder de doedelzak op de grond. 'Breng me naar zijn werkplaats, Kemal,' zei ze. 'In al die vijftien jaar heeft hij me daar geen voet laten zetten.'

En Kemal bracht haar erheen.

'Wat veel huiden,' zei haar moeder, 'wat veel melodiepijpen.

Honderd doedelzakken, vertelde je vader me voor ze hem meenamen.' Toen keek ze Kemal aan en werden haar ogen een beetje vochtig. 'Denk je dat hij misschien...?'

De volgende ochtend verplaatste Kemal haar moeders bed naar de werkplaats. En ze begon doedelzakken te maken. Maar ze verprutste de houten onderdelen en scheurde te grote gaten in de geitenhuiden. Geen van de doedelzakken die ze fabriceerde maakte muziek. Krijsen deden ze, schor en schril.

16

Dagen achtereen werkte Kemal, en omdat de stilte hen beangstigde hielden ze de radio aan. Ze luisterden naar het nieuws uit verre oorden, naar een stem die de waterstanden van de Donau voorlas. *Povisjenie edinatsa*, las de stem in het Russisch. *Onze centimètres*, in het Frans. Kemal had de Donau nooit gezien, zou hem ook nooit zien, maar ze vroeg zich af hoe breed die rivier wel was en wat het betekende als het water met elf steeg. Was dat goed of slecht? Voor wie was het belangrijk?

's Nachts luisterden ze naar een programma dat *Nachthorizon* heette. Mensen konden naar het programma opbellen en in de uitzending hun grieven spuien. Een ingenieur uit Plovdiv belde elke nacht om te zeggen dat hij niet kon slapen. 'Beste Partij,' begon hij zijn ontboezemingen steevast, 'ik heb al vijftien jaar niet geslapen.' Hij hield het precies bij: 'en drie maanden, en vier maanden, en tien dagen, negen uur, eenentwintig, nee, tweeëntwintig minuten.' Een oude man uit Pleven zei kinderversjes op voor zijn dochter. Na elk versje smeekte hij haar om hem de volgende ochtend te bellen. Zijn dochter belde hem nooit de volgende ochtend en dus bleef hij versjes opzeggen. Maar Kemal en haar moeder luisterden het liefst naar een vrouw uit Vidin. De vrouw las brieven voor die ze meestal aan zichzelf richtte, maar soms ook aan andere mensen. '*Ik ben zeer verbolgen, kameraden*,' las de vrouw voor uit een brief, '*want er waren vandaag op de boerenmarkt groene paprika's te koop en niemand heeft me gewaarschuwd. Al mijn buren hebben groene paprika's gekocht. Potten vol geweckt voor de winter. Ik kan de geroosterde paprika's nog ruiken en niemand heeft me gewaarschuwd.'*

Kemals moeder moest erom lachen. 'Paprika's in november,' zei ze, en ze vroeg Kemal om meer hout op het vuur te gooien, zodat het nog wat langer zou branden. Naast de kachel bleef Kemal maar wachten op de vrouw die de Donau zou noemen. Kon de vrouw hem zien vanuit haar raam, vroeg Kemal zich af, zoals zij de pieken van de Rodopen konden zien? En wat zag Kemals vader vanuit zijn raam? Ze hoopte maar dat hij er een had. Ze hoopte dat ze hem naar *Nachthorizon* lieten luisteren.

'Ik wil dat programma bellen,' zei Kemal, 'en vader mijn doedelzakken laten horen. Ik wil dat hij me vertelt hoe ik ze kan verbeteren. Ik heb een mannennaam nodig om doedelzakken te maken, toch, moeder?'

'Mijn lieve Kemal,' zei haar moeder, 'ik was vergeten hoe mooi je stem was.'

17

Dus begon Kemal net als de paprikavrouw brieven te schrijven. Ze schreef met potlood en plakte briefjes aan in heel het dorp, meestal aan de gevel van het dorpshuis, waar de mensen ze zouden zien. *Beste Partij, een Turk kan geen Bulgaar worden. Geef ons onze oude namen terug zodat we vijgen kunnen eten en naar de Djanna kunnen gaan.*

Maar er gebeurde niets. Dus op een dag schreef ze een nieuw briefje en spijkerde het op een putemmer bij de bron, beneden op het plein van een christelijk dorp. *Beste Partij, er is een grote hoeveelheid gif in de bron gedumpt. Drink* NIET *van het water en geef ons onze oude namen terug.*

De volgende dag zag ze van hoger op de weg hoe een menigte zich rond de bron stond te verdringen. Een man leegde twee emmers water op het plaveisel en iedereen boog zich over de plas alsof het een diep gat was. Een vrouw begon te jammeren. Ten slotte kwamen er twee Lada's van de militie uit de stad, met draaiende blauwe jampotten op het dak. Kemal wist niet of dit dezelfde mensen waren die haar vader hadden meegenomen – ze kon ze niet van elkaar onderscheiden – maar ze keek hoe ze onder hun blauwe petten aan hun hoofd krabden en naar de plas staarden alsof ze het gif konden zien.

Het gaf haar een licht gevoel om te zien hoe verbluft en hoe stom ze waren. Ze zou meer van dat soort briefjes gaan schrijven.

18

Een paar druppels bloed rolden langs haar moeders schouder en Kemal likte ze op. Ze zag meer druppels opwellen en vroeg zich af of haar bloed het al wist, of het had gevoeld dat de dood was gekomen. Ze had het lichaam naar de slaapkamer teruggebracht, maar het geschramd toen ze de jurk doorknipte om hem uit te kunnen trekken. Ze had een houten emmer met water gevuld, schone gaasjes uit een doos in de hoek gepakt en haar moeders armen, borst en benen gewassen. Nadat ze haar had gewassen, had ze haar haar andere, goede jurk aangetrokken. Ze had haar naar haar vaders kant van het bed gerold en kranten uitgespreid over de plek waar ze zojuist gelegen had, om het vocht op te zuigen. Ze haalde haar doedelzak maar speelde er niet op. In plaats daarvan ging ze op de kranten liggen, hield de doedelzak vast en dacht eraan hoe haar moeders adem hem iets had opgevuld. Ze spreidde haar vingers en keek ernaar. Hoe langer ze ernaar keek, hoe meer ze eruitzagen als de vingers van een ander meisje. Ze voelden geleend, koud, opgezwollen, en ze fabriceerden waardeloze doedelzakken. Ze sprak haar oude naam uit – Kemal – en hoe vaker ze hem herhaalde, hoe meer hij in zichzelf overvloeide, hoe dieper hij in zijn eigen staart beet. Ze herhaalde haar nieuwe naam, Vjara, en bleef ze herhalen – de oude naam, de nieuwe naam – totdat de ene de andere had opgeslokt. Totdat ze beide vreemd aanvoelden.

Haar lichaam was niet haar lichaam. Haar naam was niet die van haar.

19

De volgende ochtend wikkelde ze haar moeder in witte lakens. Ze sleepte de bundel het erf op en sjorde hem op een kar met twee wielen die ze gebruikten om de huiden van de geitenkooi naar huis te vervoeren. Er lagen nog huiden in de kar, dus spreidde ze die uit als een soort kussen. Ze legde een schep naast het lichaam en trok de kar. Hij was niet zwaar.

Ze zag schimmen achter de gordijnen, geesten zonder naam en eer. Tegen de tijd dat ze de begraafplaats had bereikt, stond de zon op zijn hoogst. Tegen de tijd dat ze het gat had gegraven, ging de zon onder. Ze legde geitenvellen op de bodem zodat haar moeder het niet te koud zou hebben. Ze maakte vlekken op de lakens toen ze haar omrolde; ze had blaren op haar handen gekregen van het graven.

Het was het graf van die jongen waar Kemal haar in legde. Maar ze wilde de jongen niet naast haar laten rusten. Dus later, nadat Kemal de aarde tot een zwarte hoop had teruggeschept, gooide ze zijn botten naar de zon zodat die wat langer zou branden.

20

Die avond schoor Kemal met het keukenmes haar haar af. Daarna verzamelde ze in de werkplaats alle doedelzakken om zich heen – zevenentachtig telde ze er – en begon ze te vullen met lucht. De ene na de andere doedelzak liet zijn zinloze gekrijs horen. Daarna stak Kemal na elkaar de houtstapels, de kisten, de huiden in brand. Buiten op het erf hield ze haar eigen doedelzak onder haar arm, drukte hem in met haar elleboog en liet de pijp vlakke toonreeksen uitstoten, gruwelijk, stekend. Ze keek hoe de vlammen dikker werden, vonken uiteenspatten, de hut in elkaar stortte en sissende blaas- en melodiepijpen in regens van as omhoogvlogen.

Overal in het dorp blaften de honden. Weer zag Kemal schimmen achter halfduistere ramen, en weer kwam er niemand naar buiten, niet eens om haar uit te vloeken vanwege al het kabaal.

Ze propte haar trui vol gaas en oude kranten en sloop toen het dorp uit in de richting van de hooibergen van de coöperatie. De bewakers lagen al dronken in hun barak en zelfs toen Kemal haar nieuwe briefje op hun deur spijkerde, werden ze niet wakker.

Beste Partij, geef mijn ouders terug.

Er stonden twee tractors in het donker, en Kemal moest denken aan wat haar vader haar ooit had verteld: op een dag zou er een witte ram uit het oosten komen aanstormen en een zwarte uit het westen. Beide machtig groot, met hoorns als opgerolde slangen, serpenten van been die bliksem en vuur schoten. De aarde zou schudden onder hun hoeven, en jong en oud zouden samenkomen om ze te zien. Sommigen zouden op de witte ram springen en hij zou ze mee omhoogvoeren, omhoog naar de Djanna, om rond te zweven naast de adelaars. Maar anderen, verachtelijk en ellendig, zouden op de zwarte ram kruipen. De zwarte ram zou hen omlaag trekken, omlaag naar de lage aarde, om te woelen naast de wormen.

Kemal hurkte naast de zwarte ram en drukte haar gezicht tegen zijn bumper. Ze propte zijn bek vol met gaas en papier. Stak een lucifer aan, liet de vlam van onder haar vingers opflakkeren. Verschool zich een eind verder bij de hooiberg en wachtte tot er iets gebeurde. Een hele poos gebeurde er niets.

Toen, in een zee van vlammen en lichtschichten, ontrolden de hoorns zich en deden zware hoeven de aarde schudden. Ze zag de zwarte ram tegen de witte ram stoten en de bewakers dronken en dromerig uit hun barak stommelen. Welke ram zou hen meenemen, vroeg ze zich af, en welke haar?

Devşirme

I

Het is vrijdagmiddag en John Martin rijdt me naar het huis van mijn vrouw. We gaan mijn dochter ophalen voor het weekend en ik wil niet weer te laat komen. Ik wil niet weer die afkeurende blik van mijn vrouw, die gekruiste armen over die goddelijke borstpartij, die voet die tikt op een gekmakend ritme dat alleen zij kan horen. Ik wil niet weer ongunstig afsteken bij haar nieuwe man.

Ik verwring mijn nek om te kijken hoe snel we gaan en zeg tegen John Martin dat hij een beetje door moet gassen.

'Doorgassen?' zegt John Martin. 'Zorg verdomme dat je zelf een auto krijgt,' en hij draait de verwarming hoger. Buiten is het veertig graden, en Johns pick-up, nog steeds dezelfde die hij kocht toen hij uit Vietnam terugkwam, heeft een probleem met de koeling. Soms, als hij me een lift geeft naar de Walmart, brengt hij de auto in de berm tot stilstand, zet de kap open en dan wachten we als schipbreukelingen op een vlot met slaphangend zeil op een windje om de motor af te koelen. Maar nu hebben we geen tijd voor wind.

'Wat is daar eigenlijk exact het nut van?' vraag ik, terwijl ik mijn hand in de stroom hete lucht houd.

'Dat is hogere wetenschap,' zegt John Martin. 'Dat snap jij toch niet.' Zijn wenkbrauw trilt op zijn verder onbewogen gezicht, wat ik opvat als een hint om door te drammen. 'Het is me de sluiproute wel, John.'

Uit het omlaag gedraaide raampje zie ik een smalle strook verschroeide Texaanse aarde en geel gras. Voor de rest lucht, zo groot en leeg dat de aanblik alleen al me kwaad maakt. Ik kijk op mijn pols, een oude gewoonte uit de tijd dat ik nog een horloge bezat, en dan op John Martins pols. Daar zit mijn horloge nu: een echte Seiko die ik langgeleden kocht toen ik in Sofia Engelse taal- en letterkunde studeerde, van een Algerijn in ruil voor een mandfles van vaders *rakia* en een pallet van moeders ingemaakte tomaten. Ik heb het horloge aan John Martin verkocht en van het geld heb ik Elli meegenomen naar Six Flags; een geweldige belevenis, behalve dat het een eeuwigheid duurde om te liften. Toen we terugkwamen had John Martin mijn bed op het voorerf gesmeten met al mijn kleren in een hoop erbovenop. En daar weer bovenop had hij een kribbig briefje gelegd, mocht de boodschap soms nog niet duidelijk zijn. *Betaal de huur, rooie.* Dus stuurde ik Elli naar binnen om zijn hart te vermurwen met een aandoenlijk verhaal over hoe fijn ze het met me had gehad terwijl we op Goodtimes Square in de eindeloze rij voor de Judge Roy Scream-achtbaan stonden. Later vertelde ze me dat John Martin tranen in zijn ogen had gehad, zo ontroerd was hij.

Nu houd ik mijn hoofd schuin om beter te kunnen zien hoe laat het is. Zoals ik al dacht zijn we al tien minuten te laat.

'Godverdomme, John, wat een rotkar.'

Zonder waarschuwing trapt John Martin op de rem. We slippen over het steenslag, en als we eindelijk tot stilstand komen, balt het stof dat we hebben doen opstuiven zich tot een dikke wolk. Ik probeer mijn raampje omhoog te draaien, maar het is al te laat. Ik zit al onder het stof, ik voel het op mijn gezicht en in mijn haar en op mijn hemd.

'Jij stuk communistenvreten,' zegt John Martin. Hij kijkt me bars aan en ik kan mijn ogen niet afhouden van zijn epileptische wenkbrauw. Ik moet me bedwingen om niet in lachen uit te barsten. 'Dit hier is een Amerikaanse wagen,' zegt hij, mocht ik daar ooit aan getwijfeld hebben. De verklaring op zich moet kennelijk volstaan om de waardeloosheid van het voertuig te weerleggen en alle verdere discussie uit te sluiten. 'Alsof jij in Rusland ooit zo'n fijne wagen onder je kont hebt gehad.'

'Ik reed in een tank, John,' zeg ik. 'En je weet best dat ik geen Rus ben.'

'Allemaal één pot nat.'

'Wind je niet op, John,' zeg ik. 'God ziet je.' Ik knik naar het kruisje dat aan de achteruitkijkspiegel bungelt: een klein houten crucifix aan een zwart koordje dat John Martin cadeau heeft gekregen van de vijftig jaar oude Mexicaanse weduwe bij hem in de kerk op wie hij verliefd is.

Hij grijpt het kruisje en kust het. 'Schaam je,' zegt hij, en ik verontschuldig me meteen. Ik zeg dat ik er niks mee bedoelde, echt niet, ik lulde maar wat, ik zit in de zenuwen vanwege mijn dochter. Omdat we te laat zijn. Zijn auto is prima, een prima Amerikaanse pick-up. 'Hier,' zeg ik, 'om het goed te maken,' en ik geef hem een blikje bier uit de koelbox aan mijn voeten. Miller High Life. Het beste bier van Amerika. De champagne onder de bieren. Hij rolt het blikje over zijn hals, wangen en voorhoofd, en het zweet gutst in vuile beekjes. We slurpen beiden als varkens en wachten tot de motor afkoelt. Ik kijk naar een troep Texaanse kraaien die in de verte neerstrijken in het veld en ik zie hun kopjes op en neer gaan terwijl ze in de dode aarde pikken.

'Je moest haar vanavond eens bellen,' zeg ik, doelend op Anna Maria, de weduwe uit de kerk. 'Neem haar mee uit. De Taco Bueno? Voor mijn part de Taco Bell.'

'Ik weet niet,' zegt John Martin, en hij neemt een grote slok van het bier. Hij kijkt naar de wijzer van de warmtemeter, die nog steeds in het rood staat. 'Daar is het misschien nog te vroeg voor.'

'Het is nooit te vroeg voor de Taco Bell.'

Hij frommelt zijn blikje in elkaar en gooit het terug in de koelbox. 'Wat weet jij daar nou van?' zegt hij. Hij trommelt met zijn vingers op het stuurwiel. 'Voor zover ik weet,' zegt hij, 'neukt een andere vent tegenwoordig jouw vrouw.'

'Mooi gezegd, John,' zeg ik. 'God ziet je. Trouwens,' zeg ik, 'daar wordt aan gewerkt. Het is maar tijdelijk. Ik ben bezig haar terug te krijgen, stapje voor stapje, nu op dit eigenste moment.'

'Stapje voor stapje?' Hij schudt zijn hoofd. 'Moet je kijken hoe je eruitziet. Je zou ten minste die stomme smoel van je kunnen scheren. Een overhemd aantrekken dat niet bruin is van het stof. Zo win je de vrouwtjes niet terug, man. Zeker niet als ze met een dokter getrouwd zijn.'

'Wat heeft zijn beroep ermee te maken?' zeg ik. En ik zeg tegen hem dat hij eens wat minder vaak naar dat sentimentele verzoekprogramma op de radio moet luisteren. Hij start de motor en de pick-up komt weer in beweging. Ook de kraaien achter in het veld stijgen weer op en zetten chaotisch fladderend koers in tegenovergestelde richting. 'Ik heb met je te doen, man, ik zweer het je,' zegt John. 'Dat is de enige reden waarom ik het met je uithou.'

'Zo is het maar net,' zeg ik. 'En het is God die dat medelijden in je hart heeft geplant, vergeet dat niet. Heb je naaste lief. Lief, lief.' John Martin is begonnen naar de kerk te gaan in de hoop een vrouw te vinden. Dat heeft hij me zelf verteld. Om een goede indruk te maken als begeerlijke vrijgezel nam hij de rol aan van vrome Bijbelgehoorzamer. Maar algauw groeide hij in zijn rol en uiteindelijk overtuigde hij zelfs zichzelf. John Martin is geen godsdienstig man; hij gelooft niet echt. Maar dat weet hij zelf niet en daar speculeer ik op.

Een halfuur te laat parkeren we voor het huis van mijn vrouw. Ik stap uit en na de sauna van de auto voelt de hitte buiten koel aan.

'Vijf minuten,' zegt John Martin. Ik neem een teug uit de heupflacon in mijn achterzak en opnieuw schudt hij afkeurend zijn hoofd. Voor de deur strijk ik mijn haar glad en veeg met een zweterige hand over mijn gezicht. Ik stop een pepermuntje in mijn mond en controleer mijn adem.

Niemand reageert op de bel; het duurt wel vijf minuten. Als ik omkijk, zie ik John Martin tegen de pick-up geleund bier drinken. De motorkap staat omhoog. Hij tikt op mijn horloge. Ik bel nog eens en eindelijk klinkt er een stem aan de andere kant van de deur. 'Buddy, buddy,' hoor ik, in een vet, lelijk, stompzinnig Bulgaars accent. 'Zit. Braaf.' Er wordt een grendel verschoven, dan nog een, en een ketting valt los.

Voor me verschijnt mijn vrouws nieuwe echtgenoot, belachelijk dik in de deuropening. Hij draagt slippers, Amerikaanse, met één touwtje tussen zijn natte worstentenen, en een lange zwembroek, waaruit water op het parket druipt, met een mobiel aan de tailleband geklemd. Hij heeft geen hemd aan, en zijn borsthaar en het haar op zijn benen kleven glad tegen zijn lichaam, laag over druipende laag. Naast hem een al even dikke, even natte hond waarvan ik het ras nooit kan onthouden.

'Buddy!' roept hij me toe in het Engels. 'Waar bleef je? Je bent te laat. We zaten te wachten.'

'Motor,' zeg ik.

'Ho-ho, buddy. Engels. Hier spreken we Engels.'

'Motor,' herhaal ik. 'Dat is een internationaal woord.'

Met een stevige klets van zijn vlezige hand mept hij een mug dood op zijn schouder. Druppels vliegen in mijn gezicht. 'Nou, kom binnen,' zegt hij. 'Schiet op, schiet op.'

Ik wed dat hij er een lieve duit voor zou geven om terug te zijn bij het zwembad voordat mijn vrouw hem binnen betrapt, druipnat en dan ook nog met die hond. Als ik zoiets waagde zou ze woest zijn, dat weet ik wel. Dus blijf ik staan waar ik sta en zeg tegen hem dat alles oké is, dat ik alleen Elli maar kom ophalen, dat ik me niet wil opdringen. Ik gluur telkens langs hem heen, voor zover dat gaat, of mijn vrouw er al aan komt, in afwachting tot het parket doordrenkt raakt en begint op te krullen. Ik steek zelfs mijn hand uit naar de hond en mijn hart smelt van vreugde als hij gromt en zijn ruige vacht uitschudt, water spattend over het hele schoenenrek.

Eindelijk komt mijn vrouw achter Buddy tevoorschijn, in een tweedelig rood badpak, haar huid gebronsd en glanzend van de zonnebrandolie. Ze is met een handdoek haar haar aan het afdrogen, maar het is niet haar haar waarnaar ik kijk. Op de een of andere manier slaagt ze erin zichzelf tussen Buddy en het deurkozijn te wringen en ze doet een poging haar arm om zijn middel te slaan, een hopeloos gebaar natuurlijk. 'We zaten te wachten,' zegt ze, ook in het Engels.

Ik weet niet wat ik moet zeggen.

'Buddy, hé, buddy,' zegt Buddy. 'Hierboven,' zegt hij, en hij knipt met zijn vingers. 'Gezien? Mooi, hè? Tien ruggen per stuk. Hebben we in Dallas laten doen. Mijn beste investering ooit, als je voelt wat ik bedoel.'

Ik wil hem vragen hoezo, maar ze zijn het huis al in gelopen. Ik zwaai achterom naar John Martin.

'Vijf minuten!' roept John. Hij likt aan zijn vinger en legt hem op zijn bezwete schouder in een gebaar dat onder meer moet duiden op erotiek. Als ik de woonkamer binnen wil lopen beveelt mijn vrouw me om mijn schoenen uit te trekken en de vloer schoon te houden. Met mijn schoenen in de hand volg ik ze naar het zwembad.

Hun tuin is vol mensen – allemaal in badkleding, allemaal met grote, gestelde glazen in de hand, margarita's, martini's. Mensen in ligstoelen, op handdoeken in het gras, op de betonnen rand van het zwembad. Aan één kant staat een grote barbecue waarop hamburgers en steaks liggen te sissen. Iedereen draait zich naar mij om en alle gesprekken stokken, maar slechts voor een moment.

Mijn vrouw brengt me een Dr Pepper. 'Neem een Dr Pepper,' zegt ze.

Liever niet, maar ik neem hem toch aan. 'Wat valt er te vieren?' vraag ik.

Ze steekt haar borst vooruit, voor het geval ik het nog niet gezien had. Ik heb het heus wel gezien, maar ik weiger ernaar te staren. In plaats daarvan kijk ik uit naar Elli, die nergens te bekennen is, zelfs niet in het zwembad bij alle andere spetterspatterende kinderen. Ik vraag waar ze is.

'Ideetje van Buddy,' zegt mijn vrouw. Misschien zegt ze het niet precies zo, misschien noemt ze hem Todor of hoe hij ook heten mag, maar in mijn oren klinkt het als Buddy.

'Je had het niet moeten doen,' zeg ik tegen haar. 'Ze waren al fantastisch.'

'Wat? Nee,' zegt ze, 'nee, dát was mijn idee, om mijn zelfbeeld wat op te peppen. Nee, ik bedoel de duikersuitrusting. Dat heeft

Buddy bedacht.' En dan zie ik haar, door het kristalheldere water heen, op de bodem van het diepe eind van het bad: mijn dochter met een kleine zuurstoftank op haar rug.

'Het is volkomen veilig hoor,' zegt mijn vrouw. 'We hebben een duikinstructeur ingehuurd. Zie je hem daaronderin? Allemaal Buddy's idee,' en ze lacht alsof ze een geweldige mop heeft verteld. Ik kan wel inpakken. Ik heb geen zin om nu met haar te praten; al die kleine leugentjes die ik van plan was haar te vertellen – dat ik alwéér ben uitgeroepen tot werknemer van de maand, dat ik een hartstikke leuk huisje heb gevonden waarnaar ik overweeg te verhuizen – zullen ongezegd blijven. Het enige wat ik nu nog wil is Elli meenemen en hier als de sodemieter wegwezen.

'Zeg haar dat ik er ben,' zeg ik, en mijn vrouw deelt me mee dat ze nog twintig minuten duikles tegoed hebben. 'Ga ergens zitten,' zegt ze. 'Neem nog een Dr Pepper.'

'John Martin,' zeg ik, maar net als daarnet is ze alweer weggezweefd. Een eind van het zwembad vandaan vind ik een stoel met een wankele poot en ik schenk wat wodka in het frisdrankblikje. Dan zit ik een tijdje te kijken hoe Buddy met zijn ene hand steaks omdraait terwijl hij met de andere zijn mobiel bij zijn mond houdt alsof het een walkietalkie is. Hij gooit een stuk rauwe hamburger naar de hond en de hond duwt ertegen met zijn snuit, likt eraan en weigert het op te schrokken. Ik zou onderhand best een hamburger lusten. John Martin hoogstwaarschijnlijk ook, daar in zijn pick-up. Ik drink nog wat en wacht tot de duikles is afgelopen, tot mijn dochter weer opduikt uit de diepte. Eindelijk is het zover. Mijn vrouw helpt haar het bad uit en de instructeur maakt de zuurstoftank los van haar rug. Ik zou mijn dochter nooit zoiets zwaars laten dragen. Dan zegt mijn vrouw iets tegen Elli en Elli kijkt om zich heen en krijgt me in het oog, hier in mijn hoekje. Ze rent op me af en vraagt, ratelend met honderd woorden per minuut, of ik haar heb zien duiken, met een echte zuurstoftank en alles, daar onder in het zwembad, ademhalend onder water, net als een zeemeermin, een echte zeemeermin in het zwembad.

'Elli, Elli, Elli,' zeg ik. 'Kalm aan een beetje, liefje. *Na bulgarski, taté*. Ik wil het graag horen, maar in het Bulgaars.'

Ik blijf drinken terwijl Elli boven op haar kamer haar kleren aantrekt, terwijl mijn vrouw een weekendtas voor haar inpakt, want het is nu eenmaal vreselijk moeilijk om een ingepakte tas te hebben klaarstaan. Ik kijk hoe de duikinstructeur een sproetige vrouw voordoet hoe je door een snorkel moet ademen. Dan kijk ik hoe Buddy, droog nu, zijn vacht stekelig overeind, op zijn slippers bij de barbecue met een vork in stukken vlees prikt, er een thermometer in steekt, en in het Engels tegen de hond praat met zijn stompzinnige accent. Ik voel me hier zo absoluut misplaatst, zo gestrand, dat ik hem niet eens meer echt kan haten. Ik kan hem niet eens meer echt benijden om alles wat hij heeft en ik niet. Dit is niet hoe ik het me had voorgesteld. Dit leven. Soms, 's nachts, als John Martin allang naar bed is, zit ik op zijn achterveranda zijn bier te drinken en lege bierblikjes het donker in te slingeren en dan vraag ik me af: Dit alles, is het de moeite waard om voor te blijven?

Daar is Elli weer, met een tas in haar hand.

'Ik ben klaar,' zegt ze. Buddy komt dag zeggen en ze geeft hem een kus op zijn lippen. Hij vraagt me of ik trek heb ik in een steak en ik antwoord dat ik vandaag al meer dan genoeg steaks heb gehad – voor het ontbijt, voor de lunch, als tussendoortje – in alle varianten, *rare*, *medium*, *well done*. Elli geeft de hond een aai en de hond likt haar vingers, terwijl mijn vrouw haar iets in het oor fluistert en mij onderhand met een streng gezicht aankijkt. 'Michael,' zegt ze tegen me, hoewel ze weet dat je mijn naam niet zo uitspreekt. 'Pas goed op haar.' Alsof het nodig is om me dat te vertellen.

Tegen de tijd dat we het huis uit lopen, zakt de zon achter de verschroeide horizon. John Martin zet zich met een stoffige laars af van de pick-up en slaat de motorkap dicht. Ik zeg tegen Elli dat ze in moet stappen, want zij mag in het midden zitten, en terwijl ik me op mijn plaats hijs zie ik dat John geen bier meer heeft aangeraakt, de blikjes drijven allemaal als dooie vissen in de koelbox in wat eens ijs was.

'Jezus, John,' zeg ik. 'Echt sorry voor het wachten.'

'Al goed, man,' zegt hij, en hij trekt zijn portier zachtjes dicht. 'Hallo, schoonheid,' zegt hij tegen Elli. Hij roefelt door haar natte haar. 'Hallo, prinsesje.'

II

Zeven jaar geleden zijn we naar de vs gekomen. Maya, de baby en ik, ondanks de geringe kansen trotse winnaars in de *green card*-loterij. Ik diende onze aanvragen in op de dag dat Elli werd geboren. Tien maanden later zaten we op gesprek bij de ambassade en twee weken na Elli's eerste verjaardag vlogen we naar New York. We voorzagen geen moeilijkheden toen we Sofia verlieten. We vonden dat als we dan toch arm waren – en dat waren we, heel erg, allebei leraar Engels op een buurtschool – we net zo goed arm konden zijn in Amerika. We vertrokken in de hoop op een beter leven, zou je kunnen zeggen, zo niet voor ons, dan toch voor de baby. En een beter leven hebben we gekregen, zou je kunnen zeggen. Ik niet, dat moge duidelijk zijn, maar de baby wel. Misschien. En al geef ik het niet graag toe, Maya ook.

Een neef van Maya woonde al vijftien jaar in New York en we mochten bij hem in zijn tweekamerflat in de Bronx logeren tot we zelf een tweekamerflat konden huren, boven de zijne.

De neef hielp me aan een baan achter de kassa bij een Russische zelfbedieningszaak voor overdag en een tweede baantje voor 's nachts, drie keer per week bij een 7-Eleven. Zo werkte ik vier maanden lang, tot ik op een ochtend na een lange dienst thuiskwam met hoge koorts en zo'n hevige buikpijn dat ik nog harder schreeuwde dan de baby. Vijf uur later lag ik in een ziekenhuisbed en was mijn blindedarm eruit. De operatie kostte ons vijfentwintigduizend dollar, waarvan we er nul konden betalen. We besloten een paar maanden zuinig aan te doen, vliegtickets naar Bulgarije te kopen en er stilletjes tussenuit te knijpen. Maar terwijl Maya in het ziekenhuis zat te wachten, had ze heel toevallig, zoals die dingen gaan, een verkeerd uitgesproken Bulgaarse naam opgevangen over de intercom. Ze had een arts door de gang zien schieten en was hem achternagerend tot aan de lift. Ze had zijn naambordje gelezen. En kijk eens aan... Buddy Milanov, chirurg.

Maandenlang beschouwde ik Buddy als mijn Heiland, mijn door God gezonden Verlosser. Hij belde voor ons met verzekeringsmaatschappijen, diende uit onze naam aanvragen voor tegemoetkoming in de kosten in, en uiteindelijk lukte het hem, omdat we helemaal officieel minvermogend waren, om negentig procent van de ziekenhuiskosten vergoed te krijgen. We vroegen hem als Elli's peetvader. We nodigden hem uit in de weekends om *moesaka* te komen eten. We hesen zelfs onze rok omhoog zodat hij ons des te beter over het aanrecht kon buigen. Waar de baby bij was.

Toen ik ze betrapt had, schoot Maya in de verdediging. Ze gaf me de schuld van dit en van dat en van van alles en nog wat. Een week ruzie later was ze al met Elli bij Buddy ingetrokken – in zijn appartement met uitzicht over de rivier, een hele hoop kamers en een granieten aanrecht in de keuken.

Ik besloot Buddy te vermoorden. Ik zei mijn nachtbaan op zodat ik hem met een mes op zak voor het ziekenhuis kon opwachten. Een week lang stond ik daar avond aan avond te posten, zag ik hem avond aan avond een taxi aanhouden, en toen was me duidelijk dat er, helaas, geen echt Balkanbloed door mijn aderen stroomt. Dus begon ik als een slijmbal weer met hem aan te pappen. Buddy, beste kerel, hoe staat het leven? Zand erover, man. Ik wist dat als ik maar met Maya contact kon houden, het met haar uit kon praten, ze op den duur ongetwijfeld weer bij me terug zou komen.

Vijf jaren gingen voorbij. Afgelopen maart liet mijn vrouw me weten dat Buddy een baan had aangenomen in een kliniek in Texas en dat ze met het hele gezin gingen verhuizen. Ze boden royaal aan mijn vliegtickets te betalen zodat ik Elli twee keer per jaar kon komen bezoeken op data die mij schikten.

Ik besloot dat het nu echt tijd was om Buddy te vermoorden. Ik sleep het mes, wreef de solide houten handgreep op. Toen schonk ik mezelf een glas wodka in en maakte ik een tomatensalade met te veel azijn en een heleboel uien en at hem op en dronk de wodka, en sleep het mes. Ik staarde naar mijn Seiko tot de telefoon begon te rinkelen, acht uur 's avonds.

'Taté,' zei Elli aan de andere kant van de lijn, 'we hebben daarnet in een vliegtuig gevlogen.' En later, toen ik ophing, kon ik niet meer ademhalen, me niet meer bewegen, in de wetenschap dat zij daar was en ik hier. Ik kon me niet voorstellen waar ze was. Ik zag de dingen niet die zij zag, begreep niet wat ze bedoelde met een enorme lucht en geen hoge bomen. Toen ik de fles leeg had, belde ik mijn moeder, thuis in Bulgarije.

Ze herkende mijn stem niet meteen.

'Moeder,' zei ik, 'ik ga naar Texas verhuizen.'

'Fijn voor je,' zei ze. 'Denk je dat je... Overweeg je om...?'

Ik vertelde haar van niet. Ik had geen geld en geen tijd voor reisjes naar Bulgarije.

'Natuurlijk,' zei ze. 'Geld en tijd. Ik weet er alles van.'

III

In de laatste avondzon trappen we een balletje in John Martins achtertuin, terwijl hij wiegt in zijn schommelstoel – in de ene hand een biertje, met de andere meppend naar muggen. De schommelstoel kraakt en om de zoveel tijd horen we het verkreukelen van blik en een bons van zijn voetzolen die op de plankenvloer terechtkomen wanneer hij vooroverbuigt om een nieuw blikje uit de koelbox te pakken.

We spelen nog even vlug een partijtje, dat ik win, met tien tegen zeven. Dan, als het te donker wordt om te spelen, leer ik haar hoe ze strafschoppen moet uitlokken, hoe ze zichzelf onderuit moet schoppen en met een ijselijke kreet tegen de grond moet storten.

'Altijd contact zoeken,' zeg ik, 'maar als er niemand in de buurt is, trap dan jezelf onderuit. Maak daar een stelregel van: per wedstrijd moet je minstens één strafschop uitlokken.'

Ze let goed op en als een echte sportieveling rent ze weg, trapt zichzelf onderuit en rolt over het gras.

'Het doet pijn,' zegt ze, en ze wrijft over haar knie.

'Niks aan te doen,' zeg ik. 'Zo is het leven.'

Dan betreedt John Martin met zijn biertje de grasmat. 'Ik versta geen woord van dat Bulgaarse taaltje van jullie,' zegt hij, 'maar hoe zit het, prinsesje, hij leert je verdomme toch niet om vals te spelen?'

'Nee, John,' zeg ik. 'Ik leer haar hoe het spel gespeeld wordt.'

'Ik vind het maar een stom spel,' zegt hij, en hij duwt met de punt van zijn cowboylaars tegen de bal. 'Kom, prinsesje, we gaan een echte sport doen.'

'John Martin,' zeg ik, 'American football is niks voor meisjes.'

'Mijn dochter was er anders dol op,' zegt hij. 'Elke dag oefenden we met werpen, hier in deze tuin, negen jaar lang, en ze genoot van elke minuut. Kom, prinsesje, ik laat je zien hoe het moet.'

Hij waggelt terug naar het huis en komt een paar minuten later naar buiten met een half leeggelopen eivormige bal in zijn hand. Ik ga aan de kant en trek een blikje bier open terwijl hij Elli op de goede plek zet en dan zo ver naast werpt dat het pijnlijk is om aan te zien.

'M'n ouwe spieren moeten nog even opwarmen,' zegt hij, en hij zwaait wild met zijn armen, vergetend dat hij zijn blikje nog vastheeft. Hij spat zichzelf helemaal nat met bier. 'Kom op, prinsesje, teruggooien!' keft hij, druipend, klappend in zijn handen, stampend met zijn laarzen. Elli giechelt en wacht op een seintje van mij.

Ik tik een paar keer met mijn vinger tegen mijn neus. 'Tegen zijn smoel,' verduidelijk ik in het Bulgaars.

'Kop dicht, rooie,' schreeuwt John Martin. 'Dit is een serieuze sport. Kom op, prinsesje. Gooien.'

Met een lichte greep, precies zoals ik het haar geleerd heb, heft Elli de bal naast haar oor, haar schouders evenwijdig aan Johns lichaam, linkervoet naar voren. Dan strekt ze sierlijk haar arm naar achteren en met een pijlsnelle halve cirkel, haar schouder roterend voor maximale snelheid, knalt ze de bal recht in zijn gezicht.

De bal kegelt hem vlak op zijn gat.

'Allemachtig,' zegt hij. Hij hapt naar adem en veegt langs zijn bloedende neus. Hij begint te lachen. 'Allemachtig, als een kanonskogel. Die zag ik niet aankomen.'

Elli holt het huis in om papieren servetjes te halen en ik help John overeind en reik hem mijn biertje aan.

'Ik zei toch dat American football niks voor meisjes was,' zeg ik, en hij schudt zijn hoofd.

'Ze is goed,' zegt hij. 'Allemachtig.' En dan snapt hij dat Elli kennelijk niet het meisje was dat ik bedoelde.

•

Na een avondmaal van drie kant-en-klaarpakken macaroni met kaas vouwt John Martin de vlakke aarde van zijn Risk-bord open en bevechten we elkaar om alle continenten van de wereld. Zoals altijd verovert John Martin Azië. Hij trekt het merendeel van zijn legers samen in Zuidoost-Azië, dat met een balpen officieel hernoemd is tot Vietnam. Elli heeft de beide Amerika's in handen en ik ruk op vanuit het machtige Bulgaarse Keizerrijk.

'Pas op, John Martin,' zeg ik. 'Het machtige Bulgaarse Keizerrijk rukt op.'

'Kom maar op, rooie,' zegt hij. Hij stelt een paar van zijn bemande kanonnen in een rij op, alsof dat hem kan redden. Ik klop op het musket van een van mijn soldaten. '*Avtomat Kalasjnikov*,' zeg ik. '*Made in* Bulgarije.'

Hij duwt een van zijn eigen soldaten naar voren. 'Napalm, kloothommel. Zo Amerikaans als appeltaart.' Dan kijkt hij naar Elli en zijn grote, hoekige gezicht wordt vuurrood omdat hij een lelijk woord heeft gezegd.

We hebben nog nooit een spel uitgespeeld. Na een uur is John Martin te zat om de dobbelstenen te gooien. Hij trekt zich terug in zijn leunstoel en blijft een tijdje naar ons zitten kijken, af en toe roepend: 'Knal hem voor zijn rooie donder!' of 'Zo mag ik het zien, wijfie!' Soms haalt hij zijn telefoon tevoorschijn en houdt hem in zijn schoot. Soms blijft hij ermee in zijn hand zitten spelen tot hij in slaap valt.

'Hij wil zijn dochter bellen, hè?' vraagt Elli, en soms denk ik dat dat inderdaad is wat hij wil. Zijn dochter of anders Anna Maria, de Mexicaanse weduwe. Met John Martin weet je het nooit. We doen het bord en alle soldaatjes terug in de doos. Elli trekt John zijn stinkende laarzen van zijn voeten, en terwijl ik ze buiten op de veranda zet, gooit zij een deken over hem heen. Dan gaat ze onder de douche en poetst haar tanden.

In mijn kamer lees ik haar Bulgaarse boeken voor, hoofdzakelijk sprookjes over *samodivi* in prachtige kleren, over mannen met schubben en drakenvleugels, over *vampiri*, *karakondjoeli*, *talasoemi*. Maar we hebben die boeken al zo vaak gelezen dat de verrassing eraf is, de verhalen leven niet meer.

Daarom vraagt Elli me soms om zelf een verhaal te vertellen. En ik vertel. Ik verzin verhalen over de oude kans, over de roemrijke veldslagen. Ik leer haar geschiedenis zoals ik die zelf van school heb onthouden. Belangrijke jaartallen, gedenkwaardige gebeurtenissen: hoe ze het cyrillische alfabet hebben gemaakt, hoe we de ridders versloegen en hun keizer in onze burcht gevangenhielden tot we uiteindelijk besloten hem van de toren te duwen, zijn verdiende dood tegemoet.

'Heb jij die toren gezien, taté?' vraagt ze. Natuurlijk heb ik die gezien, vertel ik haar. Alle Bulgaren kennen die toren. Hij staat er, onderdeel van de burcht.

'Kan ik hem ook eens zien?'

En dan weet ik niet wat ik moet zeggen, want zoals mijn vrouw haar opvoedt, zoals Buddy alles voorschrijft, zie ik het niet gebeuren dat ze ooit teruggaan naar Bulgarije, zelfs niet als toeristen. Ze verbieden haar goddomme zelfs haar eigen taal te spreken uit angst dat haar Engels eronder zal lijden. In hun ogen is mijn dochter slechts in staat één enkele taal te spreken.

Vanavond vraagt Elli weer om een verhaaltje. Ik kleed me om in mijn slaap-T-shirt en duik in bed, maar zij bedenkt nog iets en haalt een mobieltje uit haar spijkerbroek die over de stoel ligt. Ze tikt een kort berichtje in en binnen twintig seconden komt het antwoord. *Slaap lekker, engeltje. XOXO.*

'Wat betekent "xo" in godsnaam?' vraag ik. 'Waarom heb jij in godsnaam een telefoon?'

'Om contact te houden,' zegt ze, terwijl ze de telefoon weer in haar broekzak stopt. 'Kusjes en knuffels.'

'Onthou,' zeg ik terwijl ze weer in bed stapt, 'altijd contact zoeken. En mocht er niemand in de buurt zijn...'

'... jezelf onderuit schoppen om een strafschop uit te lokken. Ja, ik heb het onthouden.'

'Zo mag ik het zien, wijfie,' zeg ik, en dan lachen we. 'Welk verhaal wil je horen?'

'Maakt niet uit. Iets leuks. Over onze familie. Thuis in Bulgarije.'

Thuis in Bulgarije. Ik kus haar op haar voorhoofd. 'Oké,' zeg ik. Ik adem diep in terwijl zij met haar hoofd op mijn borst ligt en zich opmaakt om te luisteren. 'Dit verhaal, ook dit verhaal, begint dus met bloed,' zeg ik. 'En met bloed eindigt het. Bloed verbindt de mensen die erin voorkomen en bloed verdeelt hen. Velen hebben het al verteld en velen hebben erover gezongen, maar ik heb het niet van hen gehoord. Ik kende het al toen ik geboren werd. Het zat in de aarde en in het water, in de lucht en in de melk van mijn moeder. Maar het zat niet in de melk van jouw moeder en niet in jouw lucht, dus moet je goed luisteren nu ik het je vertel.'

Ik voel haar adem, zachtjes en warm tegen mijn hals. Ik leg mijn hand op haar haar.

'Zie voor je,' zeg ik, 'hoe zwarte rook de hemel boven Klisoera dichtpleistert. Voel de vuren die de krakkemikkige huisjes verbranden. Hoor de kinderen krijsen en hun moeders huilen. Ali Ibrahim is de horigen tot het ware geloof aan het bekeren. "Wie weigert er nog meer om een fez op te zetten?" vraagt Ali, en zijn zware stem snijdt door de lucht als een Damasceens zwaard. Hij zit hoog op zijn zwarte hengst, op een erf vol soldaten en keuter-boeren, en vlak bij hem staat een hakblok. Donker bloed is in het hakblok getrokken, en er hoeven nog maar vijf hoofden te worden afgehakt voor het bloed de hoeven van Ali's paard zal bereiken.

"Wiens kop rolt als volgende?" vraagt Ali. Er stijgt een geween op uit de menigte. Een jong meisje stapt naar voren. Ze beweegt zich langzaam, ze zwemt boven de grond. Haar haar is lang, zo lang dat het door de modder achter haar aan sleept en als een beek het erf af stroomt. Sneeuwklokjes omkransen haar hoofd en een wit kleed omhult haar als een spookachtige cocon. Haar blauwe ogen doorsnijden het donker om Ali heen en zoeken zijn gezicht.

Hij kijkt hoe ze hem nadert.

"Hoe komt het, mijn arme broeder," vraagt het meisje hem, "dat je je eigen volk bent vergeten? Het is je eigen bloed dat je laat vloeien als je hen doodt, broeder. Je eigen bloed dat je vergiet."

Ali trekt zijn jatagan en springt van zijn paard om het meisje te doorsteken. De verschrikte ogen van de dorpelingen – christenen die hij de sultan gezworen heeft tot de islam te zullen bekeren – volgen hoe hij met het zwaard door de lucht klieft in een wanho-pige poging om deze verschijning af te slachten. Maar zoals altijd is het meisje verdwenen. Ze is in zijn geest teruggezonken tot ze een volgende keer, in een andere gedaante, opnieuw zal verschij-nen.'

Ik pauzeer even om op adem te komen.

'Taté?' vraagt Elli. 'Wat heeft dit verhaal met onze familie te maken?'

'Wacht maar,' zeg ik. 'Luister. En probeer in slaap te vallen. Het is al laat. Dus eigenlijk,' zeg ik, 'begint dit verhaal niet met Ali Ibrahim, al eindigt het wel met hem. Het begint achttien jaar eer-der met de geboorte van mijn overgrootmoeder, de mooiste vrouw die ooit heeft geleefd.

Iedereen wist, zelfs al voor haar geboorte, dat mijn overgroot-moeder de mooiste vrouw ter wereld zou worden. Dus op de dag dat ze haar eerste ademteug neemt komen mannen van heinde en ver om haar eer te bewijzen. De rij voor het huis is zo lang dat de laatste man twaalf jaar moet wachten voor hij aan de beurt is om haar te voet te vallen en zijn geschenken aan te bieden.

Vanwege mijn overgrootmoeders ongeëvenaarde schoonheid raken in het dorp de wetten van oorzaak en gevolg een tijdlang verstoord. Een gebeurtenis mondt niet meer uit in haar gebruikelijke vervolg, maar leidt tot iets totaal onverwachts. Dit wordt voor het eerst opgemerkt wanneer enkelen van de mannen die in de rij staan om de jonggeborene te zien hun geduld verliezen en stenen naar het huis beginnen te gooien. Anders dan je zou verwachten breken de ruiten niet, maar de blaadjes aan de bomen eromheen kleuren op slag rood en beginnen te vallen alsof de herfst maanden te vroeg is ingetreden. Vijf huizen verderop wordt een meisje hopeloos verliefd op haar oom omdat twee knullen een zak jonge katjes in de rivier proberen te verzuipen, en een oude vrouw wordt vertrapt door een stier omdat aan de andere kant van het dorp een huisvrouw vergeet aardappels in de hutspot te doen.

Het bericht over de geboorte van het kind dat de mooiste vrouw ter aarde zal worden, verspreidt zich snel. Het reist van de steile oevers van de Donau over de besneeuwde toppen van het Balkangebergte tot in de uitgestrekte Rozenvallei van Kazanlak en over de Bosporus, tot het uiteindelijk het oor bereikt van de grote sultan in Istanboel. Zijne Grootheid krijgt onmiddellijk slapeloze nachten van de schoonheid van mijn overgrootmoeder, alleen al van horen zeggen. Hele dagen zit hij als een ellendige schim onder de vijgenbomen naar haar te verlangen; niets lijkt hem nog plezier te doen. Het gezang van de meest exotische kanaries uit Singapore klinkt hem als akelig gekras in de oren. De strelingen van de mooisten van zijn vrouwen verkillen hem tot op het bot en maken dat hij alleen nog maar tranen wil plengen, in eenzaamheid. Eten is de enige uitweg uit zijn ellende. Elke zonsopgang verorbert de sultan twaalf schalen baklava, elke volgende in nog meer honing gedrenkt dan de vorige. Elk middaguur doet hij zich tegoed aan drie geroosterde lammeren gegarneerd met forellenlevers en spechtenharten, en als de zon achter het paleis ondergaat, troost hij zich met het vlees van twintig eenden en twee zuigkalveren.

Van al dat eten wordt hij zo vet, zo kolossaal dik, dat niets binnen honderd schreden aan zijn schaduw ontsnapt.'

'Hij is een vieze vetklep,' giechelt Elli. 'Net als in die film met Austin Powers.'

'Precies,' zeg ik. 'Dat is precies het goede woord voor hem. Achttien jaar lang bidt die vieze vetklep van een sultan tot Allah om hem een goede gezondheid te schenken zodat hij lang genoeg in leven blijft om de mooiste van alle vrouwen in zijn armen te kunnen houden. Na bijna twintig jaar lijden dankt de sultan op een nevelige lentemorgen zijn harem af en laat hij zijn grootvizier ontbieden.

"Het is duidelijk dat ik uitzinnig van verlangen ben naar deze vrouw," zegt de sultan tegen de grootvizier. "Ik heb gewacht tot ze opgegroeid zou zijn, en nu wil ik haar eindelijk in mijn armen houden. Draag de beste zijdewever op om de mooiste zwarte *feredje* te maken. Stuur dan onze onverbiddelijkste janitsaar met honderd soldaten naar haar huis om haar op te halen. Zeg hem dat hij haar met de feredje moet sluieren en dat hij nooit een blik op haar gelaat mag werpen, want wie een blik werpt op het gelaat van mijn vogeltje, straf ik met blindheid."

De grootvizier stelt een ferman op dat hij zegelt met het rode zegel van de sultan, en overhandigt hem aan de beste ruiter met de snelste Arabische hengst, met de woorden: "Galoppeer dag en nacht tot je bij het dorp Klisoera komt, waar Ali Ibrahim de horigen met het zwaard tot het ware geloof aan het bekeren is. Zoek hem op en overhandig hem deze ferman. Zeg hem dat hij woord voor woord moet uitvoeren wat erin staat of anders zijn kop kwijtraakt. Keer binnen één maan terug en de sultan zal je belonen met je gewicht in goud. Kom één dag later en je kop zal rollen."

De ruiter treft Ali Ibrahim aan terwijl hij met zijn jatagan staat te zwaaien bij het hakblok op het erf vol boeren en soldaten. Hij overhandigt Ali de ferman en wacht tot hij hem heeft gelezen.

"Nog nooit ben ik zo vernederd," zegt Ali Ibrahim, en hij gooit de brief voor de voeten van de boodschapper neer. "Eigenlijk zou ik het genoegen moeten smaken om je te doden voor het brengen van zulk nieuws. Ga terug naar Zijne Grootheid en zeg hem dat Ali Ibrahim hem de mooiste aller vrouwen zal bezorgen. Maar tegelijk met haar, zeg hem dat, zal Ali Ibrahim haar hele dorp tot het ware geloof bekeren, want Ali heeft gezworen dat hij de horigen het gezicht van Allah zal leren kennen, niet dat hij voor de sultan op snollen zal jagen."

Met die woorden springt hij weer op zijn zwarte hengst en werpt een laatste blik over het rood-overspoelde erf en de boeren met hun bibberende gezichten. Hij beveelt vijftig van zijn mannen om door te gaan met de bekering en rijdt aan het hoofd van de honderd overige soldaten het dal uit, op weg naar het dorp van mijn overgrootmoeder, de mooiste vrouw van de wereld.'

Elli's ademhaling is zacht en gelijkmatig geworden, maar ze slaapt nog niet. Ze dommelt weg en wordt weer wakker. Ik blijf een tijdje stilletjes liggen tot ze ineens overeind schiet, zelf verbaasd dat ze is ingedommeld. 'Ali Ibrahim,' kwettert ze. 'Wie is dat, taté? Wie is Ali Ibrahim?'

Ik aai over haar wang en zeg dat ze moet gaan liggen en haar ogen dichtdoen.

'Ali Ibrahim is een janitsaar,' zeg ik. 'Er stroomt Bulgaars bloed door zijn aderen. Overeenkomstig het bevel van de sultan moeten de horigen elke vijf jaar hun bloedschatting betalen, de *devşirme*. Niemand ontkomt aan de rekrutering; de manhaftigste jongens worden geronseld om bij het keizerlijke leger te worden ingelijfd, en ouders die proberen hun zoons te verbergen worden met de dood gestraft.

Ali werd bij zijn moeder weggehaald toen hij twaalf jaar was. Hij droeg toen nog zijn Bulgaarse naam en geloofde nog in de macht van het Heilige Kruis. Op een ochtend bij zonsopgang kwamen de ronselaars als de kraaien der duisternis, en tegen de tijd dat de zon wegstierf achter het Balkangebergte hadden ze veertig van de gezondste en sterkste jongens van het dorp geselecteerd om mee te nemen. Ali Ibrahim was daar niet bij. Maar zijn moeder ging de soldaten achterna en viel aan hun voeten en smeekte hun om hem mee te nemen. Ze was weduwe en had het beste met haar jongen voor. Ze wist dat hij als boer geen toekomst had, dat hij gedoemd was als horige te sterven. Maar als soldaat, als janitsaar, zou hij de hele wereld kunnen veroveren. "Neem hem mee, aga," huilde ze terwijl ze de jongen naar voren duwde, en de jongen begreep niet waarom zijn moeder dit deed, kón het niet begrijpen.

Wekenlang was het konvooi jongens, bewaakt door vijftig soldaten, te voet onderweg naar Istanboel – zuidwaarts door het Rodopegebergte, oostwaarts door het district Edirne, en toen nog verder naar het oosten. In Istanboel werden de jongens gebaad en werden hun haren afgeschoren en hun hoofden geschroeid. De namen van hun vaders werden uitgewist en ze kregen fatsoenlijke moslimnamen. Ze hadden geen verleden meer: in de macht van de sultan waren ze inwisselbaar. Nederige dienaren in naam van de ware God.

Ali Ibrahim werd naar een stadje in Anatolië gestuurd, waar hij diende in het huis van een linnenkoopman. Een oude man, die vroeger de Siamezen naar het oosten had teruggedreven. Daar leerde Ali Ibrahim de vreemde taal en het nieuwe geloof. Daar leerde hij allen te haten die hij ooit had liefgehad.

Ali Ibrahims geest wordt achtervolgd, Elli. De onzichtbare aantrekkingskracht van zijn verdorven hart is zo sterk dat geen van hen die hij gedood heeft er ooit aan heeft kunnen ontsnappen. Aan zijn lichaam geklonken volgen de doden hem overal waar hij gaat. Hij sleept een onafzienbare keten van ellendige zielen achter zich aan, en alleen hij kan hun gejammer horen. Achter zijn rug om noemen zijn mannen hem *Deli Ali*, "Gekke Ali" betekent dat in het Turks, maar niemand durft het in zijn gezicht te zeggen, want ze kennen hem ook als Meedogenloze Ali, die nooit aarzelt een hoofd af te slaan. Sommigen beweren dat zijn eigen zuster en moeder onder de ongelovigen waren die Ali tijdens een bekering in zijn geboortedorp doodde omdat ze weigerden de grootheid van Allah te erkennen.'

Dan zwijg ik een hele poos. Elli slaapt op mijn borst en ik moet opstaan en het licht uitdoen. Maar ik wil niet opstaan. Ik lig te denken aan mijn eigen moeder, en dat ik haar al zeven jaar niet heb gezien, en aan mijn zus, die afgelopen voorjaar een baby heeft gekregen. Ik luister naar Elli's gelijkmatige ademhaling en verlang naar dingen die niet kunnen.

IV

De volgende ochtend vraag ik John Martin of we zijn auto mogen lenen om naar de dierentuin te gaan.

'Over m'n kouwe lijk,' zegt hij, schommelend in zijn stoel, terwijl Elli achter hem zijn woorden geluidloos meebekt.

'Maar ik wil jullie wel mee uit vissen nemen,' zegt hij. 'Als jij de benzine betaalt.'

Ik kijk naar Elli en zij haalt met een gebaar van nou-goed-dan haar schouders op. Dus ik zeg tegen John dat hij het maar op mijn rekening moet zetten en loop gauw weg om alles klaar te leggen voordat hij iets slims terug kan zeggen. Een halfuur later koppelen we zijn boot achter de pick-up. Nog een halfuur later bungel ik met mijn tenen in het meer.

'Hou je poten binnenboord,' scheldt John Martin. 'Je vermindert onze vaart.'

Hij zit achterin te sturen met het handgreepachtige uitsteeksel van de motor in zijn handen. Ik weet niks van vissen of boten. Wat ik wel weet is dat deze boot er ongeveer even lomp uitziet als de boten die de Russen moeten hebben gebruikt toen ze in 1878 de Donau overstaken om de Turken aan te vallen. Maar deze boot is Johns liefste bezit, dierbaarder nog dan zijn pick-up. Hij heeft hem Sarah genoemd; dat zegt genoeg.

Mijn eigen dochter zit op de voorplecht of voorsteven of hoe het ook mag heten, en wijst naar plekken ver weg aan de andere kant van het meer waar zij denkt dat de vis zich verstopt. Maar John Martin luistert nooit. Hij vaart altijd naar zijn vaste stek aan het eind van de inham, bij een verlaten, half ingestorte steiger, waar het water, nauwelijks een meter ondiep, verstikt is met wilgentenen, waterlelies en riet, waar een permanente wolk muggen hangt en grote, zwarte schildpadden naar de riemen happen, en waar er geen denken aan is om met je tenen in het water te bungelen.

'Jezusmina, John,' zeg ik als ik doorkrijg dat we daar weer op afgaan. Ik smeer Elli's hals, armen en benen in met muggenolie. 'Ga alsjeblieft ergens anders heen. Daar, bij dat betonnen torentje, of bij dat eiland. Doet er niet toe waar, maar niet naar die steiger.'

'Bij die steiger,' zegt John Martin, en weer zegt Elli geluidloos zijn woorden mee terwijl hij spreekt, 'zitten de vissen. Ik ga al vijftien jaar naar die steiger en dat zal ik nóg vijftien jaar blijven doen, als de goede God ze me geeft. Daar heeft Sarah die tienponder opgehaald, en wat goed genoeg is voor Sarah moet jandorie ook...'

Maar ik luister al niet meer. De zon klimt gestaag naar het hoogtepunt van de hemel en er is nergens schaduw waarin we ons kunnen terugtrekken, er zijn nergens fatsoenlijke bomen langs de oever. Hier en daar aan de andere kant van het meer zie ik andere boten, allemaal groter dan de onze, met snellere motoren. Ik zie dure hengels doorbuigen, en water opspatten, en mannen vissen zo groot als kalveren ophalen, of in elk geval zo groot als lammetjes.

De eerste paar keer dat ik Elli mee uit vissen nam met John Martin – de eerste paar keer dat we de baarzen ontdeden van schubben en ingewanden, toen Elli nog eens ergens achter een struik heeft geplast – die eerste paar keer was het nog wel leuk en had ik er plezier in. Toen kon ik op mijn rug in de boot liggen en naar mijn dochter kijken en me leeg voelen vanbinnen, vrij van spijt en jaloezie. Het deed er niet toe dat ik haar alleen in de weekends zag. Het deed er niet toe dat mijn vrouw nu met een ander samenleefde, zelfs die man zelf deed er niet toe. Ik had geen eigen auto, nou en? Ik woonde in bij John Martin, dronk zijn bier en at zijn macaroni, nou en? Ik had tenminste Elli nog.

Maar nu zijn onze weekends herhalingen geworden van die eerste weekends van pret. Alleen de pret is eraf. O ja, Elli lijkt er nog wel plezier in te hebben, maar ik lig niet meer vrij van haat op mijn rug. O, ik zit zo vol haat. Ik vreet me op van jaloezie.

'Haat jij ze niet, John Martin?' vraag ik hem. 'Ben jij niet stinkend jaloers op die lui in die dure boten?'

'Nee hoor, helemaal niet,' antwoordt hij en stuurt rustig door.

'Nou, ik haat ze,' zeg ik. 'Als ik naar ze kijk voel ik zoals ze dat bij ons noemen *jad*. Zo veel jad dat het mijn borst verstikt. Elli?' vraag ik, terwijl ik zachtjes met mijn teen in haar rug por. 'Voel jij jad als je naar ze kijkt?'

'Niet echt,' zegt ze.

'Dat zou je wel moeten, schat. Dat zou je moeten. Jad, John Martin,' leg ik uit, 'is wat het binnenste van elke Bulgaarse ziel bekleedt. Jad is wat ons voortstuwt, als een motor. Jad is zoiets als jaloezie, maar niet alleen dat. Het is zoiets als wrok, woede, razernij, maar dan verfijnder, complexer. Het is zoiets als medelijden met iemand, spijt om iets wat je hebt gedaan of nagelaten, om een gemiste kans, een mogelijkheid die je hebt laten lopen. Al die gevoelens in één schitterend woord. Jad. Kun je het nazeggen?'

Maar hij zegt het niet na. In plaats daarvan zegt hij: 'Laat me je één woord van mij zeggen. Elli, prinsesje, doe je oren dicht.'

Elli draait zich om en kijkt hem aan. 'Gelul,' zegt ze. 'Is dat wat je wil zeggen, John Martin?'

•

We vangen zes baarzen. Of liever, Elli vangt er twee en John Martin de rest. Ik lig achterin en drink mijn champagne onder de bieren, terwijl John mijn dochter bijbrengt hoe ze moet trollen en drillen en haar nog andere fijne kneepjes van de hengelsport leert. Het is een beetje klef hoe hij alsmaar over haar hoofd aait, haar steeds maar prinsesje noemt, maar ze steekt er wat van op en ik besluit niet tussenbeide te komen.

Ten slotte verkondigt Elli dat ze het niet meer kan ophouden. En wil ik alsjeblieft niet weer zeggen dat ze het maar overboord moet doen — meisjes doen het niet overboord. John Martin beveelt me het brok sintel op te halen dat we als anker gebruiken en ik trek aan het touw, maar het anker zit vast in de modder onder de boot. Met een zucht neemt John het touw over en trekt, alsof hij het beter zou kunnen. Zijn gezicht loopt rood aan. 'Godverdomme,' steunt hij.

'Zeg dat wel,' zeg ik. 'Elke godvergeten keer.'

We blijven het een tijdje proberen, trekken het touw naar links, naar rechts, in rondjes. Elli heeft haar benen stijf over elkaar en haar ogen dichtgeknepen, ze bijt op haar lip. John Martin vloekt en zoals van me verwacht wordt vloek ik ook een beetje.

'Kom op nou,' zegt hij, en hij slaat het touw om zijn hand. 'Kom op.'

Zo om en nabij een kwartier blijven we trekken.

'Ik hou het niet meer,' huilt Elli. Dus springt John Martin aan de ene kant overboord en ik aan de andere. Het water komt tot aan mijn borst, bij hem tot aan zijn middel, en tot aan onze kinnen als we door onze knieën zakken en in de warme modder naar het anker grabbelen. We proesten, graaien door de modder, trappen tegen het brok tot het eindelijk loskomt. Met een grom haalt John Martin het brok omhoog en legt het enorme ding in de boot, een homp meer met waterplanten en slijmerige bruine bladeren.

Dan, na zeven rukken aan het koord, bromt de motor weer en vliegen we met zes kilometer per uur in de richting van de dichtstbijzijnde oever. Elli wipt van boord en plonst naar de kant om dekking te zoeken achter een schamele struik.

'Jezus, dat was op het nippertje,' zegt John Martin, en hij grabbelt in de koelbox naar een vol blikje. Hij rolt er een over zijn wangen om ze af te koelen. Ik kijk naar zijn hals.

'John,' zeg ik, 'er zit een bloedzuiger zo groot als de pik van een vijfjarig zigeunertje in je hals.'

'Godsamme, Michael, niet weer,' zegt hij. Dan buigt hij achterover en strekt zijn hals zodat ik er beter bij kan.

V

'Het nieuws dat Gekke Ali onderweg is om haar te komen halen bereikt mijn overgrootmoeder terwijl ze kleren aan het wassen is in de rivier. Alle andere meisjes worden bevangen door paniek, maar overgrootmoeder verliest geen moment haar kalmte. Ze wringt een hemd uit en begint aan een volgend stuk wasgoed.

"Ik heb geen tijd om bang te zijn," zegt ze tegen de anderen. "Werk wacht op niemand."

Een heldere maan bloeit op aan de hemel. Ali Ibrahim en de honderd soldaten houden halt bij de houten poort. Ali stijgt af, trekt zijn jatagan, en klopt met het ivoren gevest drie keer op de poort.

"Ik ben gekomen om uw dochter te halen," zegt hij tegen de man die opendoet. Hij brengt zijn zwaard bij het gezicht van de man; aan de punt van de kling hangt de zwarte keizerlijke feredje. "Neem dit om haar gezicht te sluieren en breng haar hier. We hebben een lange weg te gaan en de tijd is kort."

De man neemt de sluier aan en loopt naar de stal waar de mooiste van alle vrouwen de koeien aan het melken is. Hij overhandigt haar de zwarte doek, die als een gewonde duif fladdert in zijn bevende hand.

Mijn overgrootmoeder vernauwt haar ogen, neemt de sluier aan en gooit hem in het vuil. Ze melkt de koe af en springt dan op het enige paard in de stal.

"*Az litse si ne zaboeljam*," zegt ze: "Nooit zal ik mijn gezicht sluieren." Ze fluistert iets tegen het paard en grijpt de manen vast.

Men zegt dat meteen op dat moment een zware storm opstak uit het westen en dat toen mijn overgrootmoeder met haar lange, fladderende haren in een grote stofwolk over de muur van het erf sprong, over Ali en zijn soldaten heen, iedereen met stomheid geslagen was door haar schoonheid.

Een tijdlang staat Ali versteend van ongeloof. Zijn gezicht is kalm, alleen trekt hij van tijd tot tijd met zijn rechterwenkbrauw. Hij bestijgt zijn paard en steekt zijn jatagan terug in de schede.

"Breng me de feredje," zegt hij. En als de soldaten hem de zwarte doek terugbrengen uit de stal, beveelt hij hun: "Hak zo nodig alle hoofden af, maar als ik terugkom wil ik hier een *hodja* horen zingen in de naam van Allah."

Dan gaat hij in gestrekte draf de stofwolk achterna die mijn overgrootmoeder heeft opgeworpen.'

We liggen weer in bed. Het regent zoals het nog nooit geregend heeft. Al toen we van het meer naar huis reden, waren er dikke dotten wolken komen opzetten. We stopten bij een Dairy Queen, waar ik voor Elli een milkshake kocht. Ik kocht er ook een voor John Martin. 'Stommeling,' zei hij. 'Je weet dat ik niet tegen melk kan.' Maar hij dronk hem op met gulzige slokken. Voor we thuis waren moesten we twee keer stoppen bij een benzinestation en één keer sprong John Martin al op de oprit uit de wagen om naar de wc te rennen terwijl de motor nog draaide. Onbedoeld gunde hij mij de eer om onder het afdak te parkeren. Toen hij veertig minuten later bleek en bezweet weer tevoorschijn kwam, liep hij de regen in om te kijken of ik de koplampen wel had uitgedaan en de wielen had rechtgezet. Wat ik was vergeten.

Nu in bed werpt Elli een laatste blik op haar mobiel. Ze heeft haar moeder al ge-sms't en haar knuffels en kussen ontvangen.

'Vertel verder, taté,' zegt ze na een tijdje. 'Wat gebeurde er toen? Krijgt Ali Ibrahim haar te pakken?'

•

'Twee dagen achtereen rijdt mijn overgrootmoeder zonder rust te nemen en twee dagen achtereen rijdt Ali Ibrahim haar achterna. Als een jachthond volgt hij haar spoor, en de afstand die hen scheidt wordt steeds kleiner. Naarmate hij dichterbij komt, naarmate de geur van lelietjes sterker wordt, begint zijn hart sneller te kloppen, zijn keel te verdrogen, zijn hand op het gevest van zijn jatagan steeds meer te zweten. Met elke stap lijkt de lucht dikker te worden. Ali Ibrahim heeft het gevoel dat hij tegen de stroom van een rivier in waadt.

Op de derde dag ziet mijn overgrootmoeder in dat ze de janitsaar niet voor zal kunnen blijven. Daarom besluit ze hem te verslaan met haar schoonheid. Ze zet zich op een rotsblok in het midden van een rivier, en daar vindt hij haar, terwijl ze met haar vingers haar haren kamt.

"Dus jij bent Ali Ibrahim," zegt ze zonder op te kijken. "Gekke Ali, die zijn eigen volk offert in naam van een valse god."

Ali staat op de oever en wrijft over het ivoren gevest van zijn zwaard.

"Nou, Ali," zegt ze, "sta daar niet zo te staan. Kom me helpen mijn haren te vlechten."

Hij trekt zijn zwaard en laat het zakken, zodat het over de stenen op de bodem schraapt als hij door de trage rivier waadt. Mijn overgrootmoeder kamt nog steeds haar haren, kijkt nog niet op naar Ali, wiens gezicht nog even kalm staat als eerst, al is zijn rechterwenkbrauw weer begonnen te trekken. Pal voor haar blijft hij staan en hij neemt een lok zwart haar in zijn hand. Hij staat op het punt hem af te snijden, maar dan slaat mijn overgrootmoeder haar ogen op en laat ze rusten op zijn gezicht.

Ali's hand verlamt en hij laat het zwaard vallen. Hij doet een stap achteruit, struikelt over een steen en valt op zijn rug in de rivier. Mijn overgrootmoeder begint te lachen terwijl Ali, liggend in het water, haar aankijkt.

"Je bent niet de eerste man die voor me valt," zegt ze tegen hem, "en je zult ook niet de laatste zijn. Maar je bent verreweg de knapste man die ik ooit heb gezien."

Ali zegt niets. Hij staart haar aan en likt langs zijn lippen.

"Wat heb je?" vraagt ze spottend. "Als ik niet wist dat jij Ali Ibrahim bent, zou ik denken dat je ergens bang voor was."

Eindelijk slaagt Ali Ibrahim erin overeind te krabbelen. Hij grijpt naar zijn jatagan.

"Sta op," zegt hij tegen haar. "Ik breng je naar de sultan."

Opnieuw lacht mijn overgrootmoeder en ze schudt haar haren naar achteren. Nooit zal ze zich door hem laten meenemen naar Istanboel, maar ze weet dat het zinloos is om nu verzet te tonen.

Ze zal hem gehoorzamen tot haar tijd is gekomen.

"Goed dan," zegt ze. "Neem me mee. Maar zo kan ik niet voor Zijne Grootheid verschijnen. Je moet me helpen mijn haren te vlechten."

Als hij het donkere haar aanraakt, gaat er een huivering door zijn lichaam. Langzaam begint hij te vlechten, met een vaardigheid die hij nooit had verleerd.'

•

'Ze rijden zij aan zij. Elke keer dat de paarden een breder pad inslaan begint mijn overgrootmoeder te zingen. Ze laat haar stem hoog opklinken in de hoop de aandacht te trekken van iemand die haar kan helpen. Drie dagen lang komen ze geen sterveling tegen, en drie dagen lang zegt Ali Ibrahim geen woord.

Zou het mogelijk zijn, vraagt mijn overgrootmoeder zich af, dat mijn schoonheid geen macht over hem heeft? Om de zoveel tijd draaft ze voor hem uit zodat haar ravenzwarte vlechten zwaaien, zodat Ali naar haar kan kijken.

Aan de buitenkant is niets aan hem te merken. Rechtop zit hij te paard, fier en fel als altijd. Maar vanbinnen wordt hij verteerd door vurige vlammen, door woedende stormen, en hij is zwak – precies zoals een man zich hoort te voelen wanneer hij gevallen is voor de mooiste vrouw van de wereld.

De vierde avond vinden ze een open plek in het dichte dennenwoud en daar houden ze halt om te wachten tot de zon weer opgaat. Ali verzamelt droge twijgen en maakt een vuur. De twijgen knisperen in het donker en mijn overgrootmoeder rilt.

Eindelijk doet Ali zijn mond open. "Eet wat," zegt hij, en hij geeft haar een stuk vlees dat hij boven de vlammen heeft geroosterd.

"Ik eet geen vlees," antwoordt mijn overgrootmoeder, ook al vergaat ze van de honger. "Ik eet alleen wittebrood met honing. En ik drink verse melk."

Ze zitten lange tijd te zwijgen, het felle vuur als een levende muur tussen hen in. Ali kijkt naar haar – haar lippen, haar neus, haar ogen. Zij kijkt naar hem. Zijn donkere blik vervult haar met angst en kilte, en met iets wat ze nooit eerder heeft gevoeld. En ze haat hem.

"Zeg me, Ali," vraagt ze, terwijl ze een tres haar in haar handen neemt, "hoe kan het dat handen die zo zacht kunnen aanraken zo veel dood en pijn kunnen aanrichten?"

"Zo zijn Gods wegen," antwoordt hij. "Zelfs het witste hemd heeft wel een grijs vlekje. Zelfs de zwartste nacht verbergt iets glinsterends in haar kleed."

En dan, juist als mijn overgrootmoeder op het punt staat te spreken, treedt er een schim tevoorschijn uit het duister. Een vrouw in een zwarte jurk met een zwart schort voor en een zwarte sjaal over haar haren komt op hen af en gaat bij het vuur zitten. Twee zwarte gaten gapen in haar gezicht. Ze heeft geen neus en geen lippen. De verschijning maakt haar haren los en begint ze te kammen met een houten kam. Vanonder haar losvallende lokken lijkt ze eerst mijn overgrootmoeder en dan Ali aan te kijken.

"Mijn zonneschijn," roept ze uit, "hoe kon je het doen?"

Ali grist een brandend stuk hout uit het vuur en gooit het naar de verschijning. De vurige stok scheert door de lucht, valt in het gras en verzinkt langzaam in de duisternis. De verschijning is verdwenen, en waar ze zat ontluikt nu een sneeuwklokje.

"Ze volgen me overal waar ik ga," zegt Ali tegen mijn overgrootmoeder. "Allen die ik gedood heb. Ze zijn aan me vastgeketend."

"En degene die ik net zag? Wier schim was zij?"'

VI

Het regent niet meer zo hard, maar de wind is aangewakkerd tot een storm. Ik schuif Elli een beetje naar de kant en stop haar in. Ze beweegt in haar slaap maar wordt niet wakker. Ik kus haar gladde voorhoofd. Ik luister naar de regenvlagen die tegen de ruiten slaan, en naar de airco die onder mijn raam staat te ronken. In het donker suist een auto voorbij en de banden gieren terwijl ze het water van de weg duwen.

Ik zou het helemaal niet erg vinden als John Martin als in een goedkope film met een voorspelbare plotwending een product van mijn verbeelding bleek te zijn. Als de pick-up helemaal van mij was en ik in mijn eentje rondreed, als een in zichzelf pratende maniak, over de onverharde wegen van Texas, en als ik dan ergens op een van die wegen uit verdriet en jaloezie mijn verstand verloor. Ik zou het helemaal niet erg vinden om een beetje hulp te krijgen van geesten en schimmen, daar komt het geloof ik op neer. Zoals in de sprookjes die ik Elli voorlees.

En ik zou het helemaal niet erg vinden om nu met zijn tweetjes op weg te zijn, zij en ik, in John Martins pick-up. Op weg naar de kust, of naar Mexico misschien. We zouden op de een of andere manier wel de grens over komen, daar in El Paso. En dan zouden we kaartjes nemen voor een van die gigantische cruiseschepen en de Atlantische Oceaan oversteken.

Toen we in de vs aankwamen was het plan dat we wat geld zouden sparen, een eigen huis zouden kopen en dan, als we eenmaal genaturaliseerd waren, onze ouders hiernaartoe zouden halen voor het goede leven: cola light en gefrituurde okra, en om de tien minuten vijf minuten lang reclame op tv. Tegen die tijd zouden ze gepensioneerd zijn, zodat ze rustig op Elli konden passen als Maya en ik allebei naar ons werk waren. Zij zouden haar goed Bulgaars leren praten, lezen en schrijven. Zij zouden zorgen dat haar wortels niet afstierven. Maar het was te duur om er zelfs maar een telefoon op na te houden en dus schreven we brieven. De brieven uit Bulgarije deden er twee weken over om aan te komen en de brieven uit Amerika, als ze te dik waren en eruitzagen alsof er dollars in verstopt zaten, kwamen helemaal niet aan. Dus schreven we kortere brieven. En die brieven werden magerder aan betekenis. Jazeker, een brief van je zus is hoe dan ook iets om te koesteren, maar er stond niets wezenlijks in, in die brieven, alleen de grote feiten die nooit een echt beeld kunnen schetsen. Wat kan mij het schelen dat de familie de vakantie aan zee heeft doorgebracht? Dat mijn moeder laatst, toen ze een krop sla ging kopen, een vroegere vriendin tegenkwam die de groeten doet? Dat mijn nichtje geboren is? Ik ben nu hier, zo ver weg dat ik geen benul heb hoe warm het zeewater was, of mijn moeder een redelijke prijs voor die sla betaalde, of het sneeuwde op de dag dat mijn nichtje haar eerste ademteug nam. Ik heb geen idee wie de paraplu boven het hoofd van mijn zus hield toen ze met haar baby in haar armen naar de auto liep. Ik was het niet, dat weet ik, en meer hoef ik in feite niet te weten.

Zo gaan die dingen nu eenmaal, heeft Maya's neef, die ene die in de Bronx in de flat onder ons woonde, een keer gezegd. Bewijs jezelf een dienst, zei hij, en ruk alles wat je aan vroeger bindt uit. Hij had al in drie jaar niets van zijn broers gehoord en moest je hem zien: niks aan de hand. Minder ballast om mee te slepen, zogezegd. Voorwaarts en opwaarts. Nooit achteromkijken. Van achteromkijken was nog nooit iets goeds gekomen, zei hij. Óf je veranderde in een zoutpilaar, óf je verloor je geliefde aan de Hades. Hij was ook leraar geweest, de stakker, en nu had hij het prima naar zijn zin als taxichauffeur in New York.

Ik lig in bed en kijk naar de wind, die zo hard huilt dat hij allerlei gestalten aanneemt, en ik hoor Elli's adem niet meer boven het klappen van hun wieken uit. Dan raken mijn gedachten een beetje door de war. Ik ben op straat in Sofia en koop zonnebloempitten van een tandeloze oude man omdat ik de duiven wil voeren, een dichte, zwarte massa op het plein om ons heen. Maar de oude man wil me de pitjes niet geven waarvoor ik heb betaald. Nee, nee, zegt hij. Je hebt niet betaald. Nu heeft hij een tros rode ballonnen en ik jat er een paar en hij roept lispelend *Fffnimanie! Fffnimanie!* Houd de dief! Houd de dief! En dan marcheer ik in een parade, tussen allemaal kinderen die met papieren vlaggetjes zwaaien, en er jankt keihard een sirene door de regen, misschien vanwege Tsjernobyl, omdat het regent en ze ons van straat af willen hebben.

'Taté,' hoor ik, en iemand schudt aan mijn schouder. Ik zie Elli, maar het is John Martin die me vastheeft.

'Wakker worden, goddomme,' zegt hij, en Elli zegt hem na. 'Tornado.'

VII

'Soms, toen hij nog jong was, droomde Ali Ibrahim van zijn moeder. Dan zag hij haar op een rotsblok in het midden van de rivier zitten en haar lange zwarte haar kammen. In de droom regent het.

"Kom hier, mijn zonneschijn," roept ze hem toe. "Kom me helpen vlechten."

Het water staat laag en hij kan naar het rotsblok in het midden toe lopen, over een pad van witte stenen. Maar de regen valt steeds harder. Het water stijgt, de stroom wordt wild, en het pad naar zijn moeder is afgesneden. Al snel begint de stroom dode lichamen mee te voeren; ze drijven allemaal met hun rug naar de donkere lucht gekeerd. Zijn moeder zit nog steeds op het rotsblok en kamt nog steeds haar haren. Het regent nu bloed.

"Kom hier, mijn zonneschijn," roept ze weer. "Kom me helpen vlechten." Maar haar gezicht is er niet meer – de regen heeft het uitgewist.

Elke nacht dat hij dit visioen droomde kon Ali zich minder van zijn moeder herinneren. Tot er op een nacht niemand meer op het rotsblok zit, alleen de lichamen nog op de stroom drijven, lichamen waarvan hij de gezichten niet kan zien.'

VIII

'We moeten als de sodemieter weg,' zegt John Martin. Hij snijdt een pak boterhamworst open en een zak brood en begint op het aanrecht boterhammen te smeren. Elli wikkelt de boterhammen in de papieren servetjes waarvan we een stapeltje uit de Dairy

Queen hebben meegenomen en ik sta een tijdje toe te kijken hoe ze als team opereren. Uit de tv schalt de ene waarschuwing na de andere, maar ik krijg mijn ogen niet scherp gesteld. Ze hebben me in het diepst van mijn slaap overvallen en nu lijkt zelfs die gekmakende sirene mijn kop niet weer op zijn plaats te kunnen schroeven.

Ik neem een paar lauwe slokken uit een blikje bier dat nog op tafel staat, nu bijna net zo smerig als Dr Pepper. 'Hoor dan,' zeg ik. Ik knik naar de tv. 'Het is maar een waarschuwing. Relax.'

'Om de dooie dood niet,' zegt John Martin, terwijl hij zijn mes langs zijn broek afveegt en dan dichtklapt. 'Als de sirene zo gaat, blijf ik niet relaxed. Jij mag hier blijven als je wilt, maar ik ga.'

Hij blaast een Walmart-zak op om te controleren of er geen grote gaten in zitten en stopt de boterhammen erin. Hij vult een lege sapcontainer met kraanwater en die gaat ook in een Walmart-zak. De ingeblikte stem op tv zegt dat er een weeralarm is afgegeven voor het noordwesten van het district Buddyville, voor het district Buddyview, voor Buddysonville... en ik kan niet besluiten of ik nu moet hopen of vrezen dat de nieuwe woonplaats van mijn vrouw wordt genoemd. Of ik opgelucht moet zijn dat ik Johns woonplaats niet heb horen noemen of dankbaar omdat ik hem wel heb gehoord? Want zoals de zaken er op dit moment voor staan zou een beetje complete verwoesting, een beetje totale vernietiging me niet onwelkom zijn.

We horen dat de windhoos twee districten ten noorden van ons en een eind bij mijn vrouw vandaan contact gemaakt heeft met de grond. We zullen naar het zuiden rijden, zegt John, een kilometer of vijftien, naar een McDonald's net buiten de stad. Hij zal ons op een ontbijt van McGriddles en koffie trakteren, sinaasappelsap voor het prinsesje. Daar zullen we kalmpjes afwachten tot het voorbij is. Daarna komen we hier weer terug en ruimen we de takken en bladeren in de tuin op. Maar laten we in jezusnaam opschieten.

We graaien Elli's tas mee, die er nog precies zo bij staat als mijn vrouw hem heeft ingepakt, en wat mij betreft – ik heb niets wat de moeite waard is wat je in een tas kunt stoppen.

Het begint licht te worden. De lucht is merkwaardig groen voor zo vroeg op de dag en de wind is bijna helemaal gaan liggen. Er hangt een vieze geur, als van een stinkkever op een frambozenstruik. Ozon, neem ik aan. In de verte zien we de bliksem flitsen, en we voelen het gerommel van de donder, nu eens gedempt en dan weer luider, afhankelijk van de veranderlijke windrichting ter plekke. We staan op de voorveranda terwijl John Martin met de twee zakken in zijn armen naar de pick-up rent om hem alvast te starten. Op dat moment gaat Elli's telefoon over in mijn broekzak.

Ik heb hem al aangenomen vóór zij kan vragen hoe ik eraan kom.

'Elli, liefje, alles in orde? Hoe is het weer bij jullie?'

'Een stralend zonnetje,' zeg ik met een authentiek Bulgaars boerenaccent. We rennen het erf over en John Martin duwt het portier open. Elli wipt op de middenplaats en ik kom achter haar aan.

'Michael,' zegt mijn vrouw zo hard dat zelfs John Martin met zijn ogen knippert, 'wat is er aan de hand? Zitten jullie in de schuilkelder?'

'We hebben geen schuilkelder,' zeg ik tegen haar. 'Moet je horen, alles is oké hier. Maak je geen zorgen.'

'Ga naar de schuilkelder,' zegt ze, haar stem verstoord door ruis en een lelijk accent. 'Michael,' zegt ze, en ik denk: zeven jaar in Amerika en nu al noemt ze haar man bij een naam die niet de zijne is. En dan bedenk ik: ik ben haar man niet – en die gedachte is zo nieuw dat het even lijkt alsof iemand anders haar denkt.

'Je valt weg,' zeg ik.

'Michael,' zegt ze, 'hoor ik daar een motor? Zitten jullie op de weg?'

'We moeten naar een schuilkelder. Hier komt Elli.' Maar voordat ik de telefoon doorgeef, verbreek ik met een druk van mijn duim de verbinding.

In het dode toestel schreeuwt Elli tegen haar moeder. 'We moeten terugbellen,' zegt ze. 'Ik wil met mammie praten.'

Ik stop de telefoon weg in mijn zak en zeg tegen haar dat er geen ontvangst is. Ik help haar haar gordel vast te maken en trek haar stevig tegen me aan. 'Maar ik ben er. Ik ben hier, Elli.'

'Ik wil met mammie praten,' zegt ze. Dan begint ze zomaar te huilen. In het Engels ook nog. 'Ik wil naar mammie. Breng me naar mammie.'

'Stil maar,' sus ik. Ik probeer haar op haar voorhoofd te kussen, maar ze duwt me weg. Dus ik zeg: 'Godsamme, John Martin, gaan we nog rijden of hoe zit dat?' en Elli begint nog harder te jammeren. Ik begin weer aan het verhaal dat ik haar aan het vertellen was, maar ze wil niet luisteren. Zelfs niet wanneer John Martin haar smeekt. Ze jankt maar door, onze eigen sirene binnen in de auto. Zo beginnen we te rijden, terwijl de groene lucht boven ons alsmaar groener dichttrekt, een verblindende deken. Het regent weer.

'Niet omkijken,' zeg ik tegen John Martin als hij in de achteruitkijkspiegel steels een blik op zijn huis werpt. Ik heb het, uiteraard, over zoutpilaren.

IX

'Wanneer ze de volgende dag weer op het bergpad komen staat de zon al hoog boven de kim. Het pad is smal, met steile afgronden aan beide kanten; als je een steen over de rand rolt, is hij tot zand verpulverd voor hij de bodem bereikt. Eén misstap en paard en ruiter storten samen in de afgrond. Ali Ibrahim gaat voorop. Mijn overgrootmoeder volgt.

"Ik ben uitgeput," zegt ze. "Wanneer ik voor de sultan verschijn, moet ik er op mijn voordeligst uitzien."

Ali stijgt af en terwijl zij beschutting zoekt in de schaduw van haar paard, scherpt hij zijn jatagan.

"De zon is te sterk," zegt mijn overgrootmoeder, "en mijn huid is te blank. Geef me de feredje zodat ik mijn gezicht kan bedekken." Ali zucht diep, steekt zijn jatagan weer in de schede en haalt de zwarte doek uit zijn zadeltas. Hij overhandigt de feredje aan overgrootmoeder, maar zij laat hem vallen en de kostbare lap zijde vliegt van het pad af en de steile helling omlaag, door de wind speels meegevoerd naar de bodem van de kloof. Ali weet dat hij mijn overgrootmoeder niet aan de sultan kan presenteren zonder de speciaal gemaakte zijden sluier voor haar gezicht, dus klautert hij heel voorzichtig achter de feredje aan naar beneden.

Smal pad, steile hellingen. De feredje danst als een vogel door de lucht, Ali gaat erachteraan – langzaam, met weloverwogen passen, steun voor zijn voeten zoekend in de pollen die tussen de rotsen groeien. Dan struikelt hij. Hij rolt de helling af.

Zodra ze het ziet gebeuren, springt mijn overgrootmoeder op haar paard en geeft het de sporen. Snel rijdt ze over de bergen omlaag, maar hoe verder ze komt, hoe scherper de steek in haar borst. Ze veracht Ali – zijn gezicht, zijn ogen, zijn stem – maar toch trekt iets haar terug. Het begint te voelen alsof ze haar eigen bloed heeft vergoten.

Maar eenmaal op een breder pad gekomen houdt ze haar paard in.

"Als ik een teken zie," fluistert ze, "als ik een roze leeuwerik zie, ga ik terug om hem te helpen."

Meteen daalt een regen van leeuweriken uit de hemel neer. Als ze haar paard wendt en het de sporen geeft in de richting van de bergen, vertrappen zijn hoeven de kleine vogellijfjes.

Ze vindt Ali half begraven onder een hoop stenen. Zijn gezicht zit onder het bloed; onder zijn huid glinstert gruis dat in zijn wangen is gedrongen. Zijn armen zijn gekneusd, zijn knieën verdraaid, zijn kleren aan flarden gescheurd. Mijn overgrootmoeder knielt neer en slaagt er met uiterste krachtinspanning in hem op te richten. Ze slaat zijn arm om haar schouder en gebogen onder zijn gewicht probeert ze naar haar paard te strompelen.

Ze zijgt op de grond. Ali, met zijn gezicht op haar borst, verplettert haar bijna. Mijn overgrootmoeder staat weer op. Ze sleept hem vijf stappen verder en valt opnieuw. De stenen snijden door haar kleren. Haar knieën, ellebogen en handen bloeden. Ze staat weer op. Haar haar, nu kleverig van Ali's bloed en het hare, valt los over haar schouders.

Ze roept het paard: *"Ela, kontsje!"* Het paard knielt en ze legt Ali over het zadel. De zon giet vuur over de kloof. De Berg doemt op in de verte, sneeuw nog op zijn toppen.

Ik kan zo niet over de weg, zegt ze bij zichzelf. Als mensen ons zien, slaan ze hem dood.

Ze neemt de teugels en roept naar de Berg: *"Oy, Planino*, verberg ons, je arme kinderen, in je boezem.'"

•

'Mijn overgrootmoeder leidt het paard over de paden van de Berg omhoog. Sneeuwklokjes bloeien op in een rij voor haar voeten en ze volgt hun spoor.

Nog voor zonsondergang bereikt ze een herdershut. Er is niemand in de wei, het huis is leeg en achter een omheining blaten zo'n vijftig schapen. Binnen in de hut brandt een vuur in de haard. Water kookt in een ketel en op het eenzame bed ligt een armvol wit linnengoed.

Mijn overgrootmoeder legt Ali neer. Zijn ogen schieten heen en weer onder gesloten leden, en nu en dan mompelt hij woorden die ze niet kan onderscheiden. Ze knoopt zijn gescheurde hemd los, trekt hem de flarden van zijn broek uit, zijn rode laarzen, zijn bloeddoordrenkte gordel. De jatagan valt op de vloer, en wanneer ze het ivoren gevest aanraakt, slaan er koude golven door haar lichaam: duizend jammerklachten. Ze slingert het zwaard van zich af. Ze doopt een stuk linnen in het hete water en begint hem te wassen. Bij elke aanraking van zijn gebroken ledematen kermt hij het uit van de pijn, en zijn kreten echoën in de vallende avond. Alleen de schapen blaten. De Berg zwijgt.'

•

'Een maand lang zorgt mijn overgrootmoeder voor Ali. Ze verschoont zijn verband, bindt de spalken stevig vast, wast zijn wonden uit en smeert ze in met gewreven duizendguldenkruid en een aftreksel van kruipende boterbloem. Eén keer per dag baadt ze hem buiten in de wei. Omdat de bron waaruit ze water haalt ver weg is, baadt ze hem in schapenmelk. Ze maakt kaas en yoghurt om hem te voeden, steekt 's avonds een vuur aan om hem te verwarmen, zingt liedjes voor hem wanneer de stilte om hen heen te zwaar wordt. En door die zorg begint ze hem ondanks haar haat lief te hebben.

Het is altijd vreemd wanneer een vrouw verliefd wordt, en nog vreemder wanneer het gaat om de mooiste vrouw ter wereld. Opnieuw raken de wetten van oorzaak en gevolg verstoord. Elke keer dat mijn overgrootmoeder een schaap melkt schiet het gras in de wei hoger op. Elke keer dat ze het vuur aansteekt rolt er van de pieken in de verte een lawine van stenen naar beneden. Haar liefde voor Ali wordt met de dag sterker, en het is haar liefde die hem geneest.'

•

'Negen maanden nadat ze samen bij het vuur lagen baart de mooiste vrouw van de wereld een al even beeldschone dochter. Ali hoedt de vijftig schapen op de sappige weidegronden. Hij draagt zijn jatagan niet meer; die ligt nu veilig weggeborgen in een houten kist. Mijn overgrootmoeder verzorgt de baby, maakt kaas en yoghurt, en het lijkt wel of de zon nooit zal ondergaan over hun huis. Maar dit verhaal begint met bloed, en met bloed moet het dus ook eindigen.'

X

John Martin snijdt een stuk af door een smalle zandweg door eindeloze velden in te slaan. Elli huilt niet meer, maar ze weigert iets te zeggen. We komen langs een ranch, die met prikkeldraad van de rest van de wereld is afgescheiden. Aan de andere kant van de afrastering staan koeien – grote bruine koeien en kalfjes met natte langharige vachten, allemaal tegen elkaar aan gedrongen bij een groot gat in de grond dat vol staat met groen, borrelend water. Als we langsrijden, stampen ze met hun hoeven, rekken onrustig hun halzen, en ik zie hun blauwe tongen de lucht proeven, alsof de ozon een stuk likzout was.

Achter ons, heel in de verte, hangt een dik regengordijn en flitst de lucht van de bliksem. Maar de lucht vóór ons is al net zo groen, net zo flitsend. Na een kilometer of tien rijden raakt de motor oververhit en brengt John Martin de wagen in de berm tot stilstand.

'Waarom zet je de verwarming niet aan?' vraag ik, en hij knikt in de richting voor ons uit.

'Geen enkele zin om ons die kant op te haasten.'

Ik laat een zucht ontsnappen die misschien wat gekwelder klinkt dan noodzakelijk. 'Waarom luister ik nog naar jou?' zeg ik. Ik weet precies wat er nu komt, maar het kan me even niet schelen. 'We hadden gewoon thuis moeten blijven.'

John Martin knikt. Hij wrijft over zijn kin en bijt op zijn lip.

'Wat een ontzettend stom idee. Waarom luister ik ook naar jou!'

Hij opent zijn portier. 'En nu ben ik het zat,' zegt hij. 'Prinsesje,' zegt hij, en hij tikt tegen de rand van een onzichtbare hoed. Hij stapt de regen in en doet het portier zachtjes dicht. Dan begint hij terug te lopen naar waar we vandaan komen; zijn gestalte vervaagt bijna meteen. Ik roep hem na. Ik beuk op de toeter. 'John Martin!' schreeuwt Elli, maar hij loopt door, met zijn handen in zijn zakken, een spookverschijning in de storm.

Ik vloek, klim over Elli heen, start de motor en keer de wagen. Ik draai mijn raampje omlaag en zodra ik met John op gelijke hoogte ben, zeg ik dat hij moet kappen. Ik maak mijn excuses. 'Zie mijn tranen van berouw,' zeg ik, en ik veeg met mijn mouw de regen van mijn gezicht. Achter me draagt Elli haar steentje aan de smeekbede bij, tot John Martin eindelijk weer in de auto zit, doorweekt en druipend.

'Gekkenwerk,' zegt hij. 'Geen doorkomen aan.'

Ik weet dat ik mijn mond moet houden, maar toch zeg ik het: 'We hadden thuis moeten blijven.'

Zonder stemverheffing of ook maar een spoor van animositeit vraagt John aan mij wat me in godallejezusnaam mankeert. Tenminste, dat is hoe ik me het zou willen voorstellen dat hij het vraagt. En op de een of andere manier voel ik me verplicht om antwoord te geven, niet voor hem, maar voor mezelf.

'Om heel eerlijk te zijn, John,' zeg ik, 'heb ik er een godsgruwelijke hekel aan hier. Daar komt het geloof ik op neer. We hadden nooit hiernaartoe moeten komen. Amerika, bedoel ik – niet alleen Texas, niet alleen dit weggetje.' Ik klop Elli op haar schouder, maar ze schudt mijn hand weg. 'In Bulgarije heb je geen tornado's, zoveel is zeker.' En dan vertel ik ze dat ik geen glimlachende mensen meer kan zíen, geen jonge, mooie stellen, geen vaders met dochters, geen bejaarde mannen en bejaarde vrouwen die samen gezond zijn en vervuld van een levenslust die mij is afgepakt. Het is een belachelijk gevoel, deze jad. Dat weet ik heus wel. 'Het is zo erg,' zeg ik, 'dat ik soms, als ik een paar biertjes opheb, zelfs betreur dat ik mijn blindedarm kwijt ben. Ik mis hem. Ik voel me incompleet.'

'Je bent een treurig exemplaar, Michael,' zegt John Martin, en hij leunt naar voren om het kruisje te kussen.

'En trouwens,' zeg ik, 'ik heet Michaïl. Niet "Maikel".'

'Moet je horen, Michael,' gaat John verder. 'Niemand heeft jou vanmorgen gedwongen het huis uit te gaan. En niemand heeft je gedwongen je land te verlaten. Je hebt er zelf voor gekozen en daar zou je als een man achter moeten staan. Als je een keuze maakt, moet je de gevolgen aanvaarden. Je moet door. Zo is het leven, prinsesje,' zegt hij. 'Je komt er niet door jezelf onderuit te schoppen en in het gras te rollen. Je blijft overeind en marcheert door. Zoals jij je leven leidt, Michael, is dit je toekomst,' zegt hij, en hij prikt met zijn duim in zijn borst. 'Jij hebt tenminste je dochter nog. Geniet ervan. En laat haar met rust. Genoeg gedaan alsof. Je bent hier niet in communistisch Rusland. Misschien komt ze je over tien jaar nog steeds opzoeken. Misschien komt ze niet...' Maar John Martin maakt zijn zin niet af.

Want ineens realiseren we ons dat er iets aan de hand is. De wind is volledig gaan liggen. Het regent niet meer en de lucht raakt plotseling zo geladen dat elk geluidje, hoe klein ook, zonder de geringste vervorming doorkomt.

Mij klinkt het in de oren alsof mijn moeder ons roept, nu op dit moment, mij en mijn zusje, om binnen te komen voor het eten.

'Ssst... luister,' zegt John Martin, en alle drie buigen we ons naar de voorruit alsof we zo beter konden horen.

Een geweldige vlaag slaat met een klap tegen de zijkant van de wagen, als een andere wagen, maar dan veel groter. Elli slaakt een kreet en werpt zich in mijn armen. De wind geselt ons links, rechts, links, en we kunnen niets anders doen dan daar zitten en de klappen ondergaan. De hele pick-up schudt en rammelt en het glas lijkt nu elk moment te kunnen breken. Ik dek Elli's gezicht af met mijn overhemd en houd haar heel dicht tegen mijn borst. Om de een of andere reden geeft John Martin een dreun op de claxon. Hij gaat af, maar de toeter is nauwelijks te horen in het gebulder van de wind.

Dan zien we hem – rechts van ons, minder dan een kilometer van ons af: een witte slurf die vanuit de lucht naar het veld reikt, volmaakt vredig in zijn kolkende kracht. Elli gluurt vanonder mijn arm en nu zitten we alle drie tegen de ruit gekleefd. We zijn nu alle drie kind, zo verbijsterd, Elli's adem tegen mijn hals en zelfs die van John Martin, scherp en warm, zuur van de lucht van verschaald bier. Hij zou ons kunnen doden natuurlijk, deze slurf van lucht, maar aan zoiets belachelijks denken we niet eens. Hij zou dwars door ons heen kunnen gaan en ons met auto en al van de aarde wegvagen, alsof we nooit hebben bestaan. Toch voelen we geen angst, dat merk ik. We voelen alleen ontzag, en meer valt er niet te voelen, geen spijt, geen jaloezie, geen jad.

Dan is hij voorbij, uiteengevallen in dunnere vlagen wind, in lucht en veld. Het begint weer te regenen, grote druppels die tegen de voorruit spatten en er weer van afketsen, want ze zijn midden in de lucht verhard tot hagelstenen. Korrels zo groot als walnoten. Ze hameren op het dak van de pick-up, slaan een ster in een hoek van de ruit.

En mét de ijsbrokken plettert een zwarte kraai op de motorkap, en dan nog een, en stokstijf kijken we hoe een vlucht dode kraaien om ons heen neerregent. Hun lijven doen water en modder opspatten op de weg.

Zoiets geks hebben we nog nooit gezien, geen twijfel aan. Maar net als daarnet zijn we niet bang, zelfs Elli niet, die op het dashboard is geklommen en haar gezicht platdrukt tegen de voorruit die haar scheidt van de kraai die slechts een paar centimeter van haar vandaan op de motorkap ligt.

Wanneer de hagel afneemt, stap ik naar buiten de regen in, en Elli volgt me en daarna John Martin. We porren met onze voet tegen de kraaien. Hun nekken zijn afschuwelijk verwrongen, hun vleugels gebroken als de baleinen van parapluutjes. We lopen een eindje door, zonder iets tegen elkaar te zeggen. Ik schop zachtjes tegen een kraai, als tegen een voetbal, en het beest begint met geknakte nek plotseling met zijn vleugels te klapperen, drie, vier machtige slagen in de modder. Ik deins terug, struikel over mijn eigen voeten en land op mijn gat in de modder.

Elli begint natuurlijk te gillen. Maar algauw gaat haar gegil over in onnatuurlijk lachen. Naast me staat ook John te lachen, zijn dikke buik schudt ervan. Dus om ze een plezier te doen ren ik een eindje over de weg en schop mezelf onderuit. Weer land ik in de modder en blijf een tijdje zo zitten terwijl de regen neergutst, terwijl mijn dochter staat te lachen, terwijl ik mijn handen omhoogsteek alsof ik ergens op wacht. Een fluitsignaal misschien.

Ik weet dat Elli haar moeder wil bellen om haar alles over de regen en de tornado te vertellen. Goddank is er geen bereik. Maar hoe zit het met mijn eigen moeder? In Bulgarije heb je geen tornado's, zoveel is zeker, dus het is wel duidelijk dat ze er niks van zou begrijpen. Maar ik kan op zijn minst proberen het haar te laten vóelen. Hoe koud de wind was, hoe glanzend de veren van de kraaien. Nee, ze heeft de hemel van Texas nooit gezien, maar ík heb hem gezien. Nee, haar haar heeft nooit gedropen van de Texaanse regen, maar het mijne druipt in stromen. Ze heeft haar ogen niet nodig om mijn wereld te zien. Noch heb ik de mijne nodig om te zien wat zij ziet. Mijn bloed stroomt door haar aderen en het hare door de mijne. Ons bloed stelt ons in staat te zien.

XI

'Op een avond, net als mijn overgrootmoeder de baby de borst wil geven, begint de aarde te beven. De zon zal pas over een uur ondergaan en Ali is nog weg met de kudde. Met de baby in haar armen rent mijn overgrootmoeder de wei in.

Een zwarte golf slokt de heuvels in de verte op en nadert snel. Terwijl hij dichterbij komt, beseft mijn overgrootmoeder dat het soldaten zijn die op haar af marcheren. Vijfduizend janitsaren, de grote sultan aan het hoofd, gezeten op drie paarden die met gouden koorden aan elkaar zijn gebonden om samen zijn kolossale gewicht te dragen. En op een paard voor de sultan uit ziet ze Ali Ibrahim, verminkt, bijna doodgeslagen. Zijn handen zijn gebonden en er rollen bloederige tranen uit zijn blind gemaakte ogen.

Mijn overgrootmoeder wordt door paniek bevangen. De baby slaapt in haar bevende armen en geeft alleen af en toe een zacht jammergeluidje. Het woud, de toppen, de kloven zijn allemaal te ver weg; de wei strekt zich uit onder een bewolkte hemel. Mijn overgrootmoeder begrijpt dat ze de soldaten nooit voor zal kunnen blijven, dus gaat ze naar binnen, legt de baby in de wieg en kust haar vaarwel. Ze opent de zeven sloten waarmee de kist is afgesloten en neemt Ali's zwaard eruit. Weer die kilte, die gekwelde kreten. Op hetzelfde moment roept Ali haar toe vanuit de wei.

"Ren naar de Berg!" schreeuwt hij. "Neem de baby en ren!"

Licht als de ochtendnevel stapt mijn overgrootmoeder uit de

hut naar buiten. Ze staat voor de sultan, voor de vijfduizend soldaten, voor Ali, die van zijn paard is gevallen en nu huilt van verdriet. Het hoge gras reikt tot aan haar middel, de donkere wolken kruipen langs de hemel, de wind ruikt naar stof.

Mijn overgrootmoeder plant de jatagan in de grond, pakt haar haar bijeen en bindt het achter in haar nek vast, zodat haar gezicht onbedekt is.

"*Az bez boy se ne davam!*" zegt ze tegen de sultan: "Ik geef me niet zonder strijd over." Met beide handen grijpt ze het zwaard weer bij het gevest en heft het wapen. Meteen gebaart de sultan naar de soldaten dat ze zijn buit moeten grijpen. Maar de soldaten kunnen zich niet verroeren. Ze hebben het gezicht van mijn overgrootmoeder gezien en worden nu verteerd door vurig verlangen.

Vijfduizend man – stuk voor stuk waanzinnig verliefd. Zo veel begeerte op één plek verandert de wolken in stenen, die op het leger neerstorten in harde, glazige brokken. Als alle wolken gevallen zijn, daalt er een stilte over de wei.

Ali ligt voor de paarden van de sultan te kronkelen. Ook al zijn de meeste janitsaren verpletterd, er zijn er nog genoeg in leven om mijn overgrootmoeder mee te voeren.

"Grijp haar!" roept de sultan, en hij geeft een van de soldaten, een janitsaar, een schop. De man struikelt naar voren; zijn adem gaat zwaar en het zweet loopt langs zijn gezicht. Mijn overgrootmoeder houdt de jatagan stijf vast, met elke trilling van haar armen danst de punt door de lucht. De janitsaar komt een paar stappen dichterbij, raakt bijna haar schort – en valt dan aan haar voeten.

Mijn overgrootmoeder heft het zwaard. *Dood hem*, fluistert het dorstig. Maar dan fluistert een andere stem. *Het is je eigen bloed dat je vergiet als je hem doodt. Bulgaars bloed.* Mijn overgrootmoeder valt op haar knieën. Uiteindelijk pakken twee verblufte soldaten haar beet, onder waanzinnig geschreeuw van de sultan. "Breng me mijn vogeltje!" krijst hij. "Breng me mijn buit, mijn trofee, mijn bruid!"

Dan ontwaakt de Berg.

De wind stopt met waaien. De soldaten trekken hard aan mijn overgrootmoeder maar krijgen haar niet van haar plaats – ze is aan de grond gekluisterd. De Berg houdt haar vast. Dikke, soepele grashalmen hebben zich met elkaar vervlochten tot levende boeien die zich om haar benen en middel slingeren, om haar borst en haar schouders.

"Geef me mijn buit!" schreeuwt de sultan. Met veel inspanning stijgt hij af van zijn paarden. Maar als hij aan mijn overgrootmoeder begint te trekken, trekt de Berg terug. Hij trekt hard; de Berg trekt harder. De sultan neemt Ali's zwaard en hakt op de levende boeien in. Als hij klaar is, grijpt hij mijn overgrootmoeder en gooit haar over zijn schouder. Hij komt langs Ali, die in het stof ligt, en spuugt in zijn met bloed overstroomde gezicht, dan zet hij mijn overgrootmoeder op het ruiterloze paard.

"Laten we eens kijken hoe de mooiste vrouw van de wereld eruitziet," zegt de sultan en trekt haar haar, dat weer is losgegaan, naar achteren.

Twee lege ogen staren hem aan vanuit een bleek en leeg gezicht. De lippen zijn kleurloos, de wangen hebben hun roze blos verloren. De Berg heeft haar schoonheid opgezogen, om die te behouden.

"Al die ophef om dít?" De sultan fronst zijn wenkbrauwen. Hij laat zich op zijn drie paarden helpen en geeft ze de sporen. "Breng haar naar het paleis," beveelt hij. "Baad haar in rozenwater en melk. Dan zal ik nog eens kijken."'

•

'Niemand weet waarom de soldaten de hut niet in brand hebben gestoken. Ik heb weleens gehoord dat ze het wel hebben geprobeerd. Maar telkens als ze een brandende fakkel bij het rieten dak hielden, kwam er uit het niets een harde windvlaag die de vlammen doofde.

Ze laten Ali Ibrahim gewond voor de hut liggen, een makkelijke prooi voor de wolven en een feestmaal voor de kraaien. Binnen ligt de baby schokkend te huilen, maar ook haar laten de soldaten aan haar lot over.

Opnieuw daalt er een stilte over de Berg. Een tijdlang is er zelfs geen geblaf van honden te horen, want de dichtstbijzijnde huizen liggen op meer dan een dag lopen. Als de zon eindelijk achter de toppen is verdwenen, begint de baby weer te huilen. Ali tast zich op handen en voeten een weg door de wei. Voor zijn blinde ogen dansen lichte vlekken, de geur van zijn geliefde hangt nog in de lucht. Op de drempel van de hut laat hij zijn hoofd op zijn borst vallen. Hij voelt de dood op zijn lippen.

De schapen beginnen te blaten. Hun bellen zingen door de avond, en het hoge gras ruist onder hun lichte stappen. Melk klotst in een emmer – iemand heeft een schaap gemolken en brengt de melk naar de hut. Gefluister in de verte. Dansende schimmen. Een koude hand legt zich op Ali's schouder.

"Kom, mijn jongen. Kom, mijn zonneschijn. Laten we naar binnen gaan. De baby heeft honger."'

•

'En zo eindigt dit verhaal. Velen hebben het al verteld en velen hebben erover gezongen. Het zit in de lucht en in het water, in de dalen en de steile heuvels. En boven op de Berg hoor je nog steeds dat sussende gefluister – een vrouwenstem, die haar kinderen troost in tijden van wanhoop, in tijden van duisternis.'

Woord van dank

Graag wil ik hier, in min of meer chronologische volgorde, de volgende personen bedanken, zonder wie dit boek, noch de schrijver ervan, onmogelijk had kunnen bestaan:

Agop Melkonian, die mijn eerste verhalen las, er iets in zag en me vanaf dat moment niet meer behandelde als het zestienjarige stuudje dat ik was, maar als zijn gelijke, een schrijver. Ik wou dat hij dit boek had kunnen zien.

Mijn docenten Engels aan de First English Language School in Sofia: mevrouw Jordanova, mevrouw Stoëva, mevrouw Vasseva. En mevrouw Bojadzjiëva, die me tijdens onze eerste les opdroeg een zinnetje te maken in het Engels: 'The apple is on the table.' Ze had me evengoed kunnen vragen om een *sestina* te maken en dat was me misschien beter gelukt.

Mevrouw Marie Lavallard en de Foundation for the International Exchange of Students van de University of Arkansas. Zonder hun steun had ik het nooit kunnen betalen om in de Verenigde Staten te gaan studeren.

Ellen Gilchrist, die steeds een pleitbezorgster voor mij en mijn werk is geweest en die de eerste was die me erop wees dat schrijven hérschrijven is. Mijn eerste docenten *creative writing*: Adam Price en Mary Morrissy. Chuck Argo, zonder wie ik misschien nooit op het idee gekomen was om over Bulgarije te schrijven. John DuVal, die mij met zijn vriendschap en wijsheid door moeilijke perioden heeft geloodst. Davis McCombs, voor zijn aanmoediging. Molly Giles, voor haar ruimhartigheid en redactionele oprechtheid. Donald 'Skip' Hays, die me veel geleerd heeft over vertelstructuur en karaktertypering en die mij en mijn vrouw in de echt heeft verbonden. Zijn vrouw Patty, die haar huis gastvrij openstelde voor de plechtigheid. Kathleen en Collin Condray, en Beth en Peter Horton, voor hun gastvrijheid. Dr. Slattery, die me nooit 's ochtends inroosterde om college te geven! Mijn docenten psychologie: dr. Lohr en dr. Freund. Mijn vroegere baas Mike Williams.

Mijn dierbare vrienden in Arkansas die, geluksvogel die ik ben, te talrijk zijn om afzonderlijk op te noemen. Mijn vrienden en collega's in Denton, voor al hun steun. Mijn Bulgaarse vrienden, die me over de jaren en continenten heen trouw zijn gebleven: Botzata, Bojan en zijn familie, Ivtsjo, Oto, Trajtsjo en Tsveti.

Mijn agent, Sorche Fairbank, die vanaf het vroegste begin in deze verhalen geloofde, voor haar vriendschap, redactionele hulp en aanmoediging.

Mijn redacteur, Courtney Hodell, die een belofte in de verhalen zag nog voordat ze af waren en niet rustte vóór ze inderdaad af waren; die me veel over schrijven heeft geleerd, wat overigens met de nodige kwellingen gepaard ging. Ik dank je uit het diepst van mijn hart.

Mark Krotov, die altijd klaarstond om te helpen. Marion Duvert, Amanda Schoonmaker, Wah-Ming Chang, David Chesanow, Michelle Crehan, Jonathan Lippincott, Jennifer Carrow, Debra Helfand, Brian Gittis, Hanna Oswald en alle anderen bij Farrar, Straus and Giroux die zo hard hebben gewerkt om dit boek tot stand te brengen.

Brett Lott, Donna Perrault en de redactie van *The Southern Review*. Paula Morris, Sabina Murray, Heidi Pitlor, Salman Rushdie, Andrew Blechman, Hannah Tinti. De Walton Family Foundation en de Lily Peter Foundation van de University of Arkansas en Bob en Louise Garnett voor hun financiële steun bij het schrijven.

Mijn vrouw, voor al haar liefde en bemoediging.

Mijn familie thuis, maar vooral mijn oma's en opa's. Mijn ouders. Обичам ви!

Mijn dierbare Bulgarije, waarnaar ik in gedachten altijd weer terugkeer. En vergeef me, mijn schitterende Bulgaarse taal, dat ik

verhalen vertel in een vreemde taal, die me inmiddels zoet en ver-
trouwd in de oren is gaan klinken.

Tot slot u, waarde lezer, voor het lezen.